VOGUE
le livre de la beauté

AVEDON

Bronwen Meredith

VOGUE
le livre de la beauté

traduction Béatrice Vierne

Editions du Fanal

Pour Arabella

Vogue Body and Beauty Book
First published by Penguin Books Ltd.,
Harmondsworth, Middlesex, England

© Bronwen Meredith, 1977
Illustrations copyright © The Condé Nast
Publications Ltd., 1916-1977

Authorized French language edition
© Editions du Fanal, 1980
21-23, rue d'Astorg, 75008 Paris
Tous droits réservés

Cuisine en Vogue © Ninette Lyon, 1980

Conseillère technique : Sophie Lamiral

ISBN 2-7308-0012-3

LES BASES

1 Le corps *10*
2 La diététique *20*
3 Les régimes *42*
4 La gymnastique *68*
5 La sexualité *94*
6 La peau *110*
7 Le visage *128*
8 Bras et jambes *142*
9 Les cheveux *164*
10 Cuisine en Vogue *190*
 par Ninette Lyon

L'ESTHÉTIQUE

1 Le maquillage *200*
2 La coiffure *218*
3 Le bain *236*
4 Les parfums *252*

LES THÉRAPEUTIQUES

1 Les produits naturels *278*
2 La médecine parallèle *286*
3 Les maladies bénignes *298*
4 La chirurgie esthétique *314*
5 Le système nerveux *322*
6 Le vieillissement *330*

Index *350*

REMERCIEMENTS

L'un des grands plaisirs que m'a procuré ce livre fut d'avoir à ma disposition la somme des connaissances et de la compétence de tous les collaborateurs de *Vogue* depuis le début de sa parution. J'ai eu ainsi l'impression d'avoir à mes côtés une équipe de collègues invisibles que je voudrais tous remercier ici. Sous la direction d'Alexander Liberman, la rédaction de *Vogue* a toujours été la première à lancer de nouvelles idées et à reconnaître le besoin de changements dans les domaines de la santé et de la beauté, tout autant que de la mode. Je voudrais tout spécialement exprimer ma gratitude envers Beatrix Miller, rédactrice-en-chef de *Vogue* Londres, qui a soutenu mon projet de livre dès le départ ; ainsi que Barbara Tims qui a parcouru le manuscrit d'un œil expert et d'un stylo qui ne l'était pas moins. Alex Kroll, directeur de Condé Nast Books Londres, ne s'est pas contenté de surveiller de très près la création du présent ouvrage — sans parler de son auteur —, c'est aussi lui qui a choisi les illustrations. Un merci tout spécial à Maria Theresa Barlow qui a merveilleusement exécuté mes esquisses. Je profite encore de cet avant-propos pour remercier tous les employés d'Allen Lane qui ont collaboré à mon livre, tout particulièrement Eleo Gordon, ainsi que les nombreux experts qui m'ont accordé un peu de leur temps si précieux pour m'expliquer en détail leur spécialité.

Pour leur part, les Éditions du Fanal tiennent à remercier Lorraine Bolloré, rédactrice beauté de *Vogue* Paris, pour son aide et active collaboration à la publication en français de cet ouvrage.

AVANT-PROPOS

La recherche de la beauté n'a rien de narcissique, c'est un moyen essentiel d'acquérir cette confiance en soi sans laquelle on ne saurait rien réussir. Elle donne du plaisir à celle qui s'y livre et à ceux qui l'entourent. Aujourd'hui, la beauté ce n'est plus un certain visage, ni même un certain physique — nous avons laissé toutes ces idées bien loin derrière nous. La beauté transparaît désormais dans la façon dont une femme protège, reflète et projette la puissance de son corps et l'énergie de son esprit. La beauté, c'est l'individualité. C'est tout l'éclat de la santé et de la vitalité, c'est la prise de conscience et l'action, c'est la science et la technologie, et c'est bien sûr un physique royal, une peau parfaite, un corps superbe. Ce qui nous intéresse, ce ne sont plus les transformations rapides et passagères, mais bien plutôt les programmes à long terme pour se sentir et paraître plus belle. Voici enfin mises à votre portée des connaissances accumulées pendant de longues années. Vous y trouverez votre programme santé-beauté idéal : un guide tout simple pour toutes les branches de l'hygiène et de l'esthétique, qui vous renseignera sur les fonctions du corps humain, sur les artifices des soins de beauté, sur les grandes découvertes scientifiques et médicales... et dont la somme aboutit à une parfaite connaissance de soi. La beauté est devenue une science. Vous êtes responsable de votre corps, à vous de jouer...

LES BASES

1

LE CORPS

Représentez-vous le corps divisé en sept grands systèmes : squelette, cerveau, nerfs, muscles, respiration, circulation, digestion, glandes. Ils sont tous reliés et interdépendants, même si chacun possède son réseau.

LE SQUELETTE

Le corps d'une femme compte en moyenne 206 os, mais ce n'est pas une règle absolue. Elle a parfois une paire de côtes en plus. Un bébé possède à la naissance 350 os environ, dont plusieurs se soudent au cours de la croissance. La croissance osseuse et la taille définitive relèvent avant tout de la génétique, mais l'environnement peut aussi jouer. Les femmes atteignent en général leur taille maximale à seize ans, mais la croissance n'est pas terminée pour autant. La colonne vertébrale croît encore de trois à quatre millimètres entre vingt et trente ans. A partir de cinquante ans, la taille commence à diminuer.

Les fonctions du squelette sont variées. Il donne une forme et un support, il protège certains organes et sert d'ancrage au muscles. Vous pouvez à la rigueur redistribuer votre graisse et agir sur vos muscles, mais rien ne pourra jamais changer votre squelette.

Ce mot de squelette vient du grec « skeletos » qui veut dire « desséché ». On n'a bien sûr pas souvent l'occasion de voir des os vivants, mais sachez qu'ils sont rien moins que secs. L'os est recouvert d'une couche extérieure de tissu osseux compact, d'un blanc rosé, constellé de minuscules ouvertures où s'entrelace le réseau des nerfs, des artères, des veines et des tissus conjonctifs. A l'intérieur, les os sont d'un rouge profond et tapissés d'un voile de matière spongieuse qui contient la moelle, essentielle à la vie. Mélange de graisse et de tissu, la moelle fabrique tous les globules rouges et produit en outre d'autres constituants du sang ; qui plus est, elle constitue un réservoir de sels minéraux indispensables non seulement à l'os lui-même, mais à la santé de l'organisme entier. Les deux principaux minéraux du corps humain sont le calcium et le phosphore, mais la moelle contient aussi du magnésium, du fluor et du chlore. Ces minéraux, loin d'être stationnaires, se déplacent constamment pour aller fortifier les autres zones du corps et ils doivent donc être renouvelés. Malgré son apparente rigidité, l'os est un élément changeant et actif.

Le squelette est à la fois rigide et d'une extrême souplesse. Certaines articulations fonctionnent comme de véritables mécaniques de précision, d'autres sont fixes ; songez à tout ce que vous pouvez faire avec votre pouce ou votre gros orteil.

La colonne vertébrale est la principale structure osseuse, elle soutient le corps entier. Elle est très souple, mesure en moyenne un peu plus de 60 cm et comporte trente-trois vertèbres qui sont des os cylindriques, pourvus d'un canal central et reliés les uns aux autres. Entre les vertèbres, des disques de cartilage spongieux assurent l'élasticité de la colonne et lui permettent d'encaisser les chocs. De chaque côté se trouvent des ligaments qui aident à maintenir ensemble les différentes vertèbres et assurent leur coordination.

La cage thoracique — douze paires de côtes et le sternum — est attachée à la colonne vertébrale. Les côtes, de différentes tailles, sont toutes reliées par derrière à la colonne et recourbées vers l'avant, les côtes supérieures étant aussi accrochées au sternum. Elles forment ainsi une cage qui protège le cœur et les poumons, tout en leur laissant largement la place de gonfler lors de la respiration.

Les bras sont rattachés à la colonne par les omoplates et les jambes par le bassin. Ce dernier ressemble un peu à un coquillage et les organes abdominaux sont nichés au sein de sa solide charpente. La souplesse des membres est due aux différentes articulations. Tout en haut du corps se trouve la boîte crânienne dont la taille et la conformation déterminent les traits du visage.

LE CERVEAU ET LES NERFS

La taille du cerveau n'a rien à voir avec l'intelligence et un cerveau peut être deux fois plus gros qu'un autre sans qu'il y ait la moindre différence apparente dans leur fonctionnement : les plus gros cerveaux humains, qui sont jusqu'à deux fois plus gros que la normale, sont ceux des débiles mentaux. Le cerveau est une masse molle de 14.000.000 de cellules, dont la surface rappelle un puzzle assemblé avec la plus extrême précision. Il pèse environ 1,5 kg et il est si gorgé d'eau qu'il s'affaisserait comme une gelée s'il n'était solidement maintenu. Du point de vue anatomique, il consiste en deux hémisphères symétriques, mais il n'en va pas de même de son fonctionnement qui est très souvent unilatéral. L'un des deux hémisphères est généralement beaucoup plus actif ce qui explique que nous soyons soit droitiers soit gauchers.

Le cerveau proprement dit est la partie la plus importante et constitue environ les cinq sixièmes de l'encéphale. C'est le siège de toutes les fonctions cérébrales supérieures — la pensée, la mémoire et les impulsions sensorielles. Lorsqu'un certain nombre de facteurs physiques, mentaux et sociaux viennent s'ajouter les uns aux autres, l'énergie cérébrale est dégagée. Le lobe frontal contrôle les mouvements des muscles par l'intermédiaire d'une étroite bande de cortex, ordinateur moteur et nerveux, qui répond à toute action simple. Une section voisine perçoit les sensations du chaud, du froid et du toucher; une autre les messages sonores. Les réflexes visuels passent par le cerveau moyen. Malgré sa taille minuscule, l'hypothalamus, associé à la matière grise, aide à assurer l'équilibre, le métabolisme, le contrôle de la température, l'appétit, la soif, le sommeil, la fatigue, les émotions, la régulation du poids et les réactions sensuelles. Dès qu'il est endommagé, par exemple par la légère pression d'une tumeur voisine, la santé corporelle et mentale peut s'en trouver gravement affectée. Comme il contrôle la température du corps, il doit constamment compenser les pertes et les gains de chaleur. Ceux-ci sont généralement liés à l'activité métabolique et physique, plus rarement à l'environnement. Le frisson, activité involontaire des muscles du squelette, abaisse la température du corps. La température normale est de 36,6°. Les pertes de chaleur peuvent être dues à la radiation, la convexion, la conductibilité ou l'évaporation.

Le système nerveux est étroitement lié au cerveau. Le centre nerveux passe par la moelle épinière. Les messages, transmis comme des impulsions électriques, suivent en général le chemin le plus court jusqu'à la moelle épinière, d'où ils sont répercutés jusqu'au cerveau. Il y a quarante-trois paires de nerfs; douze d'entre elles sont rattachées directement au cerveau et le reste à la moelle épinière. Toute atteinte de la moelle épinière peut avoir de graves conséquences sur le système nerveux. Les nerfs peuvent soit transmettre l'information au cerveau, soit recevoir son message. Ceux qui transmettent sont les nerfs sensitifs, ceux qui reçoivent sont les nerfs moteurs.

LES MUSCLES

Ils constituent 36 % du poids du corps féminin et sont de deux sortes : muscles volontaires et involontaires, fonctionnant comme leur nom l'indique. Les muscles involontaires sont plus légers et agissent sans aucune marque extérieure d'activité; cachés à l'intérieur du corps, ils dépendent du système neuro-végétatif. Il est impossible de les déclencher ou de les arrêter volontairement. Leurs contractions incessantes, lentes et rythmées, assurent plusieurs fonctions de l'organisme ; ainsi ce sont elles qui poussent la nourriture à travers l'appareil digestif et propulsent le sang.

Il y a 556 muscles, faits de multiples fibres. Les plus longues mesurent 3 à 4 cm, certaines moins d'1 mm. Tous les muscles sont présents dès la naissance. Leur taille s'accroît ; pas leur nombre. La force musculaire est due à l'expansion de chaque fibre lorsque le muscle entre en action. Un tissu conjonctif lie ensemble toutes les fibres musculaires et les rattache à l'os. Ce tissu peut prendre la forme de tendons ou de bourses ; ces dernières sont des poches de liquide, qui jouent dans certaines articulations un rôle de poulie. La plupart des muscles sont attachés à l'os par un tendon à une seule extrémité ; certains le sont aux deux.

Les impulsions qui font réagir les fibres peuvent être électriques, mécaniques ou chimiques. L'intervalle écoulé entre l'arrivée du stimulus jusqu'à la fibre et le début de la contraction peut varier entre deux et quatre centièmes de seconde.

LA RESPIRATION

Il ne s'agit pas simplement d'inspirer et d'expirer, mais d'une méthode très complexe pour distribuer l'oxygène aux différentes parties du corps. Toutes les cellules ont besoin d'oxygène pour survivre. Un être humain détendu inspire et expire de dix à quatorze fois par minute, ce qui lui permet d'ingurgiter de 4,6 à 6 l d'air. Nos réserves d'oxygène étant modestes, toute activité physique accroît le besoin d'air. Les plus pénibles peuvent exiger jusqu'à 90 l par minute avec une seconde seulement entre chaque respiration.

La respiration est contrôlée par le diaphragme, muscle large et plat qui sépare le thorax de l'abdomen. En se contractant, il s'abaisse de 8 mm lorsque la respiration est normale et de près de 7,5 cm lorsqu'elle est profonde. Ce mouvement augmente la capacité du thorax et s'accompagne d'un mouvement des côtes. L'air s'engouffre à l'intérieur pour combler le vide des poumons. Pendant l'expiration, le diaphragme se relâche et remonte sous la poussée des muscles abdominaux ; les côtes reprennent leur position initiale.

L'air est ingurgité par les narines, la bouche ou les deux à la fois. Il est filtré par les poils du nez, et les muqueuses nasales contribuent à l'humidifier, ce qui le rend moins irritant pour les délicats organes contenus à l'intérieur du thorax. Il vaut donc mieux respirer par le nez le plus souvent possible. L'air s'infiltre ensuite dans le pharynx, un conduit fibro-musculaire d'environ 13 cm de long, par où pénètre aussi la nourriture. Puis ce conduit se sépare en deux. L'air passe par le larynx, sur le devant du cou, puis par la trachée-artère, tube élastique d'environ 13 cm de long, qui se divise en deux grandes bronches dont chacune se subdivise en une infinité de petites bronchioles ; celles-ci se scindent à leur tour en minuscules vaisseaux qui mènent au poumon et se terminent par des alvéoles.

Les poumons sont deux grands demi-cônes spongieux qui remplissent presque la cage thoracique et sont constitués d'une infinité de poches d'air. A eux deux, ils pèsent environ deux livres et demie et le droit est généralement plus lourd que le gauche. Leur structure est fort médiocre puisque le point d'entrée sert aussi de point de sortie. L'échange des gaz n'est donc que partiel et les cinq sixièmes de l'air emmagasiné dans les poumons s'y trouvent encore lorsqu'on prend la respiration suivante. Il arrive même que l'on garde toute sa vie certaines molécules dans les poumons.

La respiration est liée à certains phénomènes assez bizarres. Le rire, par exemple, provoque une profonde inspiration, suivie d'expirations spasmodiques. Est-ce parce que le poumon se trouve ainsi nettoyé à fond que l'on a coutume de dire qu'une personne qui rit beaucoup est en bonne santé ? Le bâillement est une respiration profonde et prolongée, destinée à réveiller le corps par un ample apport d'oxygène. Le soupir accentue l'expiration. Le hoquet est une inspiration spasmodique qui se termine par un claquement dû à la brusque fermeture des cordes vocales, provoquée par le diaphragme ou par les nerfs qui le contrôlent, et qui entraîne une réaction brutale.

LA CIRCULATION

Il y a en moyenne cinq litres de sang dans le corps humain, que le cœur fait constamment circuler à travers le système sanguin. Le sang constitue environ 10 % du poids total. Ce liquide est composé de globules rouges et blancs, de plaquettes et de plasma, ce dernier représentant un peu plus de la moitié du volume.

Les globules rouges contiennent de l'hémoglobine qui récupère l'oxygène dans les poumons et le distribue aux tissus ; lorsqu'il transporte de l'oxygène, le sang et les artères qu'il colore sont rouge vif. Les globules blancs sont plus légers et assez transparents ; ils sont moins nombreux que les rouges et plus variés ; leur principale fonction est de combattre l'infection, grâce à leur grande mobilité et à leur capacité d'absorber les bactéries et autres corps étrangers. Un excédent de globules blancs est aussi néfaste qu'une carence : la leucémie est une surproduction de globules blancs. Les plaquettes sanguines sont plus petites que les globules, mais beaucoup plus nombreuses. Elles interviennent dans la coagulation en assurant les premiers secours dans la zone atteinte. Le plasma n'est pas formé de globules ; il est constitué d'eau à 90 % ; les 10 % restants sont des protéines, des sels minéraux et la plus grande partie de ce que le sang est chargé de transporter, à savoir, les substances nutritives, les hormones, les déchets et les anticorps. Bien souvent, un malade a davantage besoin de plasma que de globules.

La principale fonction du sang est le transport. Il transporte en permanence de l'eau, essentielle à chaque cellule ; il emporte l'oxygène hors des poumons et leur apporte le gaz carbonique ; il approvisionne les cellules en aliments et récupère les déchets qu'elles produisent ; c'est lui qui distribue les hormones, qui fait circuler les anticorps et qui véhicule la chaleur des zones surchauffées aux zones froides.

Le cœur est un muscle gros comme le poing qui pèse moins d'une livre. Il n'est pas vraiment à gauche du thorax, comme on le croit souvent, mais au contraire assez près du centre, puisqu'un tiers de sa masse se situe du côté droit. Il comporte deux pompes, également actives : l'une qui envoie le sang vers les poumons, et l'autre vers le reste du corps. Son battement est double et se répète environ soixante-dix fois par minute, soit quatre fois par respiration normale. Lorsque l'activité physique est intensifiée, le battement s'accélère et le sang est pompé plus rapidement.

Ce qu'on appelle la tension correspond à la fois à la tension du sang dans les artères et à la tension de la paroi artérielle provoquée par l'afflux du sang vers le cœur. Elle dépend du rythme cardiaque (tension systolique) et de la résistance qu'opposent les petites artères au flux sanguin (tension diastolique) ; le premier chiffre est toujours plus élevé que le second et ils sont toujours enregistrés dans le même ordre. Entre vingt et trente ans, la tension normale devrait avoisiner 12.8. Elle s'accroît avec l'âge et doit être souvent contrôlée. L'hypotension peut être encore plus dangereuse que l'hypertension. Les évanouissements sont dus à un bref ralentissement du flux sanguin vers le cerveau : un arrêt total, même très bref, suffirait à endommager irrémédiablement ce dernier organe.

Le corps humain peut se vider d'un quart de son sang sans grand dommage apparent. Les donneurs en sacrifient 6 dl trois ou quatre fois par an sans inconvénient.

LA DIGESTION

La nourriture fournit au corps son énergie et sa substance ; la digestion est un processus automatique qui la transforme en unités utilisables qui peuvent être emmagasinées le cas échéant. L'appareil digestif consiste en un tube digestif à travers lequel passe la nourriture. Il commence à la bouche et finit au rectum ; il peut mesurer de six à neuf mètres et il se tord et se love au sein de l'espace disponible. Les organes annexes sont le foie, les reins, le pancréas et la rate.

La nourriture met entre 15 et 25 heures pour traverser le corps. Elle est avalée par contractions automatiques de l'œsophage (canal qui va de la bouche à l'estomac), qui la font avancer à raison de 2,5 cm par seconde environ ; ces contractions sont si puissantes qu'un liquide atteindra l'estomac même si on l'avale la tête en bas.

Lorsque la nourriture arrive dans l'estomac, les protéines, les graisses et les hydrates de carbone sont réduits en particules plus petites de protéines, glucose, acides aminés, acides gras et glycérine. C'est une opération à la fois chimique et mécanique ; les parois stomacales sécrètent des sucs digestifs et se contractent rythmiquement, poussant ainsi les particules de nourriture dans le duodénum, première partie de l'intestin grêle. L'acidité gastrique est un problème courant, dû à une trop forte proportion d'acide chlorhydrique dans le suc gastrique.

C'est avant tout dans l'intestin que se fait la digestion et une grande partie de la nourriture est absorbée par le corps à travers les parois intestinales. Ce sont les enzymes qui extraient les éléments nutritifs.

LE FOIE : C'est le plus gros organe du corps humain ; il pèse près de deux kilos. Il est impossible de survivre sans lui. Le foie est fait d'un tissu mou, brun rougeâtre, divisé en lobes et recouvert d'une enveloppe fibreuse et résistante. Il est doublement alimenté en sang, puisqu'il reçoit d'une part du sang artériel et de l'autre le sang que lui apportent les produits de la digestion en provenance des intestins. Au repos, un quart de tout le sang du corps se trouve concentré dans le foie, mais tout exercice violent peut le vider de six à douze décilitres. Le foie est l'organe central du métabolisme ; la liste de ses fonctions qui ne sont pas moins de 500, est impressionnante. Ses pouvoirs de régénération sont étonnants.

LES REINS : Chacun est un assemblage de filtres qui absorbent pratiquement toutes les petites particules que contient le sang et ne lui rendent que ce dont il a besoin. Les reins éliminent les déchets en sécrétant de l'urine ; ils règlent l'absorption de sel et de liquide du corps humain et maintiennent la légère alcalinité des sécrétions corporelles.

LE PANCRÉAS ET LA RATE : Ils déversent des sucs digestifs — de 6 à 9 dl par jour — dans le duodénum. Le pancréas comporte en outre une partie purement glandulaire qui sécrète l'insuline.

LES GLANDES

Certaines glandes, par exemple les glandes cutanées et celles du tube digestif, produisent des sécrétions qui n'ont qu'un effet local : on les appelle les glandes exocrines. Par contre, les glandes endocrines fabriquent des substances appelées hormones qui passent directement dans le sang et peuvent affecter des zones très éloignées de leur lieu d'origine. Les hormones sont des composés assez simples dont beaucoup sont désormais synthétisés. Elles agissent en très petites quantités et servent à contrôler la croissance, la taille, le poids, l'activité sexuelle, la reproduction et le tempérament.

L'HYPOPHYSE : Située à la base du cerveau, c'est la maîtresse-glande. Elle influence tout le système endocrinien, tout en exerçant un contrôle spécifique sur la croissance, le développement physique et mental, les organes sexuels, la menstruation, la tension et la vue.

LA THYROÏDE : Située dans le cou, c'est elle qui organise l'approvisionnement du corps en oxygène. Elle sécrète en outre une hormone riche en iode, la thyroxine, qui fait équipe avec une hormone sécrétée par l'hypophyse. Si la thyroïde est défectueuse (souvent à cause d'un manque d'iode), le métabolisme se ralentit. Il en résulte souvent un excès de poids et une certaine léthargie. Ces troubles peuvent aller jusqu'à l'apparition d'un goître. Par contre, l'hyperthyroïdie est cause de nervosité excessive, d'irritabilité et d'exorbitation des yeux.

LES PARATHYROÏDES : Situées de chaque côté de la thyroïde, elles contrôlent le taux de calcium et de phosphore.

LES SURRENALES : Elles agissent sur le système nerveux, les émotions et les glandes sexuelles. Elles sont situées au-dessus des reins et sécrètent une hormone appelée adrénaline qui stimule le cœur, accélère le pouls et provoque une élévation du taux de glucose dans le sang. Elle est déclenchée par la peur et peut provoquer la colère. La cortisone est une autre hormone.

LE PANCREAS : Une partie du pancréas sert à la digestion : le reste forme les îlots de Langerhans et produit l'insuline, une hormone qui contrôle le taux de glucose dans le sang et sa transformation en énergie et en chaleur. Les déséquilibres engendrent le diabète ou l'hypoglycémie.

LES GONADES : Ce sont les glandes sexuelles situées dans les ovaires. Elles produisent les œstrogènes et la progestérone qui à elles deux règlent le cycle de la reproduction. Elles sécrètent aussi une petite quantité d'hormones mâles. Si celle-ci devient excessive, des caractères secondaires masculins peuvent apparaître.

LA MORPHOLOGIE

Les caractères physiques varient beaucoup d'un individu à l'autre et toute classification des morphologies ne peut être qu'un guide très général. Dites-vous bien qu'il existe différents squelettes et qu'il est impossible de transformer son type morphologique. Il faut connaître ses limites et ses possibilités. A partir de vingt ou vingt-cinq ans, les dimensions de votre squelette sont définitives et son enveloppe musculaire et graisseuse est, elle aussi, déterminée. Tout est une affaire de proportions jouant sur les trois dimensions et souvent plus exactes vues de profil. La taille n'a rien à voir avec la morphologie.

Il existe trois grands types morphologiques : ectomorphe, mésomorphe et endomorphe ; ils comportent bien sûr des zones de chevauchement, mais il est impossible de passer d'un groupe à l'autre. Une grosse ectomorphe est grosse, mais ce n'est pas une endomorphe. De même une mésomorphe, si mince soit-elle, n'a rien à voir avec l'idéal de l'ectomorphe.

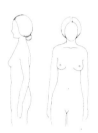

Ectomorphe

ECTORMORPHE : Petite charpente, tant en largeur qu'en épaisseur, profil élancé, épaules étroites et hanches plus encore. L'ectomorphe idéale est d'une grande minceur ; elle a un peu de poitrine, mais peu de muscles et de graisse.

MÉSOMORPHE : Charpente moyenne, voire plutôt forte, couvrant de multiples possibilités, de la silhouette athlétique à la silhouette dodue. Les constantes sont une certaine épaisseur accompagnée d'une étroitesse de la cage thoracique, de la taille et des hanches. Les épaules sont souvent assez larges et le squelette bâti en force. La mésomorphe idéale, musclée et osseuse, n'a que peu de graisse et des hanches minces.

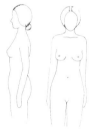

Mésomorphe

ENDOMORPHE : Charpente lourde, mais l'endomorphe n'est pas nécessairement grosse. Elle est cependant dodue de partout, avec un tronc massif. Les épaules sont souvent plus étroites que les hanches. L'endomorphe idéale est bien enveloppée, sans graisse excessive, et possède une musculature puissante.

LE MAINTIEN

Un bon maintien améliore immédiatement la silhouette et représente par ailleurs un excellent exercice. Il est la clef de la beauté corporelle. La façon dont vous tenez et bougez votre corps agit directement sur sa forme. Cette action peut être longue à se faire sentir, mais elle est constante et peut vous nuire autant que vous servir.

Bien des défauts corporels, des douleurs et des fatigues sont dus à un mauvais maintien. Une colonne vertébrale en position correcte prend facilement l'alignement voulu ; en position incorrecte, elle fait le dos rond, écrase les vertèbres les unes contre les autres, causant des frictions et des tensions pénibles. Elle peut même être à l'origine de troubles graves. Si vous prenez l'habitude de bien vous tenir, vous garderez une silhouette jeune toute votre vie. Il se dégagera de vous une impression de vitalité et de confiance en soi extrêmement séduisante.

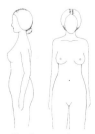

Endomorphe

Debout — Votre colonne vertébrale est un long cordon. Imaginez qu'elle

EXERCICES DE MAINTIEN

1. Étirement debout

2. Étirement à genoux

*3. Étirement allongée
sur le ventre*

est traversée dans toute sa longueur par un fil que l'on maintiendrait bien tendu au-dessus de votre tête. Votre corps tout entier est soulevé et étiré et vous avez l'impression d'être plus légère et plus alerte. Rentrez le ventre et les fesses, bombez le torse, rejetez les épaules en arrière mais sans vous crisper, en poussant les articulations des bras vers le bas, la tête dans l'alignement du menton, parallèle au sol. Pour ramasser quelque chose, pliez les genoux, un pied légèrement avancé par rapport à l'autre, les fesses rentrées. Un maintien correct renforce les muscles et ceux-ci prennent l'habitude de rester bien en place.

En marchant — Vérifiez l'alignement avant de vous mettre en route et assurez-vous que vos orteils sont pointés droit devant vous. Décrispez les bras, laissez-les bouger librement, suivant le mouvement du corps en un geste naturel et aisé. Le mouvement de la marche doit venir des cuisses et non des hanches. Tandis que vous marchez, inspirez lentement et profondément, en comptant jusqu'à quatre, et expirez de même. Gardez le dos bien droit, même en montant ou en descendant une pente ou un escalier ; pour vous lever ou vous baisser, faites jouer les muscles de vos cuisses. Ne vous penchez jamais en avant en faisant ressortir votre postérieur.

Assise — Avant de vous asseoir, assurez-vous que votre dos est bien parallèle au siège et qu'une de vos jambes touche presque celui-ci, l'autre étant légèrement avancée. En gardant le dos bien droit et la tête dans l'alignement, asseyez-vous en pliant les genoux. Votre posture sera plus gracieuse si vos jambes sont serrées droit devant vous ou légèrement sur le côté.

1. Le dos bien droit, tendez les bras au-dessus de votre tête, pouces entrelacés ; tirez les bras vers l'arrière sans creuser le dos. Parcourez la pièce pendant 2 minutes en inspirant profondément, le temps de compter jusqu'à quatre, et en expirant de même.

2. Assise sur vos talons, le dos droit, les bras le long du corps, faite jouer les muscles de vos cuisses, le dos toujours bien droit et les fesses rentrées, pour vous mettre à genoux tout en levant les bras au-dessus de la tête. Rasseyez-vous sur vos talons. Ne voûtez jamais le dos. *10 fois.*

3. Allongée sur le ventre, les bras tendus sur les côtés, les paumes vers le sol, les épaules à plat, la tête légèrement relevée, pliez la jambe gauche à angle droit. Sans soulever du tout le thorax, passez la jambe pliée par-dessus l'autre en vous efforçant d'aller toucher le sol du genou (au début ce sera impossible). *6 fois chaque jambe.*

2 LA DIÉTÉTIQUE

La diététique est une science relativement neuve. Les mises en garde contre les méfaits du raffinage et du traitement des aliments, des additifs et de la pollution se multiplient. Mais certains désaccords opposent notamment les partisans des aliments « diététiques » à ceux des aliments ordinaires. On peut choisir les aliments diététiques pour de nombreuses raisons : parce qu'on aime les bonnes choses naturelles, parce qu'on redoute les additifs chimiques, soit dans la culture, soit dans le traitement des aliments ; ou encore parce qu'on a la conviction que l'alimentation a une influence directe sur le corps et sur son état général. Mais il y a d'autres solutions que les magasins diététiques spécialisés. Il existe suffisamment d'aliments frais pour satisfaire tous les besoins nutritionnels de l'être humain. C'est la façon la plus rationnelle de s'alimenter ; elle n'exige qu'une connaissance schématique des constituants alimentaires, de leur préservation et de leur utilisation pour mettre au point un régime valable. Ce qui compte, c'est de connaître la valeur des aliments afin de ne pas en fournir à votre corps qui soient inutiles — ou pire, nocifs. Le simple bon sens est le meilleur des guides :

1. Plus les aliments sont frais, mieux ils valent.
2. Mangez beaucoup de légumes et de fruits, crus si possible.
3. Évitez les aliments fabriqués, traités ou raffinés.
4. Le sucre et ses dérivés doivent être réduits au minimum, voir même totalement éliminés.
5. Mangez des aliments fibreux.
6. Consommez moins de graisse.

Il faut manger un maximum d'aliments complets, frais et non-pollués. C'est encore le meilleur moyen de se procurer les vitamines et les minéraux essentiels. La majeure partie de la nourriture que nous ingurgitons aujourd'hui a été trafiquée d'une façon ou d'une autre, privée de ses vertus bénéfiques par le raffinage et les traitements aux produits chimiques, qui la rendent plus longtemps consommable, la stabilisent, la conservent, la parfument, la colorent, l'édulcorent, l'épaississent.

Méfiez-vous de tout ce qui est blanc — farine, pain, pâtisseries, sucre, riz traité. Blanc égale vide : tout ce qui fait la valeur nutritive de ces aliments a été prélevé et remplacé par toutes sortes de produits chimiques. Revenez aux céréales, à la farine, au pain et au riz complets.

Le sucre est votre ennemi numéro un et pourtant il constitue près de 20 % de l'alimentation occidentale moyenne.

Il n'y a que 200 ans environ que l'homme connaît le sucre, si bien que l'organisme le reçoit encore comme un corps étranger. A l'état naturel, le sucre est associé à des vitamines et à des minéraux — dans les fruits sous forme de fructose et dans les légumes sous forme de fécule. Après raffinage, on obtient de la saccharose pure que le corps absorbe beaucoup plus vite que les sucres naturels ; comme elle est très semblable au sucre que contient le sang et que le métabolisme a transformé en glucose, elle échappe à la digestion. Le corps est alors obligé de mobiliser ses vitamines, ses sels minéraux et ses acides pour combattre cette invasion, et sa brusque flambée d'activité peut entraîner l'hypoglycémie et la déperdition d'énergie, vous laissant fatiguée, mentalement ralentie, irritable et prédisposée à la maladie. Le bonbon ou la tablette de chocolat par-ci par-là donnent certes un coup de fouet initial, dû à une accélération du métabolisme, mais qui vous laisse ensuite plus fatiguée que jamais. Remplacez le sucre par du miel, ou à défaut par du sucre roux.

Les fruits et légumes doivent être les rois de votre alimentation. Ils vous fourniront tous les sels minéraux et les vitamines nécessaires. Lavez-les soigneusement, mais ne les faites pas tremper. Mangez la peau si possible, c'est souvent la partie la plus riche.

Mangez moins de graisse. Dans ce domaine, les faits sont contradictoires, mais il semble raisonnable de s'en tenir au minimum. Il faut donc bien dégraisser la viande, restreindre la consommation de beurre, utiliser des graisses insaturées et des huiles végétales. Préférez le lait demi-écrémé moins gras, mais plus riche en calcium.

Dans de très nombreuses alimentations modernes, l'ingrédient qui fait le plus défaut est la nourriture fibreuse que l'on considérait jadis comme indispensable au bon fonctionnement intestinal. Cette carence, dont on ne s'est pas soucié au cours des vingt dernières années, a, croit-on désormais, pour conséquence directe les taux élevés de cancers du colon et du rectum, ainsi que l'accroissement du diabète, des calculs biliaires, des appendicites, des varices, des hémorroïdes et de l'obésité. Les fibres traversent nos intestins presque intactes et sont évacuées avec les autres déchets du corps humain. La fibre, c'est le tissu conjonctif qui relie les cellules d'une plante — les feuilles, tiges, graines, fleurs, fruits, bulbes, racines et tubercules en sont tous riches. Les fibres n'ont aucune valeur nutritive propre, mais on pense que leur masse sert à ouvrir aux autres aliments plus nutritifs un libre passage à travers les intestins. Il est en tout cas prouvé qu'une nourriture riche en fibres est absorbée plus lentement et que l'on sera donc rassasié avant d'avoir trop mangé. Il faut en outre la mâcher longuement, donc produire davantage de salive et de sucs gastriques, qui facilitent la digestion des autres aliments.

Encore une fois, les fruits et légumes en seront vos principaux fournisseurs et c'est pour cela qu'il vaut mieux les manger crus avec leur peau ou à peine cuits. Les céréales et la farine complète sont également susceptibles de vous fournir les fibres nécessaires ; quant au son, qui en est une excellente source, vous le consommerez tel avec de l'eau ou saupoudré sur les aliments, ou encore sous forme de pain. Lorsque vous établissez un régime alimentaire, vous devez considérer les légumes, fruits, grains (groupe des hydrates de carbone) protéines et graisses dans l'ordre suivant.

LES PROTÉINES : Elles ont pour rôle de fortifier et renouveler les tissus du corps humain ; elles compensent l'usure quotidienne. Elles sont essentielles à la vie, calment la faim et ont de si nombreuses fonctions qu'il serait impossible d'en donner une liste exhaustive. Citons, parmi les plus importantes : produire des hormones et des enzymes qui aident à fournir l'énergie ; digérer les aliments ; évacuer les déchets ; fabriquer l'hémoglobine des globules rouges ; maintenir l'équilibre acide-alcalin du corps ; participer à la coagulation du sang ; former des anticorps pour combattre l'infection et la maladie. Les aliments riches en protéines sont les viandes et poissons, les produits fermiers (œufs et lait), le soja et les noix diverses, les grains (le germe de blé) et certains légumes.

LES HYDRATES DE CARBONE : Ils fournissent l'énergie nécessaire aux efforts physiques et mentaux grâce à l'apport immédiat de calories ; ils facilitent l'assimilation et la digestion des autres aliments. Une carence totale entraîne inévitablement un manque d'énergie caractérisé, une mauvaise santé générale et des états dépressifs. Il existe trois sortes d'hydrates de carbone — les sucres, les amidons, la cellulose. Le sucre et les amidons sont transformés en glucose pour fournir l'énergie dont nous avons besoin. Tout excédent qui n'est pas dépensé sous forme d'énergie est rapidement emmagasiné sous forme de graisse. La cellulose (contenue dans les fruits et légumes) n'a aucune valeur énergétique, mais elle fournit les fibres indispensables à votre intestin. Les meilleurs hydrates de carbone se trouvent dans les légumes, les fruits, les farines et les céréales complètes.

Le miel et les raisins secs sont acceptables. Par contre, les sucres, les farines, les céréales et les pains raffinés sont à proscrire sans appel.

LES GRAISSES : Elles fournissent de l'énergie à retardement et servent à véhiculer les vitamines liposolubles. Elles approvisionnent les tissus en calcium, qui favorise la croissance. Elles empêchent la peau de se dessécher. Il est important que les organes vitaux soient protégés par une enveloppe graisseuse, et une couche de graisse sous la peau conserve la chaleur et préserve le corps du froid. Un manque de graisse peut entraîner une carence vitaminique et des problèmes de peau. Un excès de graisse provoque l'obésité et des troubles cardio-vasculaires. Il y a deux grands types de graisses : les graisses saturées qui restent solides à la température ambiante et qui proviennent surtout de sources animales, et les graisses insaturées, habituellement liquides et d'origine végétale. Certains diététiciens affirment que l'on peut utiliser indifféremment les graisses animales ou végétales, alors que d'autres estiment que les graisses animales accroissent le taux de cholestérol dans le sang. Pour plus de sécurité, il vaut donc mieux limiter les graisses animales, telles que le beurre et les graisses insaturées solides comme la margarine, et se montrer plus généreuse en huiles végétales. Il n'existe pas d'aliment miracle, mais certains aliments contiennent des quantités extrêmement concentrées de vitamines et de sels minéraux. Citons notamment le miel, la levure de bière, le germe de blé, le yogourt, le lait écrémé en poudre.

LA CUISSON

Il existe quelques règles importantes : ne faites jamais rien frire dans de la graisse. Les viandes, volailles et gibier doivent cuire dans leur propre graisse ou avec très peu d'huile (toujours végétale, évitez le beurre) : faites-les rôtir, braiser ou bouillir. Laissez cuire vos légumes le moins longtemps possible dans le moins d'eau possible, sans quoi vous détruirez les vitamines et les sels minéraux. Cuire les légumes à la vapeur et les poissons en papillotes dans leurs propres sucs.

VARIÉTÉ ET QUANTITÉS

Variez constamment vos fruits et légumes, en consultant le tableau des vitamines et des sels minéraux pour voir lesquels sont les plus nutritifs. Équilibrez les quantités de viande, poisson et produits laitiers — par exemple des œufs au petit déjeuner, du fromage au déjeuner et de la viande au dîner. Notre régime n'est pas un régime amaigrissant, mais soyez raisonnable et limitez vos portions. Commencez par la nourriture fibreuse et crue : elle vous rassasiera. Une portion de viande normale devrait être de 120 grammes ; pour les légumes, prenez une tasse comme portion de base, de même pour le riz et les autres céréales. Comptez une grosse pomme de terre cuite au four ou trois petites nouvelles bouillies par repas. Consommez les salades et légumes crue à volonté, mais n'abusez pas des fruits, en raison de leur forte teneur en sucre ; une pomme, orange ou poire, un petit bol de fruits rouges doivent vous suffire.

LE RÉGIME D'ÉQUILIBRE

Voici l'archétype d'une alimentation quotidienne équilibrée qui assure la consommation des protéines, vitamines et sels minéraux nécessaires, ainsi qu'une quantité suffisante d'aliments énergétiques. Elle est basée sur une nourriture saine et n'est absolument pas appauvrie. Elle vous fortifiera, vous apportera suffisamment d'énergie sans entraîner pour autant de prise de poids. Comptez vos calories si vous y tenez. Pour faire face aux demandes d'une journée normale, la ration quotidienne doit être de 2 300 calories environ pour une femme active.

GROUPE DES PROTÉINES - 20 % DU TOTAL

Viandes : Bœuf, veau, agneau, porc, jambon, lard, foie, rognons, cœur, cervelle, ris, tripes.
Volailles : Poulet, dinde, canard, oie, pintade
Gibier : Venaison, faisan, caille, lapin
Poissons : Toutes les variétés d'eau de mer et d'eau douce.
Produits laitiers : Œufs, fromage, yogourt, lait
Noix : Amandes, noix du Brésil, cacahuètes, noix, noix de pécan
Légumes : Avocat, soja, lentilles
Grains : Orge, avoine, riz, germe de blé, farine complète.

GROUPE DES LÉGUMES - 65 % DU TOTAL AVEC LES FRUITS

Légumes verts : Artichauts, asperges, brocoli, céleri, chicorée, chou, chou-fleur, chou frisé, cresson, endives, épinards, laitue
Légumes-racines : Betteraves, carottes, oignons, pommes de terre
Légumes-fruits : Aubergines, concombres, courges, courgettes, poivrons, potiron, tomates.

GROUPE DES FRUITS

Agrumes : Citrons, clémentines, oranges, pamplemousses
Fruits du verger : Abricots, cerises, pêches, poires, pommes
Fruits rouges : Airelles, fraises, framboises, groseilles, myrtilles
Fruits tropicaux : Ananas, bananes, mangues, melons, papayes

GROUPE DES GRAINS ET CÉRÉALES - 10 % DU TOTAL

Farines et pains complets, avoine, orge, riz complet.

GROUPE DES GRAISSES - 5 % DU TOTAL

Graisses insaturées, beurre, huiles végétales.

MENU QUOTIDIEN

Petit déjeuner :

Il est essentiel, car le matin le taux de glucose dans le sang est très bas et un bon petit déjeuner vous mettra en train. Il faut absolument manger des protéines.

- fruits frais ou jus de fruit non sucré
- protéines : œuf, fromage, poisson ou viande (pas moins de 20 gr)
- une tranche de pain complet, grillé ou non, avec du beurre et du miel ou des confitures maison ; ou bien des céréales complètes.
- café ou thé

Déjeuner :

C'est le moment de manger des aliments crus, par exemple des salades, combinés avec des protéines ; mais s'il est plus commode pour vous de faire votre gros repas de la journée à midi, vous pouvez l'intervertir avec le dîner — sur le plan diététique, cela n'a aucune importance.

- salade ou légumes crus
- protéines : œuf, fromage, poisson ou viande
- pain complet, toast ou petit pain
- dessert : yogourt ou fruit frais
- café, thé ou un verre de vin

Dîner :

C'est le principal repas de la journée. Commencez par quelque chose de frais.

- salade ou fruit frais ou crudités
- protéines : viande, poisson, gibier ou volaille
- légumes cuits : mettez toujours un légume vert
- choix de pommes de terre, riz ou pâtes
- dessert : fruit, yogourt, fromage ou compote de fruits
- deux verres de vin, café ou thé

POUR PARFUMER : Toutes les herbes naturelles, sel de mer de préférence.
POUR ÉDULCORER : Pas de sucre blanc ; prenez du miel, du sucre de canne.
POUR ASSAISONNER : Pour les salades, huile et vinaigre avec des herbes et de la moutarde ; mayonnaise maison ; évitez les sauces synthétiques.
LES SAUCES : Évitez celles qui contiennent de la farine ou de la fécule.
LES EN-CAS : Fruits et légumes frais ou bien leur jus ; fromage et autres protéines en petites quantités. Pas de biscuits sucrés ni de gâteaux.
LES BOISSONS : Quatre grands verres d'eau par jour, si possible de l'eau minérale gazeuse. Vin et alcool limités. Café, thé.

LES VITAMINES

Elles n'ont pas de valeur énergétique, mais elles contrôlent le métabolisme et contribuent à transformer les graisses et les hydrates de carbone en énergie. Elles aident aussi à renouveler les tissus. Chaque vitamine a ses fonctions spécifiques, mais elles n'en travaillent pas moins en équipe ; s'il y a carence de l'une d'entre elles, l'efficacité des autres s'en ressent. Il n'existe pas de test capable de déceler les avitaminoses. Il faut avoir atteint un état extrême pour que les premiers symptômes apparaissent dans la composition du sang. Mais alors, vous direz-vous, comment savoir quelle quantité de vitamines il faut absorber et de quelle manière ? Une nouvelle branche de la médecine, la médecine orthomoléculaire, préconise l'administration de fortes doses de vitamines pour traiter les maladies. Cette thérapie par la mégavitamine (c'est le nom de ces énormes doses) revendique des succès flagrants remportés sur certains virus infectieux par la vitamine C et sur les maladies de cœur et le ralentissement du vieillissement par la vitamine E. Cependant, malgré quelques preuves assez convaincantes pour étayer les prétentions de leurs partisans, les mégavitamines ne rallient pas tous les suffrages médicaux. Certains diététiciens signalent que des doses excessives de vitamines peuvent avoir de dangereux effets secondaires. Néanmoins, on a de bonnes raisons de penser que les vitamines sont probablement notre meilleure protection contre le stress dû à l'environnement et contre la pollution.

Il existe deux grands groupes de vitamines : celles qui sont solubles dans la graisse ou liposolubles (A, D, E et K) et qui sont généralement stockées à l'intérieur du corps, si bien qu'elles n'ont pas besoin d'être remplacées chaque jour ; et celles qui sont solubles dans l'eau ou hydrosolubles (B et C) et qu'il faut par contre prendre tous les jours car nous en éliminons le surplus dans l'urine. Les vitamies liposolubles se mesurent en unités internationales (une mesure infime) et les hydrosolubles en milligrammes. Vous trouverez ci-dessous une liste des principales vitamines avec les meilleures sources de chacune et leurs effets sur votre organisme. On découvre et baptise encore à l'heure actuelle de nouvelles vitamines, par exemple les vitamines P, Q, U, B-15 et B-17 (laetrile), mais leurs propriétés et leurs fonctionnements ne sont pas encore pleinement formulés, pas plus que leurs prétentions ne sont prouvées (la laetrile serait susceptible de lutter contre le cancer). Si vous puisez chaque jour vos vitamines à des souces fraîches et naturelles, vous en absorberez certainement une quantité adéquate. Des apports supplémentaires de vitamine sont indispensables si vous n'avez à votre disposition aucune nourriture fraîche. Veillez à ne pas détruire les vitamines contenues dans les aliments en les exposant aux toxines, à la lumière, etc.

VITAMINES A (RETINOL)

Fonction : Elle assure l'éclat du teint et la bonne santé de la peau ; acère la vue. Elle est essentielle à la formation du pourpre rétinien, pigment qui permet à l'œil de s'adapter à l'obscurité. Elle protège les tissus superficiels des voies respiratoires. Elle aide à renouveler les tissus du corps et à assurer la croissance du squelette.

Sources : Abricot, beurre, brocoli, carotte, chou frisé, cresson, épinard, foie, huile de foie de morue, mangue, œuf, papaye, persil, piment rouge fort, pissenlit, rognon.

En cas de carence : Inflammation oculaire et incapacité d'ajuster la vue à l'obscurité. Sécheresse et vieillissement précoce de la peau ; irritation du système respiratoire qui peut aller jusqu'à l'infection.

En cas d'excédent : Inappétence, maux de tête, chute des cheveux et douleurs osseuses.

Détruite par : Les expositions prolongées au soleil peuvent causer une forte déperdition de vitamine A, mais la cuisson n'a pas le même effet ; la pollution et les séjours prolongés devant un téléviseur sont néfastes ; la vitamine A est mal assimilée si on la prend avec trop d'huile minérale.

Dose quotidienne : 5 000 unités internationales. Cette vitamine est emmagasinée dans le foie, donc une prise quotidienne n'est pas absolument obligatoire.

COMPLEXE DE LA VITAMINE B

Il y a treize variétés de vitamine B qu'il faut prendre ensemble et correctement dosées, car l'excès de l'une peut entraîner la carence d'une autre. Inutile de dire que vous êtes incapable de mettre cela au point toute seule, mais dans un régime qui comporte des aliments frais, la nature s'en charge pour vous. Les vitamines synthétiques sont elles aussi correctement dosées. Toutes ces vitamines sont hydrosolubles et le surplus est évacué dans l'urine : il faut donc absolument les renouveler tous les jours. Cela n'est pas toujours facile car le raffinage de la farine et des céréales, par exemple, en élimine pratiquement toute la vitamine B et que par ailleurs trop de soleil et de cuisson lui sont souvent fatals. Si vous êtes soumise à une tension quelconque, enceinte ou alcoolique, vous aurez besoin d'un surplus de vitamine B. Pour toutes les variétés, les meilleures sources sont les légumes verts, la levure de bière, les grains complets et les abats, y compris le foie et les rognons.

VITAMINE B-1 (THIAMINE)

Fonction : Nécessaire à la transformation des hydrates de carbone en glucose producteur d'énergie. Importante pour le bon fonctionnement du système nerveux, du cœur et du foie.

Sources : Asperges, avoine, foie d'agneau, germe de blé, graines de tournesol, haricots blancs, levure de bière, luzerne, muesli, noix du Brésil, pain complet (pas blanc), riz complet (pas blanc).

En cas de carence : Fatigue, pertes de mémoire, troubles nerveux, engourdissement et fourmillements dans les membres. Une carence extrême cause le béribéri, mais les cas sont rarissimes en dehors des tropiques.

En cas d'excédent : On sait que cela provoque de l'hypotension et des tremblements, mais il est presque impossible de trop en prendre.

Détruite par : Le trempage et la cuisson, l'alcool et le tabac.

Dose quotidienne : 15 mg.

VITAMINE B-2 (RIBOFLAVINE)

Fonction : Aide à digérer tous les aliments ; indispensable à la vue et à la bonne santé des yeux ; essentielle à la respiration des cellules.

Sources : Amande, avocat, champignon, épinard, foie de volaille, fromage blanc, germe de blé, lait, levure de bière, riz sauvage, rognon, yogourt.

En cas de carence : Les yeux sont injectés de sang et vous démangent ; ils supportent mal les lumières vives ; ruptures de vaisseaux sanguins, crevasses aux commissures des lèvres, dermatites, pellicules, ongles cassés.

En cas d'excédent : Fourmillements.

Détruite par : La lumière — rapidement.

Dose quotidienne : 2 mg.

VITAMINE B-3 (NIACINE)

Fonction : Aide à digérer et à brûler les protéines, les graisses et les hydrates de carbone. Importante pour l'équilibre mental. Assure la bonne santé de la peau, de la langue, des gencives et de l'appareil digestif. Elle est particulièrement bénéfique combinée aux autres vitamines B.

Sources : Cacahuète, dinde, flétan, foie d'agneau, foie de volaille, grains et pain complets, maquereau, poulet, rognon, sardine, saumon.

En cas de carence : Léthargie, manque de concentration, pertes d'équilibre, dépression, nervosité, diarrhée, carie dentaire, mauvaise haleine.

En cas d'excédent : Rougeurs ; elle active les ulcères de l'estomac.

Détruite par : Cela n'a pas encore été établi.

Dose quotidienne : 15 mg.

VITAMINE B-5 (ACIDE PANTOTHENIQUE)

Fonction : Essentielle au bon fonctionnement des capsules surrénales et donc importante pour le système nerveux ; sans elle, le cholestérol et les acides gras ne peuvent se former.

Sources : Cacahuète, champignon, foie d'agneau, grains complets, levure de bière, rognon, son.

En cas de carence : Mauvais fonctionnement des capsules surrénales, d'où manque de contrôle de soi face à la tension nerveuse, irritabilité, vertiges, maux de tête nerveux, évanouissements ; engourdissement et fourmillements dans les muscles, parfois accompagnés de crampes. Il peut y avoir grisonnement prématuré des cheveux, de même qu'une dose adéquate peut l'empêcher. Cette carence joue un rôle important dans le déclenchement de l'arthrite.

En cas d'excédent : Les effets n'ont pas encore été établis.

Détruite par : Les acides comme le vinaigre. Elle est plus stable dans les liquides chauds (aliments bouillis) qu'à la cuisson à sec (aliments grillés ou rôtis).

Dose quotidienne : Estimée à 5-10 mg.

VITAMINE B-6 (PYRIDOXINE)

Fonction : Facilite l'action du métabolisme sur les aliments ; contribue à former les anticorps et les globules rouges. Joue un rôle important dans la régulation du système nerveux.

Sources : Banane, foie d'agneau, germe de blé, céréales et pain complets, maquereau, noix, noix du Brésil, poulet.

En cas de carence : Nervosité, irritabilité, dépression, maladies buccales, faiblesse musculaire, anémie, hémorroïdes, dermatites.

En cas d'excédent : Les effets n'ont pas encore été établis.

Détruite par : Les contraceptifs oraux (les femmes qui prennent la pilule peuvent donc avoir besoin d'un apport supplémentaire). Pertes minimes dans les aliments trempés et cuits.

Dose quotidienne : 2 mg.

VITAMINE B-12 (CYANOCOBALAMINE)

Fonction : Essentielle au bon fonctionnement des cellules, particulièrement celles de la moelle osseuse, du système nerveux et du tube digestif. Nécessaire à la formation des globules rrouges.

Sources : Foie d'agneau, fromage, hareng, huître, lait, œuf, rognon, sardine, soja.

En cas de carence : Le trouble le plus sérieux est l'anémie pernicieuse, mais aussi l'asthme, les dérèglements du système nerveux central, une odeur corporelle forte et désagréable.

En cas d'excédent : Taux élevé d'hémoglobine.

Détruite par : La consommation des aliments avec des blancs d'œufs crus.

Dose quotidienne : 0,005 mg.

BIOTINE (COMPLEXE DE LA VITAMINE B)

Fonction : Aide à former les acides gras, puis à les brûler avec les hydrates de carbone pour produire l'énergie.

Source : Cassis, chou-fleur, flocons d'avoine (à sec), foie d'agneau, jaunes d'œufs crus, lait en poudre, mélasse, rognon.

En cas de carence : Elles est peu probable, mais il peut y avoir des problèmes d'assimilation qui provoquent fatigue et dépression.

En cas d'excédent : Les effets n'ont pas encore été établis.

Détruite par : L'exposition à l'air, la levure chimique. Le blanc d'œuf cru empêche de l'assimiler. Elle n'est pas affectée par la chaleur.

Dose quotidienne : Une quantité infime qui n'a pas été établie.

CHOLINE (COMPLEXE DE LA VITAMINE B)

Fonction : Aide à transporter les graisses du foie jusqu'aux cellules. Joue un rôle dans la transmission nerveuse.

Sources : Cœur, germe de blé, grains complets, grains de lécithine, haricots, lentilles, poisson.

En cas de carence : Cirrhose du foie, artériosclérose, hypertension.

En cas d'excédent : Les effets n'ont pas été établis.

Détruite par : Les alcalis trop violents. Elle n'est pas affectée par la chaleur, ni par le stockage.

Dose quotidienne : Elle n'a pas été établie.

ACIDE FOLIQUE (COMPLEXE DE LA VITAMINE B)

Fonction : Aide à former les globules rouges et l'acide nucléique, tous deux essentiels à la reproduction. Transporte du carbone pour former les protéines riches en fer de l'hémoglobine.

Sources : Amandes, chou et chou frisé crus, consoude, cresson, foie d'agneau, huître, morue, noix.

En cas de carence : Anémie, taux de globules blancs trop bas, dépression.

En cas d'excédent : Les effets n'ont pas été établis.

Détruite par : Cela n'a pas été établi.

Dose quotidienne : 1,5 mg. — Ce besoin est plus élevé en cas de grande tension nerveuse et de consommation excessive d'alcool.

INOSITOL (COMPLEXE DE LA VITAMINE B)

Fonction : Avec la choline, nécessaire à la formation de la lécithine qui empêche l'accumulation des graisses dans le foie.

Sources : Avoine, germe de blé, graines de sésame, grains de lécithine, mélasse, noix, son.

En cas de carence : Cirrhose du foie, inappétence, artériosclérose.

En cas d'excédent : Les effets n'ont pas été établis.

Détruite par : Cela n'a pas été établi.

Dose quotidienne : Elle n'a pas été établie.

PABA (ACIDE PARA-AMINOBENZOÏQUE, COMPLEXE DE LA VITAMINE B)

Fonction : Permet aux autres agents de la vitamine B de bien fonctionner. Particulièrement important pour la formation des globules rouges. Peut contribuer à retarder le grisonnement des cheveux.

Sources : Brocoli, chou, chou frisé, foie d'agneau, riz complet, rognons.

En cas de carence : Fatigue, irritabilité, dépression et troubles digestifs.

En cas d'excédent : Les effets n'ont pas été établis.

Détruite par : Cela n'a pas été établie.

Dose quotidienne : Elle n'a pas été établie.

VITAMINE C (ACIDE ASCORBIQUE)

Fonction : Sa principale fonction est de maintenir le niveau de collagène, protéine nécessaire à la formation de la peau, des ligaments et des os ; elle contribue donc à réparer les fractures, à assainir les plaies, à les cicatriser. Limite les hémorragies. On dit aussi qu'elle aide à guérir et à prévenir certains virus et infections microbiens (dont le rhume).

Sources : Ananas, brocoli, cassis, cerise, choux de Bruxelles, chou, chou-fleur, clémentine, cresson, fraises, jus de citron (dilué), jus d'orange (avec l'écorce et la peau), pamplemousse, papaye, paprika, persil, poivrons.

En cas de carence : Carie dentaire, saignements des gencives, articulations douloureuses, manque de résistance aux infections, rétablissements très lents, tendance aux contusions et saignements, mauvaise vue, température trop basse. Une carence extrême peut provoquer le scorbut.

En cas d'excédent : On pense que cela pourrait contribuer à provoquer les calculs rénaux ; les doses trops fortes peuvent causer des diarrhées et activer les ulcères de l'estomac.

Détruite par : La lumière, la chaleur, l'air, le stockage prolongé, la cuisson excessive, les ustensiles en cuivre et en fer. C'est la vitamine la plus facile à détruire.

Dose quotidienne : 50 mg. Le besoin s'accroît chez les personnes soumises à la tension nerveuse, à la fatigue, aux infections, aux blessures, aux opérations chirurgicales, ainsi que chez les fumeurs, les maniaques de l'aspirine et les habitants des pays chauds.

VITAMINE D (CALCIFEROL)

Fonction : Facilite le transport du calcium et du phosphore vers les tissus qui fabriquent les os.

Sources : Hareng, huile de foie de flétan, huile de foie de morue, maquereau, rayons ultra-violets (en quantité raisonnable), saumon, sardine, soleil.

En cas de carence : Os faibles et cassants, scolioses, crampes musculaires, articulations douloureuses, artériosclériose, rachitisme.

En cas d'excédent : Inappétence, maux de tête, somnolence ; il peut aussi y avoir une calcification généralisée des tissus non osseux.

Détruite par : La pollution ambiante empêche le soleil de la produire. Stable lorsqu'on l'expose à la chaleur, se conserve au stockage. Emmagasinée principalement dans le foie.

Dose quotidienne : 400 u. i. — davantage si vous prenez la pilule.

VITAMINE E (TOCOPHEROL)

Fonction : Encore mal connue. Elle s'unit à l'oxygène pour protéger les globules rouges et les empêcher de se rompre. On pense qu'elle améliore la circulation et lutte contre le vieillissement ; elle est utilisée pour accroître la fertilité et combattre la stérilité. Employée en usage externe sur les brûlures, les contusions et les blessures, pour accélérer la cicatrisation et atténuer les cicatrices.

Sources : Avoine, carotte, céleri, chou, farine complète, germe de blé, graines de tournesol, huile d'olive, huile de tournesol, muesli, œuf, pain complet, pomme.

En cas de carence : Dégénérescence des tissus reproducteurs, frigidité, vieillissement précoce, mauvaise circulation, varices, problèmes hépatiques, faiblesse musculaire.

En cas d'excédent : Hypertension.

Détruite par : La cuisson, le stockage, les ustensiles en fer.

Dose quotidienne : 20 u. i. — davantage en cas de tension nerveuse.

VITAMINE K

Fonction : Empêche les hémorragies, stimule la production des substances qui participent normalement à la coagulation.

Sources : Avoine, brocoli, chou, choux de Bruxelles, fraises, germe de blé, grains complets, chou-fleur, œuf, pommes de terre.

En cas de carence : Troubles hémorragiques, mais c'est très rare, car cette vitamine est fabriquée par les bactéries de l'intestin.

En cas d'excédent : Coagulation trop rapide, thrombose.

Détruite par : L'alcool, la lumière, la rancidité. Les sulfamides et les antibiotiques empêchent sa bonne assimilation (le yogourt peut remédier à cela).

Dose quotidienne : Elle est très facilement accessible, n'ayez recours aux suppléments qu'en cas de maladie.

LES SELS MINÉRAUX

Les sels minéraux se trouvent en quantité infime dans le corps humain et ils sont essentiels à certaines opérations du métabolisme ; ils contribuent à introduire certaines substances chimiques dans les cellules et à en extraire d'autres ; ils contrôlent la quantité d'eau nécessaire au corps ; ils influent sur les secrétions glandulaires ; ils affectent les réactions musculaires et ils jouent un rôle important dans la transmission des messages à travers le système nerveux.

Nous nous procurons ces sels minéraux par le biais de l'alimentation, mais tandis que les plantes fabriquent elles-mêmes les vitamines, elles doivent extraire les minéraux du sol. Lorsqu'ils sont passés à l'intérieur du corps et qu'ils y ont accompli leur travail, les sels minéraux sont évacués dans l'urine et la sueur. Il faut donc les renouveler régulièrement.

Malheureusement, à force d'agir intempestivement sur la chimie du sol et de l'atmosphère, nous finissons par absorber des quantités insuffisantes de certains minéraux et d'autres en excès. Comme les quantités sont infimes, un simple grain de poussière minérale peut suffire à déranger le métabolisme. Mais ne vous hâtez surtout pas de conclure qu'il faut désormais vous gorger de cachets : la frontière entre carence et excès est trop dangereuse. Veillez plutôt à ce que votre nourriture comporte beaucoup d'aliments naturellement riches en minéraux ; ainsi les charges électriques positives et négatives s'annuleront, assurant une bonne assimilation.

LE CALCIUM

Fonction : Fabriquer et maintenir en bon état les os et les dents. Important aussi pour la bonne marche des muscles cardiaques et des transmissions nerveuses.

Sources : Amande, brocoli, crevettes, fromage (à pâte cuite, parmesan, gruyère, cheddar), graines de sésame, haricots blancs, lait en poudre, mélasse, olives, palourdes, sardine, varech et autres algues, yogourt.

En cas de carence : Détérioration des os, affaiblissement de la dentition, crampes musculaires, engourdissements et fourmillements dans les membres, caillots de sang.

En cas d'excédent : D'ordinaire, le corps expulse de lui-même les excédent de calcium ; sinon, il pourrait y avoir calcification générale.

Dose quotidienne : 600 mg.

CHLORE

Fonction : Important pour le métabolisme cellulaire ; contribue à maintenir l'équilibre acide-alcalin du sang.

Sources : Céleri, épinards, laitue, sel (et autres aliments riches en sodium) tomates, varech.

En cas de carence : Mauvaise rétention d'eau, artériosclérose.

En cas d'excédent : Les effets n'ont pas été établis ; les excédents de chlore sont d'ordinaire expulsés.

Dose quotidienne : Associé au sodium, à condition d'en prendre suffisamment, le niveau est généralement correct.

CHROME

Fonction : Aide à maintenir le taux de glucose dans le sang et à améliorer l'usage qu'en fait le corps. On pense aussi qu'il empêche le taux de cholestérol de trop s'élever.

Sources : Céréales complètes, condiments, crustacés, fruits, levure de bière, légumes verts, mélasse, miel, noix, poulet.

En cas de carence : Affecte la tolérance au glucose ; artériosclérose.

En cas d'excédent : Les effets n'ont pas été établis.

Dose quotidienne : Un soupçon.

COBALT

Fonction : Nécessaire au bon fonctionnement de la vitamine B-12 et des globules rouges.

Sources : Céréales complètes, fruits, légumes verts, viande.

En cas de carence : Anémie pernicieuse ; peau sèche et craquelée.

En cas d'excédent : Provoquerait un grossissement de la thyroïde mais le cas n'est guère vraisemblable. Toxique en très grandes quantités.

Dose quotidienne : Un soupçon.

CUIVRE

Fonction : Associé au fer, il contribue à la production des globules rouges ; il contribue aussi à pigmenter le système pileux ; il catalyse les enzymes des fibres musculaires et nerveuses.

Sources : Amandes, céréales complètes, crustacés, foie d'agneau, foie de volaille, germe de blé, noix du Brésil, son.

En cas de carence : Elles sont très rares, mais peuvent entraîner l'anémie, le grisonnement ou la chute des cheveux, les troubles cardiaques et la nervosité. Les femmes ont besoin d'un surplus de cuivre pendant les règles et les grossesses.

En cas d'excédent : En grandes quantités le cuivre est toxique, mais le corps élimine d'habitude les excédents. On a démontré que les schizophrènes possédaient un niveau de cuivre élevé.

Dose quotidienne : 2,5 mg.

FLUOR

Fonction : Encourage la croissance des dents et renforce les os en les aidant à fixer le calcium. Retarde la carie dentaire en luttant contre les bactéries qui produisent les acides.

Sources : Eau fluorée, fruits de mer et poisson, thé.

En cas de carence : Faiblesse osseuse et dentaire ; carie dentaire.

En cas d'excédent : Dents décolorées et cassantes, raideur musculaire, arthrite ; réaction toxique.

Dose quotidienne : 1 mg.

FER

Fonction : C'est le plus important de tous nos minéraux, car il contribue à transporter l'oxygène vers les cellules où il participe à la fabrication de l'hémoglobine. Il est particulièrement actif quand on le prend combiné à de la vitamine C.

Sources : Abricots secs, cresson, crustacés, farine de soja, germe de blé, graines de tournesol, haricots blancs, foie d'agneau, jaune d'œuf, mélasse, rognon.

En cas de carence : Anémie, pâleur, manque d'énergie, lassitude et nervosité générales ; ongles cassés, cheveux prématurément gris ; palpitations et essoufflements. Les règles et les grossesses épuisent la provision de fer et il faut la renouveler.

En cas d'excédent : Le surplus est généralement expulsé, mais un foie ou un pancréas paresseux peuvent entraîner des dépôts excessifs qui sont toxiques et risquent de pigmenter la peau.

Dose quotidienne : 15 mg.

IODE

Fonction : Nécessaire à la production de l'hormone thyroïdienne.

Sources : Algues, crustacés, poisson, sel de mer, varech.

En cas de carence : Enflure anormale de la gorge qui peut entraîner le goître ; troubles thyroïdiens, accompagnés d'une prise de poids, tension nerveuse et léthargie ; dessèchement de la peau ; alopécie.

En cas d'excédent : Trouble la synthèse des hormones par la thyroïde, en les maintenant à un niveau anormalement bas.

Dose quotidienne : Un soupçon.

MAGNÉSIUM

Fonction : Important pour le métabolisme cellulaire ; c'est le minéral qui agit sur le plus grand nombre d'enzymes ; il sert d'agent dans l'utilisation des autres minéraux et des vitamines — le calcium en a besoin, la vitamine C est inefficace sans lui. Il est nécessaire aux fonctions musculaires et nerveuses.

Sources : Amandes, avocat, banane, cacahuètes, grains complets, haricots blancs, mélasse, miel, muesli, noix du Brésil, produits de la mer.

En cas de carence : Faiblesse musculaire, maladies de cœur et troubles de la circulation ; nervosité et dépression ; vertiges, diarrhées ; tendance aux convulsions. Les alcooliques et les diabétiques en manquent souvent.

En cas d'accident : C'est peu vraisemblable, mais cela pourrait entraîner un état somnolent et une faiblesse générale.

Dose quotidienne : 300 mg.

MANGANÈSE

Fonction : Active les enzymes ; étroitement lié au taux de glucose dans le sang ; sert à entretenir l'appareil reproducteur.

Sources : Amandes, abricots, cresson, germe de blé, lentilles, noix, persil, rognons, son.

En cas de carence : Mauvais équilibre et mauvaise coordination ; stérilité ; diminution de la puissance sexuelle ; corpulence anormale ; enfants morts-nés. Les carences sont extrêmement rares.

En cas d'excédents : Les effets n'ont pas été établis.

Dose quotidienne : Un soupçon .

PHOSPHORE

Fonction : On en trouve dans toutes les cellules du corps et c'est le plus actif de tous les minéraux ; important pour la croissance, l'entretien et la régénérescence des cellules ; joue un rôle dans la production d'énergie et les transmissions nerveuses ; transmet les schémas génétiques héréditaires.

Sources : Foie, fromage, germe de blé, lait écrémé, levure de bière, œufs, poisson, poulet.

En cas de carence : Dérèglement cellulaire, mauvaises dents et os fragiles ; rachitisme. Les personnes âgées ont besoin de plus de phosphore car leur organisme l'assimile mal.

En cas d'excédent : Le corps emmagasine fort bien le phosphore sans aucun résultat toxique connu.

Dose quotidienne : 1 g.

POTASSIUM

Fonction : Souvent associé au sodium. C'est un minéral important pour le contrôle des muscles, dont le muscle cardiaque, et pour la transmission des stimuli nerveux ; aide à régler l'osmose et l'équilibre de l'eau dans le corps.

Sources : Abricots secs, banane, cacahuètes, épinards, figue, haricots beurre, haricots blancs, lentilles, pommes de terre en robe des champs, pousses de soja, produits de la mer.

En cas de carence : Faiblesse musculaire, irritabilité, troubles cardiaques. Ces carences sont peu probables.

En cas d'excédent : Affecte le rythme cardiaque qu'il ralentit et peut éventuellement arrêter ; faiblesse et engourdissement des membres.

Dose quotidienne : 4 g.

SÉLIUM

Fonction : N'est pas très bien connue, mais il semble que ce soit un anti-oxydant. Étroitement lié à la vitamine E il pourrait empêcher certains types de cancer. Se trouve sous une forme assez concentrée dans la rétine, ce qui indiquerait qu'il est important pour la vue.

Sources : Céréales complètes, foie d'agneau, noix de toutes espèces, produits de la mer, rognons.

En cas de carence : Difficulté à bien assimiler la vitamine E.

En cas d'excédent : Empoisonnement ; fractures des os et carie dentaire.

Dose quotidienne : Un soupçon.

SODIUM

Fonction : Important pour le métabolisme cellulaire ; protège le corps contre les pertes excessives de liquide ; équilibre les niveaux acides et alcalins ; affecte l'activité musculaire.

Sources : Eau, germe de blé, légumes verts, poulet, produits de la mer.

En cas de carence : Elles sont rares, mais dans les climats chauds une transpiration excessive peut démunir le corps de sel, ce qui provoque des maux de tête, des nausées, des diarrhées et des crampes dans les jambes et dans le ventre.

En cas d'excédent : Œdèmes ; aggrave terriblement l'hypertension.

Dose quotidienne : 2,5 g, mais les personnes qui souffrent d'hypertension ne doivent pas dépasser 1 g.

SOUFRE

Fonction : Il est présent dans les cellules pour aider à la fabrication des tissus ; nécessaire au bon fonctionnement de la thiamine et de la biotine ; il a une action désintoxicante.

Sources : Fromage, haricots blancs, lait, noix de toutes espèces, œufs, poisson, poulet, pousses de soja, viande.

En cas de carence : Elles sont rares, mais on les associe au manque de protéines et à ses effets.

En cas d'excédent : Empoisonnement si cet excédent est dû à un apport synthétique supplémentaire.

Dose quotidienne : On ne connaît pas la quantité exacte, mais on l'absorbe très facilement avec les protéines.

ZINC

Fonction : Aide à former les enzymes et les protéines, à digérer, à éliminer le gaz carbonique.

Sources : Crustacés, farine complète, germe de blé, graines de tournesol, foie d'agneau, noix de toutes espèces, œufs, oignons, son.

En cas de carence : Retardement de la croissance et de la maturité sexuelle. Les femmes enceintes, celles qui prennent la pilule et les femmes d'un certain âge ont souvent besoin d'un surplus.

En cas d'excédent : Pertes de fer et de cuivre, surtout dans le foie.

Dose quotidienne : Un soupçon.

LE RÉGIME VÉGÉTARIEN

Il implique l'absence des viandes, poissons et de tous leurs dérivés dans l'alimentation. Certains végétariens mangent des produits animaux tels que le beurre, le fromage ou les œufs puisque l'animal n'est pas tué pour les obtenir. D'autres, que l'on appelle les lacto-végétariens, éliminent les œufs au même titre que la viande, car se sont des êtres vivants en puissance. Les plus extrémistes, les végétariens, ne mangent aucun produit d'origine animale.

Les végétariens ont la réputation d'être minces, en bonne santé et énergiques, mais ils n'ont jamais pu prouver médicalement qu'ils jouissent, comme ils le prétendent, d'une vie plus saine et plus longue. Il est certain qu'ils sont davantage concernés par leur alimentation. Ils peuvent parfaitement se procurer les protéines, vitamines et sels minéraux nécessaires sans manger de chair, bien que leur régime exige une certaine variété. Pour la cuisson, il n'est bien sûr pas question d'employer la moindre graisse animale.

Les régimes végétariens suivent généralement le modèle que voici :

Petit déjeuner : Au choix, fruit ou jus de fruit, muesli, flocons d'avoine, céréale complète, fruits secs, miel, pain complet, œufs, tomates.

Déjeuner/Dîner : Toujours de la salade ; des protéines végétales (noix, fromage, œuf, lentilles, haricots blancs, avocat, pousses de soja) ; des hydrates de carbone (des pommes de terre, du riz complet, du pain complet) ; un fruit ou un dessert à base de fruit.

LA BOISSON

Il faut boire tous les jours un demi-litre d'eau si possible, et beaucoup plus lorsqu'on est au régime. Il y a en gros quatre sortes d'eau potable.

Eau séléniteuse : Elle contient du calcium, du magnésium et d'autres sels.

Eau douce : Elle contient du sodium (qui remplace le calcium et le magnésium), et souvent du cuivre, du fer et du zinc.

Eau distillée : Tous les minéraux en ont été extraits par évaporation.

Eau minérale : Eau naturelle, non traitée, mise en bouteille sans que rien ne lui soit ni ajouté, ni enlevé. Il en existe de nombreuses variétés qui ont la réputation d'être de qualité uniforme et dont le contenu minéral bénéfique est stable. Elles peuvent être gazeuses ou plates et contiennent un ensemble de sels minéraux agréables au goût et réputés bons pour la santé. Les eaux minérales plates contiennent nettement moins de sodium (qui affecte la rétention d'eau) que l'eau du robinet.

BOISSONS NON-ALCOOLISÉES : Nombre d'entre elles sont colorées et parfumées artificiellement. Sur le plan purement nutritif, il est préférable de faire vous-même des jus de fruit auxquels vous ajouterez de l'eau gazeuse, du soda ou des mélanges toniques. La teneur en sucre élevée de la plupart de ces boissons fournit au corps un excès superflu d'hydrates de carbone.

VINS, ALCOOLS ET SPIRITUEUX : Ils sont fort agréables en quantités modérées ; un verre ou deux avant le repas amorcent une salutaire détente ; le vin est le complément idéal d'un bon repas et un alcool après dîner facilite souvent la digestion.

La plupart des médecins reconnaissent qu'une quantité d'alcool soigneusement dosée ne peut pas faire de mal ; par contre, tout excès peut avoir de graves conséquences. Les signes extérieures, bouffissures, rougeurs, ralentissement de la parole et du geste, ne font qu'indiquer ce qui se passe à l'intérieur. L'alcool est très vite assimilé et il dilate rapidement les vaisseaux sanguins, ce qui explique qu'il soit parfois prescrit, en quantité modérée, aux personnes souffrant de troubles circulatoires. En quelques minutes à peine, 50 % de l'alcool absorbé sera passé dans le sang et aura atteint le foie. Ce dernier est capable d'absorber environ 10 grammes d'alcool à l'heure. En général, les ravages sont plus rapides et plus spectaculaires chez celles qui boivent peu. On a constaté chez les personnes qui boivent régulièrement un ralentissement de l'absorption de l'alcool encore inexpliqué sur le plan médical.

Certains jours, nous supportons mieux l'alcool que d'autres. La fatigue, la tension nerveuse, les bouleversements émotionnels, la dépression ou la colère peuvent tous accélérer l'action anesthésique de l'alcool, même si à petites doses il apaise la tension nerveuse. La résistance de chaque individu à l'alcool dépend souvent directement du contenu de son estomac. C'est pour cela que certaines personnes prennent la précaution de boire un liquide crémeux (parfois du lait) ou huileux avant de se rendre à une soirée où elles risquent de boire beaucoup. Cette paroi protectrice, si elle n'absorbe pas l'alcool, réduit du moins la vitesse avec laquelle il passe dans le sang.

Le vin est la plus inoffensive de toutes les boissons alcoolisées et on assure même qu'il facilite la digestion, car il contient des enzymes qui jouent un rôle dans le métabolisme. Il fournit des vitamines B-1 et B-12 et de l'acide folique. Il contient aussi des sels minéraux. Par ailleurs, le vin rouge est une bonne source de fer. Les vins sont des hydrates de carbone et plus ils sont doux et capiteux, plus ils contiennent de sucre.

Les spiritueux et les liqueurs ont une teneur en alcool plus concentrée ; ils entament les ressources vitaminiques du corps, car, comme tous les hydrates de carbone sucrés, ils ont besoin du complexe de la vitamine B. Les alcools secs, tels que le whisky, le rhum blanc, la vodka, le gin contiennent moins de sucre que le xérès, le porto, les vermouths et les liqueurs douces.

RECETTES DE BASE
DE LA CUISINE
GRANDE FORME

Trois recettes à base de céréales, plus une recette de soupe aux légumes, qui regorge de vitamines, ce sont là les quatre grands classiques que l'on retrouve dans tous les régimes pour garder la forme.

Muesli :

2 cuill. à soupe d'avoine
le jus d'un demi-citron
du lait, entier ou écrémé

2 cuill. à soupe de germe de blé
4 cuill. à soupe d'eau
2 cuill. à soupe de miel

Faites tremper l'avoine dans l'eau toute une nuit ; le matin, incorporez-lui le jus de citron, le lait, le miel et le germe de blé ; mélangez bien. Puis ajoutez, à votre goût, des fruits frais (les pommes râpées sont traditionnelles), des raisins ou abricots secs, des noix, du yogourt nature.

Pain complet :

30 g de levure sèche
1 cuill. à soupe de miel
1 pincée de sel

1,5 kg de farine complète
9 dl d'eau de pommes de terre
ou de lait tiède

Dans un saladier chaud, mettez la levure avec un peu d'eau de pommes de terre (ou de lait), mélangez, ajoutez le miel. Laissez reposer 20 minutes. Dans un autre saladier, mélangez la farine et le sel, puis incorporez progressivement la levure et le reste du liquide ; mélangez à fond et pétrissez. Mettez la pâte dans des moules bien huilés que vous ne remplirez qu'à moitié. Laissez reposer et lorsque la pâte a doublé de volume, mettez à four chaud (350°) 50 minutes, jusqu'à ce que le pain sonne creux.

Céréales
aux pommes de terre :

4 tasses d'eau bouillante
1/2 cuill. à soupe de farine complète
1/2 cuill. à soupe de son

2 pommes de terre crues
germe de blé, lait, miel

Dans une casserole d'eau bouillante (4 tasses), mettez la farine complète et le son, remuez et laissez frémir environ 3 minutes ; râpez dans ce mélange deux pommes de terre crues, incorporez-les en remuant, puis retirez du feu, couvrez et laissez reposer quelques minutes avant de servir. Ajoutez le germe de blé, le lait et le miel, à votre goût.

Bouillon de légumes :

1 tasse d'oignon haché
3 branches de céleri haché
1,5 l d'eau
2 grosses pommes de terre,
hachées menu

4 carottes hachées
poivre et sel de mer
1 tasse de légume-racine
1 tasse de légume vert

Mettez un peu d'huile végétale dans un grand faitout en acier ou en terre, faites-y revenir quelques instants les oignons et le céleri, puis ajoutez l'eau et les autres ingrédients, sauf le légume vert. Assaisonnez. Laissez frémir une trentaine de minutes, puis ajoutez le légume vert. Laissez cuire encore 3 à 5 minutes, mais pas plus, sans quoi les vitamines seraient détruites.

3

LES RÉGIMES

Toute perte de poids doit se faire très progressivement. Perdre plusieurs kilos, c'est une chose ; mais le faire en un minimum de temps par des moyens draconiens en est une autre. Vous y laisserez peut-être des kilos superflus, mais vous risquez d'y laisser aussi votre santé et votre beauté. Dans l'idéal, une perte de poids doit être programmée de façon progressive et régulière de manière à obtenir un amaigrissement durable et un poids stable. Par exemple, au bout d'un certain temps, en suivant consciencieusement notre régime d'équilibre (voir *La diététique*, p. 25), le corps atteindrait et conserverait probablement son poids idéal. Mais il faudrait peut-être compter six mois ou plus et peu de femmes sont assez patientes. Une personne trop grosse veut généralement perdre X kilos dans un but bien précis (mode, amour, vacances) ou bien perdre au début un poids considérable pour avoir le courage de continuer un régime à long terme.

Il existe plusieurs façons de maigrir vite, mais une question se pose d'emblée — laquelle choisir ? On vous propose tant de régimes divers qu'il est facile de s'y perdre complètement et les querelles inter-médicales ne sont pas faites pour arranger les choses. Certains médecins ont leur dada et les régimes qu'ils « recommandent » peuvent être assez souvent contradictoires.

Le régime est une affaire très personnelle — et les réactions à un régime donné varient considérablement, tant sur le plan psychologique que sur le plan chimique. Il n'existe pas de régime parfait qui convienne à tout le monde ; pas non plus d'aliment ou de formule-miracle, qui agissent tout seuls — quoi qu'on dise des citrons et des pamplemousses. Mais il existe néanmoins plusieurs techniques valables et c'est à vous de décider laquelle vous convient le mieux. Voici tous les renseignements dont vous avez besoin : les régimes sont regroupés par catégories, pour que vous compreniez clairement quelles théories se cachent derrière chaque méthode et puissiez évaluer les pertes possibles dans chaque cas. Mais ils ont tous une chose en commun : pour réussir, ils exigent de la volonté et un effort soutenu. Les statistiques indiquent que sur 100 personnes au régime, 12 seulement subissent une perte de poids importante et 10 sont susceptibles de regagner très vite ce qu'elles ont perdu.

Quand est-on trop grosse ? Quand est-on normale ? Quel est le poids idéal ? Outre les mesures en kilos et centimètres, on a inventé des tas de méthodes pour savoir si une femme est, oui ou non, trop grosse. La plupart ne valent rien : parvenez-vous à saisir d'épais plis de peau ? Quand vous pincez divers endroits de votre anatomie, tenez-vous plus de 2,5 cm entre vos doigts ? Couchée sur le dos, pouvez-vous poser une règle le long de votre côté, de façon à ce qu'elle touche à la fois vos côtes et l'os de votre hanche ? Essayez si ça vous amuse, mais le vrai test, c'est de vous regarder dans une glace d'un œil sans complaisance. Si vous êtes trop grosse, vous le savez, vous le voyez, vous le sentez. Laissez vos yeux juger.

Votre poids effectif n'est pas toujours un indice très sûr. Les tableaux qui établissent le poids désirable pour une taille donnée sont des guides et non pas des règles absolues. Avec cinq kilos de plus ou de moins, vous pouvez être quand même à votre poids idéal. La plupart des tableaux indiquent les poids calculés par les compagnies d'assurance, qui sont souvent nettement supérieurs au poids idéal. Notre tableau est basé sur plusieurs études indépendantes et constitue une bonne indication du poids idéal pour les femmes de plus de vingt ans. Vous ne devez pas ajouter de kilos pour les années en plus ; certes, le métabolisme et l'activité se ralentissent avec l'âge, mais c'est à vous de réduire et d'équilibrer votre alimentation afin de maintenir votre poids. Vous atteindrez généralement votre poids idéal vers vingt-cinq ans. Passé trente ans, la plupart des femmes prennent environ une livre par an, ce qui à la longue risque de former un vilain embonpoint. Ne vous laissez pas entraîner. Consultez notre tableau pour vous fixer un idéal réaliste. Pour décider si votre squelette est menu, moyen ou étoffé, reportez-vous aux explications et dessins de la page 18. Que vos os soient petits ou gros, la différence ne sera pas aussi grande qu'on voudrait le croire. Les os constituent un sixième du poids total. Ils peuvent donc vous servir d'alibi pour 3,5 kg au maximum.

Le poids varie de jour en jour. Pour mieux le surveiller, pesez-vous tous les jours à la même heure et dans les même conditions. Il change en outre au cours de la journée. Il varie aussi selon le cycle menstruel ; juste avant les règles, la plupart des femmes ont tendance à être plus lourdes et gonflées. Le poids connaît même certains écarts parfois inquiétants — ainsi, après un dîner un peu trop copieux, je peux prendre 2,5 kg en une nuit, mais Dieu merci je les reperds tout aussi vite. En général, une femme évolue dans une fourchette de 1,5 kg à 2,5 kg, et ce n'est que lorsque vous retrouvez régulièrement un certain chiffre que vous pouvez être sûre d'avoir perdu du poids de façon permanente.

POIDS IDÉAL POUR LES FEMMES DE PLUS DE 20 ANS

Ce tableau doit vous servir de guide et non de règle absolue. Pour évaluer avec précision votre poids idéal, il faudrait consulter un spécialiste. Pour une fille entre 16 et 20 ans, enlevez une livre par année au-dessous de 20 ans.

TAILLE (m)	POIDS (kg)	POIDS (kg)	POIDS (kg)
(PIEDS NUS)	SQUELETTE MENU	SQUELETTE MOYEN	SQUELETTE ÉTOFFÉ
1,42	39-42	41-46	44-51
1,45	40-43	42-47	45-53
1,47	41-44	44-49	47-54
1,50	43-46	44-50	49-56
1,52	44-47	46-52	50-57
1,55	45-49	48-53	51-59
1,57	46-50	49-55	53-60
1,60	48-51	50-57	54-62
1,62	49-53	52-57	56-64
1,65	50-54	53-60	57-65
1,68	52-56	54-62	59-67
1,70	54-58	57-64	61-69
1,73	56-60	59-65	63-70
1,76	57-61	60-68	65-73
1,78	59-64	62-69	67-75
1,81	61-65	64-71	68-77
1,83	63-67	66-73	70-79

Tout excédent de nourriture est emmagasiné dans le corps sous forme de graisse. Si vous êtes trop grosse, c'est parce que, à un moment donné, vous avez trop consommé ou parce que vous avez mangé une nourriture trop riche. Si votre corps absorbe plus d'énergie qu'il n'en brûle, l'excédent devient une réserve de graisse. Si vous avez plus de 15 kilos en excès vous voilà vouée à l'obésité qui peut très facilement échapper à tout contrôle. A ce stade, il n'est plus question d'esthétique, mais d'un grave problème de santé et il ne faut vous mettre au régime que sous contrôle médical. Peut-être êtes-vous une de ces personnes dont le corps, pour des raisons encore obscures, ne traite pas normalement la nourriture. A toutes celles qui veulent maigrir, je conseille de consulter un médecin. Bien peu le font. Une personne normale et en bonne santé peut entreprendre un régime limité et raisonnable, mais si vous ressentez le moindre trouble, courez immédiatement voir un spécialiste.

On a dit et répété que certaines personnes grossissaient pour un rien, alors que d'autres peuvent manger comme des ogres et rester minces. Ces deux catégories existent, c'est vrai. Des recherches récentes ont indiqué que chez les individus à poids constant, l'excédent de nourriture stimule le corps qui accroît aussitôt son activité métabolique et l'énergie ainsi dépensée vient compenser exactement le surcroît de nourriture. Chez ceux qui ont tendance à grossir, par contre, le métabolisme ne fournit aucun effort supplémentaire lorsqu'ils mangent trop et la graisse s'accumule. On tient rarement compte de cette différence.

Pourquoi existe-t-elle ? Personne ne le sait vraiment. Il est impossible d'établir des distinctions biologiques entre ceux qui peuvent contrôler très exactement leur production d'énergie et ceux qui n'y parviennent pas. C'est un équilibre très délicat et très précaire ; la raison peut en être métabolique, psychique, glandulaire ou un mélange de toutes ou de certaines de ces raisons. Les chercheurs sont allés traquer les indices jusque dans les cellules graisseuses du corps humain et ils ont découvert que lorsqu'on perdait du poids, la taille de ces cellules se rétrécissait, mais que leur nombre restait inchangé.

Cela semble indiquer qu'arrivée à l'âge adulte, vous disposez d'un nombre déterminé de cellules graisseuses ; par conséquent, l'excès de poids, s'il est plus difficile à soigner, devrait être aussi plus facile à prévenir. On a pensé qu'une suralimentation au cours des premières années de la vie pouvait être à l'origine des problèmes de poids dont souffrent tant d'adultes. L'hérédité est un autre facteur possible, aggravé par le fait qu'un enfant suit forcément les habitudes de suralimentation qui règnent dans son foyer. Chaque individu acquiert un schéma cellulaire latent — une sorte de schéma de base — établi dès les premières années. Il possède un poids optimum qu'il doit s'efforcer de maintenir. Si le poids est pris ou perdu lentement, une espèce de force ramène l'individu à son poids d'origine. Pour les gens normaux, c'est plutôt un atout, mais pour ceux qui ont des problèmes de poids, c'est une nouvelle bataille, car le poids excédentaire ne demande qu'à revenir. Si vous voulez vous débarrasser pour de bon de la graisse acquise au long de nombreuses années, il faut avoir la volonté de manger en moindre quantité et des aliments plus sains : et cela de façon définitive.

Les cellules graisseuses se trouvent dans toutes les parties du corps, et elles fonctionnent comme un organe, c'est-à-dire qu'elles sont abondamment pourvues en sang, ce qui leur permet d'avoir leur propre métabolisme. La graisse est d'ailleurs considérable, puisqu'elle représente de 10 à 25 % du poids d'une personne normale et la moitié du poids d'une obèse. Les organes vitaux sont protégés par une couche de graisse et, pour des raisons de santé, cette couche ne devrait jamais descendre au-dessous, ni s'élever au-dessus d'un certain niveau. Cependant, la majorité des cellules graisseuses se trouvent dans la couche de tissu adipeux située juste sous la peau. Cette couche remplit plusieurs fonctions fort utiles : elle protège le corps, elle l'isole, elle conserve la chaleur, elle transforme les aliments et brûle la graisse — mais avant tout, elle emmagasine cette graisse. C'est le principal réservoir de graisse du corps humain, souvent beaucoup trop important.

Si ce dépôt de graisse devient trop dense, la peau qui le recouvre se fronce comme une peau d'orange, très connue sous le nom de cellulite, terme qui semble sous-entendre qu'il s'agit d'une graisse spéciale, à traiter par des moyens spéciaux. En fait, il s'agit d'une graisse tout à fait ordinaire, gorgée d'eau, et le meilleur moyen de s'en débarrasser est de combiner régime et activité physique, tout en surveillant sa rétention d'eau.

DÉRÈGLEMENTS GLANDULAIRES

Manger est une activité nerveuse et musculaire, mais reste essentiellement une fonction cérébrale. Il existe certains centres de contrôle situés principalement, pense-t-on, dans l'hypothalamus, qui nous dictent si nous devons manger, combien, et quand s'arrêter. Les chercheurs fondent de grands espoirs sur une hormone produite par l'hypophyse, qui semble mobiliser la graisse. Elle a été isolée, mais on ne l'emploie pas encore. Il est intéressant de noter qu'elle est produite par les gens qui jeûnent et par ceux qui suivent un régime à base de graisses et de protéines. Par contre, les personnes qui ont une alimentation mixte normale n'en produisent pas du tout, ni celles qui consomment des menus basses calories, à base d'hydrates de carbone, ni celles dont l'hypophyse est déficiente.

Qu'en est-il du système glandulaire et de son effet sur le contrôle du poids ? On accuse souvent injustement les glandes dès qu'il est question de graisse. Les glandes sécrètent des hormones et les propulsent dans le sang qui les charrie dans tout le corps, où elles contrôlent les diverses fonctions, entre autres l'équilibre du métabolisme alimentaire. Prenez par exemple la fameuse thyroïde : si elle produit trop d'hormones, les cellules transforment si vite la nourriture que celle-ci est brûlée à mesure qu'elle est ingérée. Par conséquent, les hyperthyroïdiens sont des gens maigres et généralement nerveux. Inversement, une production thyroïdienne trop faible a pour résultat un métabolisme cellulaire trop lent : les cellules sont incapables de suivre le rythme de l'alimentation, elles n'ont pas le temps de transformer les aliments en énergie, si bien qu'elles les emmagasinent sous forme de graisse. En conséquence, les hypothyroïdiens devraient manger moins ; mais comme ils dépassent souvent la limite, ils prennent du poids.

Ces observations ont amené certains médecins à traiter l'obésité en se servant de l'hormone thyroïdienne, mais l'expérience a révélé les dangers de cette pratique. Lorsqu'on donne des cachets de thyroïde à une personne dont la thyroïde est normale, la glande devient paresseuse et cesse de fabriquer sa propre hormone. L'extrait thyroïdien n'est vraiment efficace que lorsque l'hypothyroïdie est médicalement (ce qui est extrêmement rare) reconnue. De petites doses accélèrent alors le métabolisme et aident à réduire le poids, si l'on suit en même temps un régime efficace.

L'hypophyse a une influence considérable sur le contrôle du poids, mais étant donné qu'elle produit des douzaines d'hormones qui stimulent ou inhibent les autres glandes, on ne sait pas exactement comment elle agit. Dans certaines circonstances, elle produit l'hormone mobilisatrice de graisse mentionnée plus haut ; on est en train d'étudier son fonctionnement plus à fond. Les glandes surrénales, alliées au système reproducteur, produisent pendant la grossesse une hormone spéciale qui sert de principe à une méthode d'amaigrissement très discutée que préconisent certains médecins (cf. page 64).

RÉTENTION D'EAU

Certaines personnes trop grosses font de la rétention d'eau. Lorsqu'on suit un régime, il est important de distinguer entre perte de poids et perte d'eau. D'habitude, c'est l'eau qui part en premier, ce qui du jour au lendemain fait miraculeusement disparaître les kilos. Mais le plus souvent, cette eau est ensuite récupérée. Le corps contient beaucoup d'eau : on en trouve dans le sang, les cellules et les tissus conjonctifs. Les proportions sont très minutieusement réglées et l'un des grands régulateurs n'est autre que le sel. La quantité de sel qui vous est nécessaire est très précise : ni plus, ni moins. Trop de sel et l'eau s'accumule, les tissus gonflent : vous pesez trop lourd. Il en faut environ un gramme par jour pour maintenir la provision d'eau d'une personne en bonne santé. La plupart des gens consomment de dix à vingt fois cette quantité, ce qui veut dire qu'ils ont deux litres d'eau excédentaire dans le corps. La plupart des aliments frais contiennent du sel et il est rare que l'on n'en consomme pas suffisamment. Ce n'est que dans les climats chauds qu'il faut veiller à en prendre assez. Si vous buvez beaucoup d'eau, vous n'allez pas forcément la garder. Au contraire, lorsqu'on est au régime, on devrait boire au moins un litre et demi par jour. C'est excellent pour les reins et la science est désormais venue confirmer le vieux dicton de bonne femme qui affirme que « l'eau fait fondre les kilos ». L'eau est d'ailleurs un élément important de nombreux régimes amaigrissants. Les gens maigres boivent souvent beaucoup d'eau en mangeant — ce que l'on croyait néfaste ils y a quelques années — alors que les gros boivent peu et choisissent des aliments plus concentrés.

Quelle que soit la vitesse à laquelle le métabolisme traite la nourriture, une perte de poids est directement liée à la production d'énergie. Chaque corps humain est un cas unique, mais une chose reste sûre : si vous absorbez plus que vous ne brûlez, vous prendrez du poids. Les diététiciens calculent la quantité de chaleur ou d'énergie nécessaire pour brûler la nourriture en calories. Il s'agit d'une unité infinitésimale et la calorie dont nous parlons couramment est en fait 1 000 fois supérieure à l'unité de base. Les protéines ont une valeur calorique d'environ 4 calories par gramme, les hydrates de carbone de 4 calories par gramme et les graisses de 9 calories par gramme. Une femme normale active brûle dans les 2 300 calories par jour.

LES TROIS GROUPES ALIMENTAIRES

Tous les régimes alimentaires visent évidemment à équilibrer la quantité de nourriture absorbée et d'énergie produite, mais ce n'est pas toujours une équation très stable. Selon les nouvelles théories, il faut tenir compte non seulement du nombre de calories ingurgitées, mais aussi de leur type. Les trois grands groupes alimentaires — protéines, hydrates de carbone et graisse — réagissent différemment. Tout excès de graisse alimentaire qui n'est pas brûlé est emmagasiné sous forme de graisse ; il en va de même pour les hydrates de carbone ; par contre, les protéines ont la particularité d'obliger le corps à brûler plus vite ses combustibles, parfois à tel point qu'il est forcé de transformer une partie de ses réserves graisseuses en énergie pour parvenir à digérer les protéines. C'est pourquoi la plupart des régimes amaigrissants sont riches en protéines. Aussi étrange que cela paraisse, la graisse alimentaire — qui n'est tout de même pas recommandable en grandes quantités — est brûlée plus vite que les hydrates de carbone. Ce sont le sucre et les amidons qui risquent avant tout d'être emmagasinés sous forme de graisse. Quelle que soit votre méthode, il faut rayer de vos menus certains aliments, en consommer d'autres avec précaution et avaler le reste sans vous faire de souci. Consultez les tableaux suivants pour établir tous vos menus de régime. Vous constaterez une forte ressemblance avec notre régime d'équilibre, si bien que vous aurez le double avantage de mincir en mangeant sainement sans vous priver ni vous sentir frustrée.

SUPPRIMER :   LES HYDRATES DE CARBONE SUCRÉS
Sucres : De toutes espèces, glucose, bonbons, chocolats, pâtes à tartiner, sauces sucrées, décorations de confiseries.
Pâtisserie : Biscuits, gâteaux, tartes.
Conserves : Confitures, marmelades, gelées.
Fruits : En boîte, confits ou conservés sous n'importe quelle forme.

LES HYDRATES DE CARBONE FÉCULENTS
Pain : Tous les pains blancs, petits pains, croissants, etc., la chapelure.
Céréales : La farine blanche, les grains et céréales raffinés (blé, avoine, orge, seigle), le riz, les pâtes, les sauces liées à la farine.
Légumes : Pois cassés, haricots blancs secs, lentilles, légumes en conserves, potages-crèmes.

LES GRAISSES
Sauces : Toutes les sauces crémeuses, comme la mayonnaise, les sauces et les condiments industriels.
Noix : Cacahuètes et noix.
Charcuteries : Pâtés, saucissons et saucisses, etc.

LIMITER :   LES HYDRATES DE CARBONE FÉCULENTS
Pain : Pains complets, tous ceux faits à base de farine complète.
Céréales: Les flocons d'avoine nature, le riz complet, la farine complète.

LES HYDRATES DE CARBONE CELLULOSIQUES
Légumes-racines : Pommes de terre, carottes, panais, navets, oignons blancs, betteraves.
Légumes à cosse : Petits pois, haricots blancs frais.
Fruits : Certains fruits tropicaux — bananes, pastèques, avocats.

LES GRAISSES
Produits laitiers : Beurre, margarine, lait entier, crème.

LES PROTÉINES
Produits laitiers : Fromages riches en matières grasses, œufs.
Volaille : Oie, canard.

A VOLONTÉ :   LES PROTÉINES
Poisson : Toutes les variétés de mer et d'eau douce, les crustacés, les coquillages.
Viande : Bœuf, veau, agneau, porc maigre, jambon maigre, foie, rognon, cœur, cervelle.

Volaille : Poulet, dinde.
Gibier : Venaison, faisans, cailles, pintades, lapins.
Fromage : Mozarelle, feta, fromage blanc écrémé.

LES HYDRATES DE CARBONE CELLULOSIQUES

Légumes verts : Artichauts, asperges, brocolis, chou, chou-fleur, céleri, endives, chicorée, chou frisé, laitue, toutes les salades, épinard, cresson.
Légumes-racines : Oignons nouveaux, radis.
Légumes-fruits : Aubergines, concombres, courges, courgettes, poivrons, tomates.
Fruits : Agrumes — citrons, clémentines, pamplemousee, oranges ; fruits rouges — airelles, fraises, framboises, groseilles, myrtilles ; fruits du verger — abricots, cerises, pêches, poires, pommes, raisin ; fruits tropicaux — ananas, figues, mangues, melons,. papayes.

LES GRAISSES

Huiles végétales : Olive, soja, graisses insaturées.

Les fines herbes et les assaisonnements sont permis à volonté, mais limitez le sel. Ne jamais, jamais frire vos aliments dans de la graisse. Passez vos viandes et gibiers au gril, à la broche ou au barbecue ; ou bien mangez-les rôtis ou bouillis. Les poissons sont délicieux au gril, à la vapeur, au four ou en papillotes. Préparez vos légumes à la vapeur le plus souvent possible ; si vous les cuisez, utilisez un minimum d'eau ou braisez-les au four avec un peu d'huile. Le sucre est interdit dans tous les régimes ; si vous ne pouvez vous en passer, utilisez du « faux-sucre ».
J'ai déjà parlé des bienfaits de l'eau — un litre et demi par jour au minimum. Le café et le thé sont permis en quantité limitée — sans sucre et de préférence sans lait. Certains régimes permettent beaucoup de lait, d'autres un peu, d'autres écrémé seulement, d'autres enfin pas du tout. Personnellement, j'opte pour le lait écrémé ou demi-écrémé.
Les boissons non alcoolisées du commerce sont exclues sans appel, et il faut y inclure tous les toniques, les sodas et assimilés. Le mieux est encore de faire vous-même une citronnade fraîche additionnée d'eau minérale gazeuse. Cela contribue à débarrasser le corps de son excédent d'eau et il a été prouvé que cela régénère le foie. En ce qui concerne l'alcool, les règles ne sont pas aussi sévères qu'on pourrait le croire, car il ne se transforme pas fatalement en graisse. Si vous êtes d'ordinaire une solide buveuse, il vaut mieux continuer en réduisant peu à peu les quantités, car la tension entraînée par un manque brutal d'alcool pourrait vous inciter à manger davantage — ce qui serait déplorable.
Pour vous aider à compter, considérez l'alcool comme un hydrate de

carbone (un gramme d'alcool équivaut en gros à un gramme trois quarts d'hydrate de carbone). Les hydrates de carbone alcoolisés brûlent plutôt lentement. De nombreuses boissons alcoolisées contiennent du sucre et il faut par conséquent les éviter : les bières, les cidres, les liqueurs, le xérès, le porto, les vins doux et capiteux. Les vins rouges et blancs légers ne posent aucun problème, ni les alcools secs, gin, vodka, rhum et whisky, cognac, eau de vie.

On constate encore une fois une certaine discorde chez les médecins quant à la consommation d'alcool. Certains assurent qu'il entrave la combustion des graisses, d'autres qu'il dilate les vaisseaux sanguins et fait davantage travailler le corps en accélérant le métabolisme, au point de compenser l'apport de calories supplémentaires.

Les vitamines n'ont pas d'influence sur le poids, mais on ne peut pas vivre sans. Même si vous êtes à la diète complète, prenez des vitamines. Même si votre régime amaigrissant est raisonnable, il est préférable de prendre des vitamines supplémentaires. Certains médecins recommandent la prise de gelules multi-vitamines pour accélérer l'ingestion de vitamines E et C et tout spécialement de l'ensemble du complexe de la vitamine B. C'est très bien, mais rappelez-vous que vous ne pouvez dépasser sans danger la dose quotidienne normale de vitamines A ou D. Quant aux autres vitamines, les excédents sont tout simplement évacués par le canal des reins, si vous buvez suffisamment d'eau.

Tout le monde rêve d'un régime-raccourci. Il semble logique de penser que la bonne solution pour moins manger serait de réduire l'appétit. Les coupe-faim, comme les amphétamines, agissent sur le système nerveux central ; outre qu'ils touchent les centres du contrôle de l'appétit, ils stimulent aussi l'activité mentale et physique — ce qui accroît la production d'énergie. Mais ces médicaments présentent de graves inconvénients : certains médecins les considèrent comme des retarde-faim plutôt que comme de véritables coupe-faim, car on a souvent constaté que les gens regrossissent dès qu'ils cessent de les prendre. Par ailleurs, les amphétamines ne sont efficaces que pendant quelques semaines. Elles provoquent une accoutumance qui entraîne ensuite des symptômes de « manque ». C'est pour cela que les coupe-faim sont classés parmi les médicaments dangereux, à proscrire absolument.

Si vous étudiez attentivement la formule des « pilules-miracle » pour mincir, vous verrez que le composant actif est presque toujours un laxatif (par exemple la phtaléine du phénol). Les laxatifs sont l'un des plus vieux remèdes pour mincir, le plus connu d'entre eux étant le sel d'Epsom, ou sulphate de magnésium. Il entraîne une rapide perte de poids temporaire due à une brusque perte d'eau et à la mauvaise assimilation des aliments, mais vous ne tarderez pas à reprendre du poids sous forme d'eau dont le corps déshydraté a désespérément besoin. De toute façon, ce n'est pas à la graisse que s'attaquent les laxatifs. L'usage suivi de diurétiques et de purgatifs est extrêmement nuisible pour votre santé. Ils sont à proscrire sans appel !

Les aliments « miracle » — biscuits, repas tout prêts — sont peu caloriques et contiennent une forte proportion de substances qui « calent », comme la cellulose de méthyle. Ces substances inoffensives gonflent et remplissent l'estomac, vous donnant l'impression d'avoir mangé à votre faim. Les fabricants rajoutent des protéines et des vitamines pour éviter les risques de malnutrition. Mais ces aliments ne sont pas une solution idéale ! De plus ils coûtent cher et forment un régime bien monotone.

La meilleure et la seule façon de suivre un régime est d'en trouver un auquel vous pouvez vous tenir sans trop d'efforts. Les régimes dramatiques ne valent rien et les privations qu'ils infligent sont inutiles. Les femmes minces sont celles qui ont su trouver une alimentation qu'elles pourront garder toute leur vie. Elles ont appris à manger « mince » sans avoir faim et sans souffrir. Vous devez organiser votre régime en fonction de vos habitudes alimentaires : trouvez celui qui convient à votre style de vie, et à votre tempérament. Il vous faudra sûrement renoncer à de mauvaise habitudes. Pesez le pour et le contre de chaque régime en les confrontant à vos préférences, votre emploi du temps, vos finances. Mais ensuite, tenez-vous à celui que vous aurez choisi.

Il existe deux grandes théories diététiques. L'une assure que le secret de l'amincissement, c'est tout simplement de surveiller les quantités que l'on absorbe ; c'est celle des compteurs de calories, qui estiment qu'en termes caloriques la quantité de nourriture ingérée doit toujours être inférieure à la quantité d'énergie dépensée. C'est ce qu'on appelle la théorie du « contrôle des portions ».

Puis, il y a ceux qui estiment que ce qui importe avant tout c'est le genre de nourriture consommée et donc réduisent ou suppriment certains groupes d'aliments. D'aucuns prônent les régimes « tout-protéines », d'autres excluent la graisse, d'autres en permettent au contraire beaucoup, d'autres acceptent quelques hydrates de carbone. C'est la théorie du « contrôle des proportions », lesquelles sont volontairement déséquilibrées.

Les deux clans font valoir des arguments convaincants. C'est le métabolisme individuel qui doit trancher.

LE CONTRÔLE DES PROPORTIONS

Tous les régimes de ce type imposent des restrictions sur un ou deux groupes alimentaires. On prétend que cette méthode attaque la graisse plus vite que le contrôle des calories, sans donner prise à la faim. Elle peut causer des pertes de poids spectaculaires, bien qu'il soit préférable de perdre lentement. Etant donné que ces régimes permettent de manger davantage (certains aliments en quantité illimitée), ils tentent celles qui n'ont pas la patience de compter calories et quantités.

Tout-protéines

viande
volaille
poisson
œufs
fromage blanc
1,5 l d'eau
pas d'alcool

FORMULE : Pas d'hydrates de carbone, ni de graisses, une alimentation 100 % protéines. Seuls les aliments suivants sont à consommer en quantités illimitées : bœuf maigre, veau, agneau, poulet, dinde, poisson maigre et crustacés, œufs — durs de préférence — fromage blanc. Toutes les viandes doivent être dégraissées. Aucune graisse de cuisson. Les aliments sont bouillis, braisés, grillés ou rôtis. Buvez au moins un litre et demi d'eau par jour. Thé et café à volonté. Sel, poivre, fines herbes. Pas de boissons caloriques. Pas d'alcool. Éventuellement, des suppléments de vitamines.

THÉORIE : Les protéines incitent le corps à brûler rapidement ses combustibles ; avec ce régime sans graisse et sans hydrates de carbone, le corps est obligé de puiser dans ses réserves de graisse pour trouver l'énergie nécessaire pour digérer les protéines. Ainsi, les dépôts graisseux sont peu à peu vidés. Il est généralement admis que la graisse ne peut être entièrement assimilée par le corps sans la présence d'hydrates de carbone (qui manquent ici). Pour cette raison, au cours du métabolisme, des composés chimiques appelés cétones s'accumulent dans le sang ; on les trouve généralement dans l'urine et ce sont eux qui causent souvent la mauvaise haleine. Cependant, les femmes en bonne santé qui choisissent ce régime ne s'y tiennent pratiquement jamais assez longtemps pour que le taux de cétones devienne inquiétant. A long terme, ce régime doit être suivi sous contrôle médical ; il peut être dangereux pour les femmes enceintes, ainsi que pour les personnes souffrant d'insuffisance rénale.

Hydrates de carbone limités

viande
volaille
gibier
poisson
œufs
fromage
huile
beurre
salade

FORMULE : Protéines à volonté, graisses avec précaution, hydrates de carbone limités à 250 calories par jour (environ 60 g).
A volonté :
Viande : Bœuf, agneau, veau, jambon, foie, rognons
Volaille : Poulet, dinde, canard
Gibier : Venaison, faisan, lapin
Poisson : Toutes les variétés
Fromage : Fromage blanc, fromages à pâte molle type brie et camembert
Boisson : Thé, café, beaucoup d'eau, boissons non caloriques
En quantité limitée :
Œufs : De toutes les façons

Graisses : Beurre, margarine, huile, crème, lait
Limités à 250 cal. (60 g) par jour :
Salade : Verte
Légumes : Légumes verts et légumes-fruits
Fruits : Agrumes et fruits rouges
Alcool : Vins secs, blanc et rouge ; alcools secs, gin, vodka, whisky
Pain : Complet ; jamais plus d'une tranche par jour.

THÉORIE : A mi-chemin entre le contrôle des proportions et celui des portions, c'est-à-dire qu'on ne compte pas systématiquement les calories, mais que les hydrates de carbone, particulièrement propices à la prise de poids, sont sévèrement limités.

Vous maigrirez plus lentement qu'avec le régime hyper-protéine ou tout-protéines. Au début, vous perdrez une assez considérable quantité d'eau, puis vous stagnerez avant de commencer le véritable amaigrissement ; par contre ce régime est plus varié et comporte un peu d'alcool, ce qui le rend beaucoup plus pratique à suivre à long terme. Avec 60 g par jour d'hydrates de carbone, il n'y a d'ordinaire pas trace de cétones. Si vous ne maigrissez pas assez à votre gré, vous pouvez réduire encore les hydrates de carbone. L'alcool est autorisé car il compte comme un hydrate de carbone et rentre donc dans la proportion contrôlée. Ce régime se rapproche aussi beaucoup de nos grandes règles diététiques et il n'est pas très éloigné du régime d'équilibre, ce qui fait que lorsque le poids désiré sera atteint, vous n'aurez aucune peine à revenir à une alimentation normale et saine. Cela vous évitera de reprendre du poids, comme il arrive bien souvent. Cette méthode n'a rien de bien nouveau, puisqu'elle fut à l'origine prescrite à un Anglais replet de l'époque victorienne, William Banting, qui devint célèbre en écrivant une « Lettre sur la Corpulence » dans laquelle il expliquait justement comment il avait perdu 25 kg en un an et continuait encore à mincir.

Le régime pamplemousse

Il est basé sur le principe des hydrates de carbone limités. Le pamplemousse n'a certes rien de magique, mais on l'emploie volontiers parce qu'il contient très peu d'hydrates de carbone et beaucoup de vitamines. Il faut au moins cinq jours pour qu'il soit vraiment efficace.

Petit déjeuner :   Un demi-pamplemousse ou 120 g de jus de pamplemousse non sucré
Deux œufs - cuits à votre guise
2 tranches de bacon
Café ou thé

Déjeuner et dîner : Un demi-pamplemousse
Une petite portion de viande, volaille ou poisson
Une salade au jus de citron ou une portion de légumes
verts
Café ou thé

Hyper-protéiné Ce régime s'accompagne de la prise régulière de protéines pures que l'on achète en pharmacie sous forme de poudres en sachets, de granulés ou de liquides. Plusieurs marques en commercialisent. Leur goût, au début détestable, a été très amélioré et la plupart sont acceptables. Ils permettent des régimes appauvris en glucides et en lipides mais enrichis en protéines et équilibrés en sels minéraux. Ceci évite la fatigue, la sensation de faim et la fonte musculaire.
Voici le schéma-type d'un régime de ce genre.

Petit déjeuner : Café ou thé sans sucre ni lait entier, lait écrémé et édulcorants autorisés
2 minces tranches de pain complet
1 œuf dur ou à la coque ou 1 yaourt sans sucre ou 25 g de fromage de Hollande ou 25 g de gruyère
1/2 pamplemousse ou une pomme ou une orange
10 heures : un sachet de protéines

Déjeuner : 75 g de jambon de Paris ou 150 g de poulet grillé (sans la peau) ou 100 g de steack grillé sans beurre
200 g salade verte ou épinards ou endives
100 g carottes crues ou chou-fleur ou haricots verts ou betterave ou melon
Sans beurre ni huile. Assaisonnement : citron, vinaigre, moutarde
150 g fruits frais : pomme, poire, orange, fraise, framboise, pamplemousse, ananas frais
16 heures : un sachet de protéines

Dîner : Poisson : cabillaud, colin, daurade, merlan, raie, sole ou 100 g poulet ou 50 g jambon de Paris ou 2 œufs durs ou coque
100 g salade : verte, tomate, concombres
1 yaourt, ou 50 g de fromage blanc maigre ou 1/2 pamplemousse ou une petite pomme
Boisson : eau 1 litre et demi minimum par jour, thé ou café. Pas de vin ni d'alcool.
22 heures : Un grand pot de tisane.

LE CONTRÔLE DES PORTIONS

C'est une approche mathématique de la diététique, basée sur l'équation calorique : l'énergie produite doit être supérieure à la nourriture absorbée, sans quoi la graisse s'accumule.

Pour compter les calories, il faut avant tout une volonté de fer. C'est une façon lente et régulière de perdre du poids. En théorie, c'est très simple : les protéines produisent 4 calories d'énergie par gramme, les hydrates de carbonne 4 aussi et les graisses 9.

La femme moyenne active a besoin de 2 300 calories pour faire face aux demandes d'énergie de sa journée. Pour perdre du poids, il ne faut pas absorber plus de 1 200 calories par jour. Une livre de votre graisse représente 3 500 calories, donc, dans la pratique, les régimes basés sur les échanges cloriques, correspondent environ à une perte d'un kilo par semaine pour un régime à long terme qui tourne autour de 1 000-1 200 calories par jour. Il faut, je l'ai dit, une volonté de fer.

En principe, vous pouvez absorber votre ration calorique comme cela vous chante, mais surtout n'oubliez pas les exigences d'une saine alimentation. Si vous suivez les tableaux de la page 58, vous resterez dans les normes voulues.

Les régimes accélérés suivent le même principe, mais en réduisant les quantités au strict minimum ; on ne peut donc les suivre que pour une durée limitée. Il sont plutôt réservés à celles qui n'ont que quelques kilos à perdre, et à perdre vite, ou bien à celles qui ont besoin d'encouragements avant d'entamer un régime à long terme. Le minimum est de 800 calories par jour — n'allez pas plus bas, votre santé en pâtirait ; ou bien alors mettez-vous carrément à la diète complète, ce qui a sur le métabolisme un autre effet.

Une fois votre objectif atteint, vous pouvez continuer à compter les calories sur la base de 2 300 calories par jour, soit l'équivalent de votre production d'énergie. Choisissez vos aliments dans les tableaux « A volonté » et « Limiter » et vous verrez que vous resterez facilement dans les limites caloriques voulues — et dans celles du régime d'équilibre, donc que vous perdrez du poids.

CONTRÔLE DES CALORIES/*1 400 par jour*/*Perte : 1 kg par semaine*

Petit déjeuner : Un verre de jus de pamplemousse non sucré ou un
demi-pamplemousse
un œuf (ni frit, ni au plat)
une tranche de pain complet
une noix de beurre ou de margarine
café ou thé sans sucre

Déjeuner :	90 g de viande, volaille ou poisson maigre
	une portion de légumes frais ou de salade
	une tranche de pain complet
	une portion de fruits frais (sauf les bananes)
	café ou thé sans sucre

Dîner :	90 g de viande, volaille ou poisson maigre
	une portion de salade verte
	une portion de légumes
	une tranche de fromage (pas plus de 60 g)
	une portion de fruits frais
	café ou thé sans sucre.

CONTRÔLE DES CALORIES/*1 200 par jour/Perte : 1 kg-1,5 kg par semaine*

Petit déjeuner :	Un verre de jus de pamplemousse non sucré
	un œuf (ni frit, ni au plat)
	une tranche de pain complet
	café ou thé sans sucre

Déjeuner :	60 g de viande, volaille ou poisson maigres
	une portion de légumes verts ou de salade
	une tranche de pain complet
	une portion de fruits frais
	thé ou café sans sucre

Dîner :	60 g de viande, volaille ou poisson maigres
	une portion de légumes verts
	une portion de salade
	30 g de fromage
	thé ou café sans sucre.

LE RÉGIME DES WEIGHT WATCHERS/*A très long terme/Perte : 1 kg par semaine*

C'est un programme de thérapie de groupe, avec des réunions hebdomadaires et un régime fort détaillé, qui ne tolère pas la moindre défaillance. C'est toujours le contrôle des portions, mais on compte non plus en calories mais en grammes — en pesant les aliments sur une balance de précision. Il faut manger trois repas par jour, avec un minimum de cinq plats de poisson par semaine, quatre à sept œufs par semaine, du foie une fois pas semaine et pas plus de trois plats de bœuf dans la même semaine. Beaucoup de légumes sont en quantité illimitée. Les hydrates de carbone sucrés sont rigoureusement interdits. Il y a quelques règles bizarres — par exemple, les œufs uniquement au petit déjeuner ou au déjeuner ; une quantité de légumes limitée pour le dîner seulement. Ce n'est d'ailleurs pas pour une question de régime, mais de discipline. Voici le menu type :

Petit déjeuner : 1 œuf ou 30 g de fromage à pâte dure ou 60 g de poisson
une tranche de pain complet
thé ou café sans sucre

Déjeuner : 120 g de poisson, volaille ou viande ou 60 g de fromage à pâte dure
légumes à volonté (la liste est longue, ce sont surtout des légumes verts)
une tranche de pain complet

Dîner : 180 g de poisson, volaille, ou viande
1/2 tasse de certains légumes (tomates, carottes, aubergines, petits pois)
autres légumes à volonté.

Répartir chaque jour : 3 fruits dont une orange ou un pamplemousse et 2 tasses de lait écrémé.

LES RÉGIMES ACCÉLÉRÉS

Ce sont des régimes draconiens auxquels les femmes ont généralement recours en cas d'urgence. Au fil du temps, de nombreux régimes ont connu une certaine mode ; les plus efficaces sont regroupés ici. Il est important de respecter le nombre de jours indiqué, car la valeur nutritive est réduite au minimum. Ces régimes sont monotones, évidemment, mais c'est justement cette répétition qui les rend plus faciles à suivre. Les pertes de poids varient selon les individus et selon le nombre de kilos superflus — plus vous en avez, plus vous en perdrez. Les pertes moyennes sont indiquées ici, mais vous perdrez sans doute plus ou moins. Ne dépassez surtout pas le nombre de jours, votre santé s'en ressentirait et le jeu n'en vaut pas la chandelle, car les pertes se stabilisent au bout de quelques jours. Un régime accéléré peut servir de point de départ encourageant à un projet de régime à long terme.
Tous les régimes de ce type sont très déconseillés par les diététiciens qui avancent contre eux trois arguments fondamentaux.
● Tout régime limité dans le temps et ne correspondant pas à une rééducation alimentaire est nécessairement voué à l'échec : le poids perdu sera obligatoirement repris et ce sont précisément ces variations de poids qui sont néfastes pour la santé et la beauté et en particulier désastreuses pour la peau et le teint.
● Perdre 1 kg ou 2 kg ne signifie rien en soi : ce n'est pas le poids qui compte mais le volume. Une danseuse mince et musclée pèse lourd et, à poids et taille égaux, on peut avoir une femme grasse et volumineuse.

● Un régime déséquilibré et surtout appauvri en protéïnes, fait perdre de l'eau et des muscles. Quand on sait que le vieillissement consiste précisément en la perte d'eau et de muscles, on comprend aisément que de tels régimes représentent un coup de vieux assuré. Après 30 ans, de tels chocs ne sont plus rattrapables.

Donc n'ayez recours à ce type de régime que tout à fait exceptionnellement : il ne faut surtout pas en faire une habitude. Si vous avez laissé vos trente ans loin derrière vous, ayez la sagesse d'y renoncer tout à fait : mieux valent quelques rondeurs en plus et quelques rides en moins ! D'autant plus que rien ne vous empêche de suivre les régimes à long terme qui, eux, vous rendront minces et belles en préservant vos muscles et la jeunesse de votre peau.

LAIT ET BANANE/5 *jours/Perte : 2,5 kg*
6 bananes
3 verres de lait écrémé
Voilà la consommation de la journée entière ; mangez-la quand vous en avez envie. Si besoin est, ajoutez deux tasses de café noir sans sucre.

FROMAGE BLANC ET BANANE/4 *jours/Perte : 3 kg*

Premier jour
Petit déjeuner : 120g de fromage blanc
1 pamplemousse
café noir ou thé au citron
Déjeuner : 120 g de fromage blanc
1 tranche de melon
café noir ou thé au citron
Dîner : 120 g de fromage blanc
1 pamplemousse
café noir ou thé au citron

Deuxième jour
Petit déjeuner : 1 banane
1 tasse de lait écrémé, café noir ou thé au citron
Déjeuner : 1 banane
1 œuf à la coque
café noir ou thé au citron
Dîner : 180 g de steak grillé
2 bananes — grillées avec le steak si vous voulez
café noir ou thé au citron.
Une tasse de café noir ou de thé est autorisée entre les repas. Répétez ces menus deux autres jours.

Ci-contre : Benito, 1926
Pages suivantes, à gauche : Benito, 1926
à droite : Benito, 1927

BOISSON A LA BANANE/*2 jours/Perte : 3 kg*
Recette de la boisson : Jus de 2 grosses oranges
                  1 cuillerée à café de miel liquide
                  jus d'1 citron
                  mélangez bien, ajoutez 1 banane finement émin-
                  cée. Mélangez
A consommer 4 fois par jour à la place des repas ; vous pouvez ajouter une tasse de café ou de thé.

ŒUFS ET POMMES DE TERRE/*4 jours/Perte : 1,5 kg*
Petit déjeuner : 1 verre de jus de pamplemousse
                  1 œuf à la coque
                  café noir ou thé au citron
Déjeuner :   1 pomme de terre moyenne, au four, bouillie ou écrasée
                  avec un peu de lait
                  1 pomme
                  café noir ou thé au citron
Dîner :   1 verre de jus de tomate
                  1/2 pamplemousse
                  1 œuf à la coque
                  café noir ou thé au citron.

ŒUFS ET STEAK HACHÉ/*7 jours/Perte : 2,5 kg*
Petit déjeuner : 1 verre de jus de pamplemousse
                  1 œuf dur
                  café noir ou thé au citron
Déjeuner :   90 g de steak haché, saignant
                  1 pomme
                  café noir ou thé au citron
Dîner :   90 g de steak haché, saignant
                  1 petite salade verte
                  café noir ou thé au citron.

AVOCAT/*3 jours/Perte : 1,5 kg*
Petit Déjeuner : 1/2 avocat garni de fromage blanc
                  café noir ou thé au citron
Déjeuner :   1/2 avocat émincé avec 1 œuf dur émincé, 6 tranches de
                  concombre, oignon à volonté
                  café noir ou thé au citron
Dîner :   90 g de steak ou steak haché saignant
                  1/2 avocat au fromage blanc
                  café noir ou thé au citron.

LÉGUMES ET FRUITS/7 *jours/Perte : 3 kg*
> *Jour des légumes*

Petit déjeuner : 1 verre de jus de légumes
4 tomates grillées
café noir ou thé au citron

Déjeuner : 1 salade verte — laitue, concombre, céleri, cresson, poivron vert et oignon à volonté
café noir ou thé au citron

Dîner : 1 légume chaud — chou, épinards, chou-fleur, brocolis bouillis et assaisonnés avec de l'ail et un peu de jus de citron
café noir ou thé au citron.

> *Jour des fruits*

Petit déjeuner : 1 petite salade de fruits — pamplemousse, orange, citron et pomme
café noir ou thé au citron

Déjeuner : 1/2 melon
1 petite salade de fruits — comme au petit déjeuner
café noir ou thé au citron

Dîner : comme le déjeuner.

Alterner les jours-légumes et les jours-fruits en commençant et en finissant par un jour-légumes.

RIZ/7 *jours/Perte : 3 kg*
Petit déjeuner : 1 œuf dur
60 g de riz bouilli (de préférence complet, à peser après la cuisson et non avant)
café noir ou thé au citron

Déjeuner : 90 g de riz bouilli (à peser après la cuisson)
90 g de poisson blanc ou de poulet
1 tomate crue
café noir ou thé au citron

Dîner : comme le déjeuner.

UN REPAS ET CITRON/5 *jours/Perte : 2,5 kg*
Déjeuner ou dîner : 240 g de bœuf, veau ou poulet grillé ou rôti sans graisse supplémentaire
1 portion de légumes verts frais ou 1 salade
1 orange ou 1 pomme ou 1/2 pamplemousse

Pendant la journée : le jus d'1 citron dans un grand verre d'eau chaude — 6 fois au maximum. Café noir ou thé au citron.

JUS DE LÉGUMES/*1 jour/Perte : 1 kg*

Petit déjeuner : 1 verre de jus de tomate mélangé à 1 œuf cru et un peu de
jus de citron

café noir ou thé au citron

Déjeuner : 1 verre de jus de légumes — n'importe quel mélange
1 tranche de pain complet grillé
café noir ou thé au citron

Dîner : 1 verre de jus de tomate avec 1 œuf cru
café noir ou thé au citron.

TUTI FRUTTI/*5 jours/Perte : 2,5 kg*

Petit déjeuner : 1 orange ou 1/2 pamplemousse
café noir ou thé au citron

Déjeuner : 1 salade de fruits — orange, citron, pamplemousse,
pomme et melon
café noir ou thé au citron

Dîner : Comme le déjeuner; ajoutez un peu de cannelle pour
corser.

STEAK TARTARE/*3 jours/Perte : 2,5 kg*

Petit déjeuner : 1 steak tartare (90 g de bœuf fraîchement haché, 1 œuf,
poivre et câpres)
1 tranche de pain complet
café noir ou thé au citron

Déjeuner : 1 petite salade verte (à manger en premier)
90 g de steak tartare
café noir ou thé au citron

Dîner : Comme le déjeuner.

WEEK-END « COMPOTES ET BOUILLIES »

C'est un régime très doux, désintoxicant, inspiré de l'alimentation des
bébés. Il est à faire le temps d'un week-end pour reposer son organisme et
perdre un peu de gonflette

Au réveil : Un grand verre d'eau

Petit déjeuner : Thé ou café sans sucre avec deux cuillerées de lait écrémé
en poudre

10 heures : Un grand verre d'eau et trois cuillerées de compote sans
sucre

13 heures : Un grand verre d'eau

Déjeuner : 100 g de jambon maigre ou de viande froide, ou 2 œufs
coque ou durs et une purée de légumes variés : poireaux,
carottes, céleri, navets passés au mixer

16 heures :   Deux grands verres d'eau et un yaòurt ou trois cuillerées de compote

Dîner :   Un bol de bouillon de légumes préparé avec : poireaux, céleri, navets, carottes, salade. Tous ces légumes passés en purée

Coucher :   Un grand pot de tisane.

LE PETIT COUP DE POUCE POUR VOTRE RÉGIME

LÉCITHINE, VITAMINE B-6, VINAIGRE DE CIDRE, VARECH

On prétend qu'en ajoutant ces quatre ingrédients à n'importe quel régime, on en accentue les effets en élevant le taux d'énergie produite. Les expériences à ce sujet ne sont pas vraiment concluantes, mais celles qui ont essayé trouvent que cette formule est valable. Dans l'idéal, il faut : 2 cuillerées à soupe de lécithine par jour, un sachet de 50 mg de vitamine B-6, 1 cuillerée à soupe de vinaigre de cidre après chaque repas et 3 cachets de varech, après chaque repas. Théoriquement, la lécithine aide à mobiliser la graisse, la vitamine B-6 à la transformer en énergie, le vinaigre de cidre contient du potassium qui contribue à maintenir l'équilibre nerveux et le varech riche en iode accélère le métabolisme.

LE RÉGIME GCH

Il est à base d'injections quotidiennes de gch (gonadotropine chorionique humaine), associées à un régime sans graisse de 500 calories par jour, à suivre de façon stricte. Beaucoup d'autorités médicales le désavouent, mais nombre de femmes assurent que c'est non seulement l'une des seules façons de perdre du poids, mais encore de se débarrasser des poches les plus coriaces — cuisses et jambes — qui résistent aux autres régimes. Le traitement dure au minimum 21 jours et au maximum 40, sous la surveillance quotidienne d'un médecin ; la perte de poids se limite de façon assez constante à 250/500 g par jour. On ne vous laisse jamais perdre plus de 17 kg en une seule fois. Certains prétendent qu'on peut parvenir aux même résultats en suivant simplement ce régime de famine sans l'accompagner de piqûres ; c'est possible, mais les piqûres sont censées mobiliser la graisse et vous empêcher de souffrir de la faim. Pendant toute la durée du traîtement, il faut abandonner les cosmétiques à base de graisse. Attention cependant ! ce régime est à base d'hormones et, comme tout ce qui est traitement hormonal, il n'est pas anodin. Il faut donc le manier avec la plus grande prudence et être très sûre de la compétence du médecin qui vous traite. Ce n'est pas évident. Combien de femmes de bonne foi ont été abusées et rendues malades par les « traitements miracles » de « cliniques spécialisées » tenues par de véritables charlatans qui avaient le don d'inspirer la confiance.

Petit déjeuner :   Thé ou café à volonté, sans sucre — 1 cuillerée à soupe de lait par 24 heures

Déjeuner/Dîner :   105 g de bœuf, veau, blanc de poulet (débarrassé de sa peau à cru), poisson blanc, crevettes, homard ou crabe.
120 g d'un seul des légumes suivants : bettes, céleri, chou, choux de Bruxelles, concombre, cresson, endive, épinards, fenouil, laitue, oignon, radis, tomate
1 biscotte
1 pomme ou 1 orange, ou bien 10 cerises, 60 g de fraises ou 1/2 pamplemousse
café noir ou thé au citron.

LE JEUNE

C'est le régime poussé à l'extrême. Si vous voulez perdre de 1 à 5 kg en 2 à 4 jours, vous pourrez presque certainement y parvenir ainsi. Il est possible de perdre jusqu'à 2 kg ou 2,5 kg en l'espace de 24 heures de diète complète, jusqu'à 5 kg en l'espace d'un week-end et jusqu'à 10 kg en une semaine. Si votre santé générale est bonne, il n'est pas dangereux de jeûner, sans outrepasser certaines limites. Si vous jeûnez sans surveillance, n'excédez jamais quatre jours, mais si vous êtes sous surveillance médicale et de préférence en clinique, vous pouvez jeûner plusieurs semaines.

Jeûner, cela veut dire ne rien manger du tout, mais vous pouvez, et même vous devez, boire ; les médecins recommandent un minimum de deux litres d'eau par jour. Certains jeûnes permettent les jus de légumes ou de fruits naturels, d'autres le café noir ou le thé au citron, mais il est généralement reconnu que si l'on jeûne pour maigrir et non par raison de santé, il vaut mieux s'en tenir à l'eau — minérale de préférence et surtout pas distillée. Buvez à volonté et ne vous inquiétez pas si vous ne semblez pas éliminer autant que vous ingurgitez ; une bonne quantité s'évapore à travers la peau.

Au cours d'un jeûne, la faim disparaît comme par miracle. Après 18 heures sans nourriture solide, on cesse généralement d'avoir faim et on perd ce besoin désespéré de manger. Attention, cependant, les avis sur le jeûne sont très partagés, et beaucoup de médecins déconseillent cette pratique : ils affirment que le jeûne accélère le vieillissement et fait fondre les muscles plus que la graisse !

La vitesse avec laquelle vous maigrissez est généralement fonction de votre excédent de poids — plus vous en avez, plus il part vite. On dit aussi que la diète permet de mieux contrôler son poids après coup que les autres régimes. Au début, vous reprendrez peut-être quelques kilos, non pas parce que vous mangez trop, mais parce que le sodium que contiennent les

aliments recommence à « fixer » l'eau dans votre corps. Après un jeûne
initial, vous devriez pouvoir perdre environ 1 kg par semaine en n'absorbant pas plus de 1 400 calories par jour (cf. p.57).

Vous pouvez jeûner un ou deux jours par semaine, mais jamais plus de dix
jours par mois en tout. Après la diète, il faut recommencer à vous
alimenter très progressivement. Ajoutez d'abord du jus d'orange à votre
eau, puis prenez un peu de yogourt, plus tard une biscotte au miel.
Mangez un peu toutes les trois heures jusqu'à ce que votre corps ait repris
le rythme des repas réguliers. Vous constaterez probablement que vous
êtes plus vite rassasiée et que vous avez moins envie d'aliments gras et
sucrés.

L'ANOREXIE

L'anorexie mentale est une maladie psychique, généralement due à un
besoin irrépressible de maigrir. Un régime peut être poussé trop loin. Cela
n'arrive par très souvent et le problème est certes moins aigu que celui que
posent les ravages de l'obésité, car même les plus acharnées à être minces
s'aperçoivent en général que la faim a raison des meilleures intentions et
c'est avec soulagement qu'elles atteignent leur but. Il existe cependant
des femmes qui, une fois lancées, sont incapables de s'arrêter, même
lorsqu'elles sont devenues anormalement maigres. Cela tourne à l'obsession et il faut des soins médicaux prolongés pour en venir à bout ; livrée à
elle-même, la malade risque de mourir de faim.

Cette maladie semble gagner du terrain. Elle commence généralement par
un désir d'être très maigre ou par une peur morbide d'être grosse. Au
début, on peut croire que la femme en question suit simplement un régime
accéléré poussé à l'extrême, mais toute ressemblance s'arrête là. L'anorexique ne se trouve jamais assez maigre et finit par refuser de prendre la
moindre nourriture solide, tout en n'absorbant qu'un minimum de liquide.
C'est un cercle vicieux, car à mesure qu'elle mange moins, elle acquiert
un dégoût pour la nourriture. Elle ne *peut* vraiment plus manger et rien ne
la persuadera d'essayer. Si elle cède aux pressions, elle se forcera ensuite
à vomir. Elle est d'ailleurs plutôt fière de son physique émacié.

L'un des premiers symptômes métaboliques est un dérèglement endocrinien bien précis qui interrompt les règles. Autres signes courants : une
peau sèche et des cheville souvent gonflées. Il faut immédiatement
consulter un médecin, car la malade a alors déjà dépassé le stade du
« régime exacerbé » et elle ne peut plus se contrôler. Les cas graves sont
hospitalisés sur-le-champ et le traitement commence par plusieurs semaines au lit avec des médicaments destinés à venir à bout du refus de se
nourrir et à stimuler l'appétit. On a souvent recours à la psychiatrie et
quelquefois à la cure de sommeil. La plupart des patientes sortent au bout

de deux ou trois mois, mais reprennent souvent leurs mauvaises habitudes dès qu'elles doivent faire face à une crise émotionnelle. Il faut parfois plusieurs années pour guérir et les rechutes répétées ne sont pas rares. Cette maladie affecte surtout les très jeunes filles. Pour l'expliquer, on a avancé de nombreuses théories dont aucune n'a été prouvée. Parfois, une petite fille trop grosse que l'on a taquinée à ce sujet est obsédée par les besoin de maigrir à la puberté. On dit aussi que certaines jeunes filles veulent garder leur corps d'enfant pour se soustraire aux implications sexuelles de la croissance. Pour les femmes faites, on songe à un dérèglement de l'hypothalamus ou bien au désir d'attirer l'attention en jouant inconsciemment avec la mort.

LES AMAIGRISSEURS ÉLECTRIQUES

La plupart des instituts de beauté sont équipés de machines qui permettent de faire de la gymnastique passive. Elles sont basées sur un système d'impulsions électriques, inventé il y a 150 ans par Faraday. Deux tampons — l'un chargé d'électricité négative et l'autre d'électricité positive — forcent les muscles à se dilater et à se contracter entre 35 et 40 fois par minute, ce qui leur donne de l'exercice. Tout l'art consiste à placer correctement les tampons, afin qu'il agissent sur les muscles voulus pour restructurer le corps.

4
LA GYMNASTIQUE

L'activité physique est indispensable à la santé. Elle stimule la circulation du sang et accroît l'apport et la circulation de l'oxygène. Elle affermit les muscles, fait bouger les articulations, assouplit le corps ; elle peut aider à dissiper la tension nerveuse et à retarder certains symptômes du vieillissement. Si nous ne sommes pas assez actifs physiquement, c'est souvent par paresse et par ennui.

La plupart des mouvements de gymnastique sont, il faut bien le dire, parfaitement assommants, et vous devez à tout prix trouver des mouvements en rapport avec votre silhouette, votre âge, votre nature, vos capacités et vos goûts. Il y a des tas de systèmes possibles : tous ceux qui sont bons vous mettent en forme et vous fabriquent des réserves d'énergie. Les néophytes sont souvent surprises par le plaisir que l'on peut trouver à faire de la gymnastique. Bouger est une joie et dès que vous vous en serez aperçu, la gymnastique vous deviendra indispensable.

Pour donner des résultats, la gymnastique doit être quotidienne. Une flambée d'activité suivie de plusieurs jours de paresse ne sert strictement à rien. Et n'allez pas non plus torturer vos muscles avec un programme accéléré : votre santé en pâtira, surtout si vous êtes habituellement sédentaire. Lentement mais sûrement, il n'y a que ça de vrai. Peu à peu, votre corps répondra à vos demandes, deviendra capable d'effectuer tous les mouvements à son propre rythme.

L'activité physique ne modifiera guère votre poids, mais elle peut modifier votre silhouette en tonifiant et en durcissant votre couche extérieure de muscles, ce qui leur rend leur fermeté. Vous pourrez perdre jusqu'à 2,5 cm de tour de bras, thorax, taille, cuisses et hanches — lentement. La gymnastique est une activité très individuelle et les quelques pages qui vont suivre recensent les grandes lignes des méthodes les plus efficaces. Chacune comprend une série de huit mouvements qui à eux tous font travailler le corps entier. Ils sont enchaînés, de façon à pouvoir s'adapter à votre rythme personnel. Il vous suffira de quinze minutes par jour — mais si le cœur vous en dit, n'hésitez pas à prolonger. Tous ces programmes sont fort variés, avec des techniques d'équilibre, de mouvement et de contrôle musculaire différentes, mais le résultat est le même : meilleure santé, énergie, vitalité. Ne vous cantonnez pas à un seul programme ; changez-en chaque semaine, ou bien faites-en deux dans la même journée — la variété excitera votre intérêt et vous poussera à vous dépenser. Avant de commencer, quelques conseils importants :

1. Décidez quand et où : fixez-vous une heure précise et soyez ferme et ponctuelle.
2. Si vous n'avez ni moquette, ni tapis, prenez un tapis de gymnastique, un drap de bain ou une couverture.
3. Portez un maillot de gymnastique, de bain ou rien du tout.
4. Faites votre gymnastique pieds nus si possible.
5. Faites-la en musique : cela soutient le rythme et l'intérêt.
6. Chaque série de mouvements doit être continue : enchaînez avec des gestes souples et contrôlés.
7. Les mouvements du corps s'accompagnent de respirations profondes et rythmées : expirez lorsque le corps est penché et le thorax comprimé ; inspirez en vous étirant ou en vous redressant.
8. Adoptez votre programme très progressivement : au début cinq minutes suffiront.

L'ACTIVITÉ PHYSIQUE LIBRE ET LE SPORT

Il faut prendre tous les jours un peu d'exercice : marche, jogging, natation, tennis, vélo. L'exercice et le sport pratiqués régulièrement et en douceur contribuent à vous maintenir en bonne forme physique. Toutes ces activités accélèrent le pouls et le maintiennent à un rythme élevé, tandis qu'une provision d'oxygène frais se répand dans le corps entier. Chaque respiration revitalise le complexe cœur-poumons et procure une sensation de bien-être. Un cœur trop peu sollicité manque d'énergie. Faites au moins un kilomètre et demi de marche par jour.

Deux des meilleurs exercices qui soient sont la natation et le jogging. Normalement, tout le monde doit avoir la possibilité de pratiquer l'une ou l'autre. Avec le soutien de l'eau, les mouvements sembleront plus faciles, mais la pression exercée par l'élément liquide les rendra d'autant plus efficaces. La natation fait appel à la presque totalité des muscles du corps et n'exige aucune force physique.

Prenez d'abord une douche chaude en finissant par un jet d'eau à la température du corps. Puis faites quelques moulinets des bras pour vous échauffer. La brasse affermit et sculpte les bras, les jambes et les muscles du haut de la poitrine. Le dos crawlé est bon pour les épaules, il sculpte les seins et raffermit le haut des cuisses. Le crawl actionne les muscles du bras tout entier et du haut de la poitrine, tandis que le battement des jambes muscle les fesses et le devant des cuisses. La natation vous permet en outre de mesurer facilement votre endurance et vos progrès ; si vous nagez régulièrement, vous serez étonnée des progrès accomplis dans un temps relativement court. Tâchez de nager trois ou quatre fois pas semaine pendant 45 minutes.

Le jogging est la forme d'exercice la plus simple qui soit ; elle sollicite la plupart des muscles du corps, surtout ceux des jambes. Les poumons sont obligés de fournir davantage d'oxygène, le cœur doit battre plus vite pour fournir celui-ci aux muscles, si bien que l'organisme tout entier fonctionne à plein régime. Pour commencer, combinez course et marche par tranches de 15 minutes. Il vaut mieux faire quelques exercices d'échauffement auparavant, puis de vous lancer au petit trot sur 400 mètres environ. Quand vous êtes fatiguée, marchez pour reprendre votre souffle, puis remettez-vous à courir. Au début ne forcez jamais, mais tâchez de trouver un rythme régulier qui vous servira de base et que vous accélèrerez en acquérant de l'endurance.

LE MASSAGE

Le massage vous détend, il apaise les tensions par le toucher et vous fait prendre conscience de votre corps et de ses possibilités. Il ne se contente pas de tonifier les muscles, il aide aussi à récupérer après une fatigue musculaire ; la circulation est stimulée, le corps s'assouplit.

Il est faux de croire que les frictions et les manipulations décollent les dépôts de graisse indésirables et les font disparaître dans le sang. Les femmes atteintes de cellulite et qui ont recours aux massages, s'apercevront que la graisse est peut-être partiellement décollée, mais qu'elle ne disparaît pas. Le massage accélère néanmoins les effets de l'activité physique et des régimes et vous donne l'impression d'être plus mince et plus en forme. Il est préférable de vous faire masser après avoir pris de l'exercice, ou en fin de journée lorsque la tension nerveuse est à son comble. C'est un merveilleux tranquillisant — bien supérieur à toutes les pilules — qui agit sur le système nerveux autonome et les terminaisons nerveuses du corps entier.

Il y a plusieurs façons de masser et chaque masseur possède sa technique, aussi individuelle que peut l'être une écriture. Frictions et pétrissages vont du léger à l'appuyé selon l'endroit, mais tous les mouvements doivent être doux, lents et rythmiques. La plupart des masseurs utilisent une huile neutre ou une crème adoucissante. Certaines huiles aromatiques ont des effets particulièrement bénéfiques.

CLASSIQUE

Ce B.A. BA de l'exercice est une initiation. Il vous prouvera combien des mouvements simples et faciles pratiqués tous les jours peuvent vous assouplir et vous détendre. Lorsque vous les aurez parfaitement maîtrisés, passez à la série suivante.

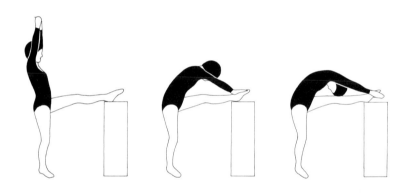

Tendre et lever la jambe — Placez votre jambe tendue sur un support légèrement plus haut qu'elle. Levez les bras tendus, penchez-vous en avant pour essayer d'aller toucher votre pied, le front contre le genou. Gardez les deux jambes tendues. 3 fois. Changez de jambe.

Contrôler les abdominaux — Allongée sur le dos, la tête et les épaules touchant le sol, pliez les jambes, posez les genoux contre la poitrine, tendez lentement les jambes à la verticale, baissez-les pour former un angle de 45°, repliez-les. De 6 à 10 fois.

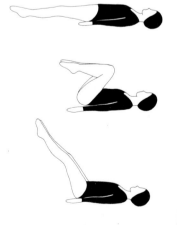

Faire pivoter le tronc — Jambes écartées, bras tendus levés, doigts entrelacés, faites lentement pivoter votre torse vers la gauche, puis vers la droite. 10 fois au début, passez progressivement à 20.

Rouler les hanches — Allongée sur le dos, les bras légèrement écartés, les genoux pliés. Inclinez les jambes vers la gauche, puis vers la droite. 20 fois.

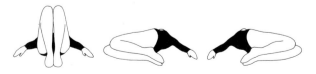

Fortifier la poitrine — Assise en tailleur, les bras croisés, ouvrez les bras, tendez-les lentement et poussez-les vers l'arrière. Comptez jusqu'à trois. Relâcher. 10 fois.

Tendre et relâcher — Debout, les jambes légèrement écartées, les bras levés, montez sur la pointe des pieds, étirez-vous au maximum. Bombez le dos, pliez les genoux, baissez les bras et relâchez-vous complètement. Redressez-vous. 6 fois.

Lancer la jambe — Debout, en vous tenant à un support, lancez votre jambe extérieure haut devant vous, puis faites-la pivoter jusque derrière en vous penchant en avant. 20 fois. Changez de jambe.

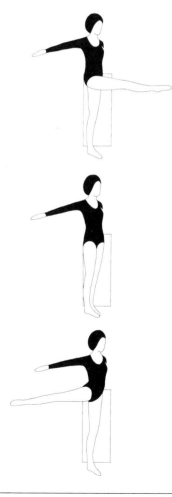

Allonger la taille — Debout, les jambes écartées, les bras levés, penchez-vous vers la gauche à partir de la taille, puis vers la droite. 10 fois au début, passez progressivement à 20.

CLASSIQUE NIVEAU MOYEN

Si votre corps est déjà habitué à l'exercice, mais pas vraiment agile, voici une version plus avancée des mouvements de base. Pensez désormais non seulement au contrôle mais au rythme. Veillez à respirer correctement : pendant l'effort, inspirez profondément ;. en vous relâchant, expirez très lentement.

Plier les genoux — Debout, les pieds écartés, en vous tenant s'il le faut à un support, pliez les deux genoux vers l'extérieur en gardant le dos bien droit et le bassin en avant. 5 fois, passez progressivement à 10 puis à 20.

A genoux — Agenouillez-vous, penchez-vous en avant en gardant le dos droit, les mains jointes derrière le dos. Étirez-vous vers l'avant en arrondissant le dos, jusqu'à ce que votre tête touche le sol. Revenez à votre point de départ. 10 fois, passez progressivement à 20.

Les ciseaux — Allongée sur le côté, la tête appuyée sur la main, sans bouger le torse, levez votre jambe lentement le plus haut possible et baissez-la lentement. 10 fois. Changez de côté.

Toucher les genoux — Allongée sur le dos, les jambes très écartées, les genoux pliés, saisissez vos chevilles. Descendez le genou gauche vers l'intérieur, jusqu'à ce qu'il touche le sol, puis le genou droit. 10 fois chaque genou, passez progressivement à 20.

Contrôler les abdominaux —
Allongée sur le dos, les bras
au-dessus de la tête, expirez en
vous redressant et en vous étirant
en avant ; inspirez en vous
rallongeant. 6 fois, passez
progressivement à 12 en
accélérant le rythme.

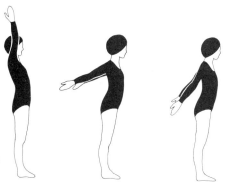

Lancer les bras — Debout, les
bras tendus vers le haut, les
paumes l'une contre l'autre,
baissez-les bras sur les côtés,
tendez-les en arrière, baissez-les
complètement, tendez-les en
arrière. Relâchez. 10 fois, passez
progressivement à 20.

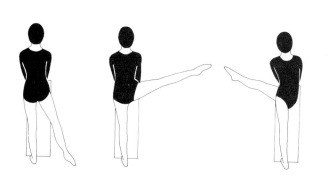

Balancé croisé — Debout à 60 cm
environ d'un support, les jambes
tendues. Tendez puis levez une
jambe sur le côté, puis lancez-la
de l'autre côté. 20 fois.
Changez de jambe.

Allonger la taille —
Debout, pieds écartés,
doigts entrelacés
au-dessus de votre tête,
en gardant les bras et le corps
bien tendus, penchez-vous
lentement vers la droite, le plus
loin possible. Comptez jusqu'à
trois. Changez de côté. 10 fois,
passez progressivement à 20.

CLASSIQUE NIVEAU AVANCÉ

Ces mouvements requièrent un contrôle plus subtil des muscles qui doivent garder plus longtemps la position. L'endurance s'acquiert facilement. Il faut s'appliquer à rechercher précision et souplesse. Pour échauffer et activer vos muscles, commencez par la série des mouvements pour débutante.

Flexion du buste — Debout, les jambes écartées, les mains jointes derrière les hanches, fléchissez le buste vers l'avant, la tête près des genoux, et faites-la osciller vers la droite puis vers la gauche. 10 fois de chaque côté.

Faire rouler les hanches — A genoux, les bras levés, les doigts joints, en gardant le corps bien droit, laissez glisser vos fesses jusqu'à ce qu'elles touchent le sol à droite, puis à gauche. 5 fois de chaque côté, passez progressivement à 10.

La tête et les jambes — Allongée à plat ventre, levez votre jambe gauche le plus haut possible ; comptez jusqu'à deux, baissez-la. Changez de jambe. Puis levez les deux jambes ensemble, et décollez les épaules et la tête du sol, les mains contre front. Comptez jusqu'à deux et demi. 5 fois, passez progressivement à 10.

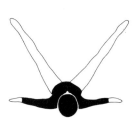

Tirer sur les cuisses — Sur le dos, les bras tendus sur le côté, les jambes à angle droit avec le buste, écartez les jambes au maximum, resserrez-les. 20 fois sans arrêter.

Tirer sur les jambes — Assise, la jambe gauche tendue, la droite pliée, maintenez votre cheville droite pour appuyer le talon contre la fesse puis, en tenant fermement, étirez la jambe en la tendant bien haut. Comptez jusqu'à trois, rabaissez la jambe. 3 fois chaque jambe.

Étirement assise — Assise bien droite, les jambes tendues et bien écartées, les bras tendus sur les côtés, penchez-vous en avant pour aller toucher le pied gauche de la main droite et vice-versa. 20 fois dans le rythme.

Étirement à genoux — A quatre pattes, les bras tendus, la tête baissée, pliez le genou gauche vers la poitrine, puis repoussez la jambe vers l'arrière en la levant. Comptez jusqu'à deux. Pliez les coudes pour aller toucher le sol de la tête, le corps à l'oblique. Comptez jusqu'à deux. Relâchez. Changez de jambe. 5 fois chaque jambe.

Allonger la taille — Debout, les pieds écartés, joignez les mains derrière la tête en gardant le dos bien droit, les coudes vers l'arrière. Penchez-vous à droite, puis à gauche. 20 fois.

LA CANNE

Voici des mouvements classiques tout simples : la canne sert de support pour les rythmer. Ils conviennent particulièrement à la bonne position des mains. Par ailleurs, la canne permet de contrôler les mouvements des bras, précise les distances et assure l'équilibre. Utilisez une canne, un manche à balai ou une tringle à rideau.

Muscler les épaules — Les pieds joints, le corps en équilibre, tenez la canne derrière vous, les bras tendus. Lancez les bras bien loin d'un côté à l'autre pour faire travailler les épaules. 20 fois.

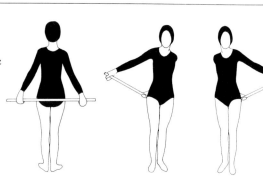

Assouplir les chevilles — Debout, les pieds légèrement écartés, la canne à la verticale, pliez les genoux, sortez les pieds en dehors, redressez-vous. Pliez les genoux, rentrez les pieds en dedans, redressez-vous. 20 fois alternant rapidement.

Bras tendus — Les pieds écartés, les bouts de la canne entre vos paumes, les bras bien tendus, lancez les bras de droite à gauche en tenant bien la canne. 20 fois.

Lancer de jambe — Debout bien droite, la canne à la verticale, maintenue des deux mains, lancez une jambe en avant, puis balancez-la d'avant en arrière sans faire bouger la canne. 30 fois chaque jambe.

Derrière le dos — Assise en tailleur, tenez la canne derrière votre dos, les paumes des mains vers le haut. Très doucement poussez la canne de bas en haut, les bras bien tendus. 30 fois.

Fentes — Debout, les jambes écartées, la canne maintenue des deux mains à la verticale, en gardant le dos droit et le postérieur rentré, pliez le genou gauche, puis le droit, dans le rythme. 20 fois.

Faire rouler les hanches — Assise sur vos talons, la canne devant vous, faites passer le poids du corps d'un côté jusqu'à ce que votre fesse touche le sol. Faites rouler de l'autre côté. Essayez de garder la canne bien droite et immobile. 20 fois.

Flexions — Les jambes écartées, la canne à l'horizontale, le poids du corps soigneusement réparti vers l'avant, levez vos bras tendus puis fléchissez en avant pour aller toucher vos doigts de pied. 20 fois.

LES HALTÈRES

Excellent pour les femmes énergiques désireuses de se remuscler au plus vite. Commencez avec 1,5 kg, passez ensuite à 2,5 kg, puis à 5 kg. Attention : des poids trop lourds, maniés trop longtemps, développent de vilains muscles.

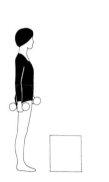  

Monter — Debout devant une chaise ou une marche très haute, un haltère dans chaque main, placez un pied sur le siège puis montez ; redescendez de la même façon. 10 fois chaque jambe.

Lever les bras — Debout, les pieds joints, un haltère dans chaque main, derrière la tête, les coudes contre les oreilles, levez et baissez les bras trois fois rapidement. Relâchez. 10 fois, puis reposez-vous 3 minutes.

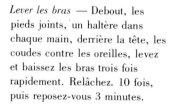 

Lever les jambes — Allongée à plat ventre, les haltères attachés aux chevilles, levez une jambe le plus haut possible, comptez jusqu'à six, baissez-la lentement. Changez de jambe. 6 fois chaque.

Flexions du buste — Debout, les pieds joints, les genoux légèrement pliés, un haltère dans chaque main, pliez le bras droit pour le soulever, penchez le corps vers la gauche, puis faites le contraire. 20 fois.
Reposez-vous 3 minutes.

Pousser sur les bras — Allongée sur le dos, un haltère dans chaque main, les coudes pliés, le haut du bras à plat sur le sol, poussez les bras vers le plafond en alternance. 6 fois.

Lancer de jambe — Debout, les jambes écartées, tenant un haltère à deux mains, lancez les bras vers la droite en les levant. Lorsqu'ils sont au sommet de la courbe, levez le pied gauche pour maintenir l'équilibre. 10 fois de chaque côté.

Muscler les abdominaux — Allongée sur le dos, les pieds coincés sous un meuble, tenant un haltère à deux mains, redressez lentement le corps et rallongez-vous lentement trois fois en gardant les genoux et les pieds bien tendus. 6 fois.

Ciseaux — Les haltères attachés aux chevilles, couchez-vous sur le côté, la tête dans la main, et levez la jambe, aidez-vous en posant votre main libre près du genou. Rabaissez lentement. 6 fois chaque jambe.

DANS L'EAU

La gymnastique aquatique est l'une des plus agréables et des plus faciles. Portée par l'eau, vous n'aurez pas l'impression de faire de grands efforts : c'est justement la pression du liquide qui rend ces mouvements si efficaces. Parfait pour les débutantes et les femmes âgées. L'eau doit arriver à l'épaule. A faire en piscine.

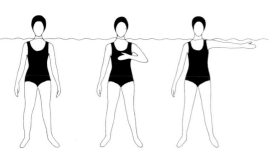

Pousser sur les bras — Debout, les jambes écartées, les bras le long du corps, pliez un bras devant la poitrine, la paume tournée vers le corps ; dépliez le coude et poussez le bras bien fort contre l'eau. Laissez-le retomber le long du corps. 20 fois chaque bras.

Affiner la taille — En vous tenant au bord, les jambes et les pointes des pieds tendues, lancez les jambes de chaque côté en gardant le torse bien droit. Continuez pendant 2 minutes.

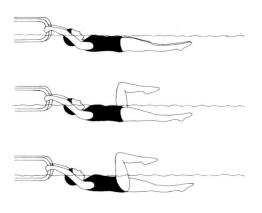

Bicyclette — Allongée sur le dos, accrochée au bord ou à l'échelle. En faisant les mouvements de bicyclette, levez bien les genoux au-dessous de l'eau. 30 fois.

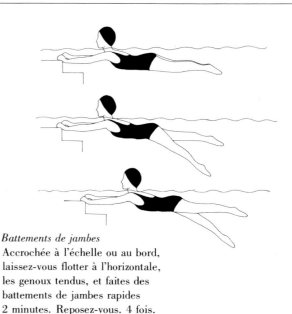

Battements de jambes
Accrochée à l'échelle ou au bord, laissez-vous flotter à l'horizontale, les genoux tendus, et faites des battements de jambes rapides 2 minutes. Reposez-vous. 4 fois.

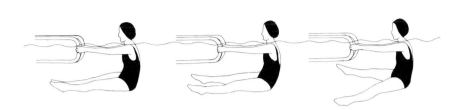

Ciseaux — Accrochée à l'échelle, assise dans l'eau, les bras tendus, les jambes jointes et tendues devant vous, avec un sursaut ouvrez bien grand les jambes en ciseaux, gardez la pose, refermez les jambes. 30 fois rapidement.

Lancer de jambe — Debout, accrochée au bord d'une main, l'autre bras tendu, lancez une jambe devant vous le plus haut possible, puis faites-la passer vers l'arrière en tirant au maximum. 20 fois. Changez de côté.

Coup de pied — Face à l'échelle ou au bord et en vous y tenant, pliez les genoux, les pieds légèrement écartés, lancez les jambes en arrière pour vous retrouver à plat ventre, restez quelques secondes. Redescendez lentement. 25 fois.

Pas de géant — Pliez un genou contre la poitrine, enserrez-le de vos bras, puis tendez la jambe haut devant vous en joignant les mains au-dessus de la tête et faites un pas de géant en avant en baissant le bras du côté de la jambe qui avance tandis que l'autre reste levé pour maintenir l'équilibre. Recommencez avec l'autre jambe. Marchez ainsi pendant 3 minutes.

AU LIT

Si vous avez du mal à vous lever le matin, voici la gymnastique qu'il vous faut. L'important est d'avoir un matelas bien dur. Quoique la plupart de ces mouvements s'exécutent en position allongée, ils exigent plus de force musculaire qu'on ne pourrait le croire. Ils vous donneront de l'énergie pour toute la journée.

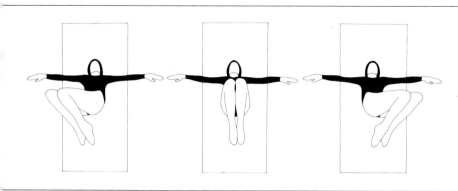

Affiner la taille — Sur le dos, les bras tendus à l'horizontale, pliez les genoux, soulevez les pieds en gardant les genoux bien joints. Lancez les jambes de gauche à droite en vous efforçant de toucher le lit. 20 fois.

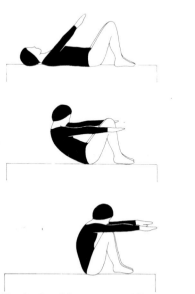

Muscler les abdominaux — Allongée sur le dos, les genoux pliés, les pieds à plat, les bras tendus devant vous et légèrement écartés, redressez-vous pour que votre poitrine vienne toucher vos cuisses. Rallongez-vous lentement. 10 fois.

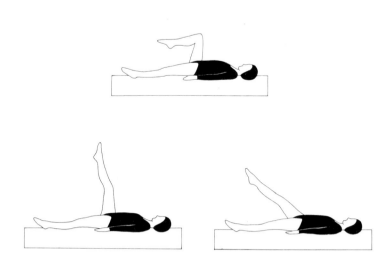

Muscler les jambes — Allongée sur le dos, les bras le long du corps, les paumes contre le matelas, pliez un genou à angle droit, comptez jusqu'à trois, tendez la jambe vers le plafond, comptez jusqu'à trois, reposez-la lentement sur le lit en la gardant bien tendue. 6 fois chaque jambe.

Ciseaux — Allongée sur le côté, redressée sur un coude, la tête dans la main, levez la jambe le plus haut possible, gardez la pose, baissez lentement la jambe. 10 fois. Changez de côté.

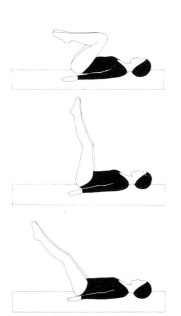

Croiser les bras — Allongée à plat dos, les bras le long du corps, levez les bras et croisez-les au-dessus du visage, puis tendez-les de chaque côté. 20 fois en alternant le bras du dessous et le bras du dessus.

 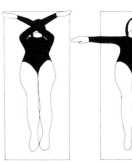

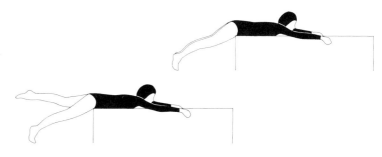

Tendre les jambes — Allongée sur le dos, les bras le long du corps, les paumes sur le matelas, pliez les genoux contre la poitrine, tendez les jambes bien droit et baissez-les lentement sans plier les genoux. 10 fois.

Marcher dans le vide — Allongée à plat ventre au pied du lit, les pieds sur le sol, tenez-vous au matelas et levez et abaissez lentement la jambe. 10 fois chaque jambe.

Se redresser — Allongée sur le dos, les bras le long du corps, levez la tête, puis les épaules et les bras qui doivent se joindre au-dessus de l'abdomen. Levez lentement les deux jambes ensemble. Restez en équilibre le temps de compter jusqu'à cinq et relâchez. 10 fois.

PLASTIQUE

Elle repose sur l'idée très simple qu'en apprenant à effectuer correctement sa gymnastique quotidienne, on peut, compte tenu de certaines limites morphologiques, sculpter son corps. Les mouvements n'exigent aucun effort physique, car il s'agit d'un contrôle musculaire dû à la concentration mentale. Il faut parfois bouger les membres, mais toujours lentement.

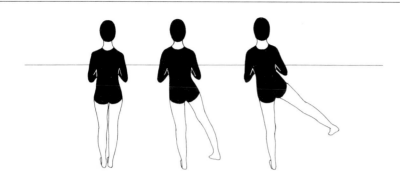

Le pendule — Debout, en équilibre (n tenez-vous à un support s'il le faut), levez lentement la jambe droite à par de la hanche, rentrez le ventre. En contractant le muscle de la fesse droi faites passer votre jambe droite vers l'arrière et levez-la en la gardant bien tendue ; détendez lentement le muscle fessier pour baisser la jambe, puis le muscle de la région lombaire pour baisser le pied. 3 fois chaque jambe.

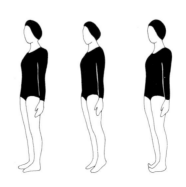

Talon-pointe — Debout en équilibre, faites jouer les muscles des mollets po soulever lentement les talons en faisan passer le poids du corps vers l'avant à l'intérieur du pied. Contractez les muscles fessiers et les muscles intern de la cuisse. Ensuite, en actionnant le muscles des orteils, essayez de releve tous les orteils ; au début, seul le gros orteil vous obéira, mais concentrez tou votre volonté sur les autres. 3 fois chaque.

La position de l'œuf — Allongée sur le dos, pliez les genoux pour rapprocher les talons des fesses. Levez les genoux vers la poitrine en repliant le corps par contraction des muscles du dos et de l'abdomen. S'il le faut, encerclez les genoux avec les bras ; comptez jusqu'à six. Relâchez. 5 fois.

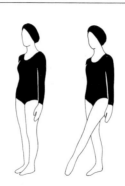

Ronds de jambe — Debout en équilibre, faites jouer le muscle lombaire pour soulever le talon gauche du sol. Avec le muscle fessier gauche, amenez lentement votre jambe vers l'arrière, tout en rentrant le ventre. Passez la jambe sur le côté, en gardant la pointe au sol, puis en actionnant le muscle de la cuisse, ramenez la jambe à sa position initiale. 3 fois chaque jambe.

Écarter les jambes — Sur le dos, les bras le long du corps, les genoux tendus, soulevez les jambes bien serrées de façon à ce qu'elles soient perpendiculaires au buste. Lentement, écartez-les le plus possible. Comptez jusqu'à six. Resserrez-les. Relâchez. 5 fois.

Flexions du tronc — Assise en équilibre (prenez l'habitude de vous tenir ainsi) tout au bord de votre siège, bien calée sur les fesses, les pieds à plat parallèles et légèrement écartés, les bras ballants le long du corps, rentrez et soulevez le ventre, en commençant par l'aine et en remontant jusqu'à la poitrine ; calez-vous sur vos pointes de pied et votre postérieur et levez les deux bras, les doigts des mains en vis-à-vis. Tirez le plus possible sur vos coudes. Penchez-vous lentement d'un, côté, en tirant sur les muscles du côté opposé. Ayez conscience de vous étirer avant de fléchir. Comptez jusqu'à six. Redressez-vous. 3 fois. Relâchez. Changez de côté.

Contrôler les fesses — Debout en équilibre : les pieds parallèles, très légèrement écartés, le poids portant plutôt vers la pointe, mais néanmoins bien réparti, actionnez les muscles du devant des cuisses pour soulever les rotules ; faites jouer vos muscles lombaires pour étirer votre colonne vertébrale vers le haut en gardant la tête bien droite, comme si un fil était fixé au sommet de votre crâne ; poussez les omoplates en arrière et vers le bas ; les bras doivent être souples le long du corps. Placez vos paumes sur vos fesses, lentement serrez les fesses au maximum et comptez jusqu'à six. Relâchez. 3 fois. Reposez-vous. 3 autres fois. Parfois un des muscles fessiers est plus rapide et plus fort que l'autre. Forcez-vous à faire travailler les deux côtés de façon égale. Vérifiez ce mouvement nue devant un miroir.

Muscler la poitrine — Assise en équilibre, levez lentement les bras à l'horizontale, puis à la verticale, les coudes le plus tendus possible, les paumes l'une contre l'autre. En actionnant les muscles supinateurs des épaules et des bras repoussez vos coudes vers le bas, jusqu'à ce qu'ils soient dans le prolongement des épaules. Comptez jusqu'à six. Relâchez. 3 fois. Reposez-vous. 3 autres fois.

ISOMÉTRIQUE

Ces exercices exigent si peu de mouvements que tout le monde peut les faire partout. Le but est de tonifier les muscles en actionnant des forces contraires. Considérez ces exercices comme des extras, à faire à vos moments perdus : au bureau, dans l'autobus, au lit ou après votre bain.

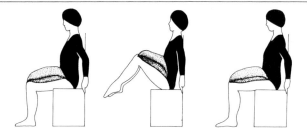

Le coussin — Assise, un coussin sur les genoux, agrippez les bords de votre siège, pliez les genoux, levez les cuisses en essayant d'écraser le coussin contre votre estomac. Comptez jusqu'à dix. Relâchez en comptant jusqu'à trois. 3 fois.

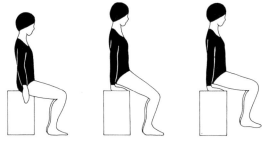

Le tabouret — Assise sur un tabouret, les paumes à plat sur le siège, les bras tendus, soulevez les fesses et les cuisses du siège et les pieds du sol. Comptez jusqu'à six. Relâchez en comptant jusqu'à trois. 10 fois.

Le lit — Allongée sur le côté, les pieds coincés sous le bord de votre lit, tendez un bras au-dessus de la tête, levez les jambes pour aller toucher le dessous du lit, en les gardant bien tendues. Comptez jusqu'à six. Relâchez en comptant jusqu'à trois. 5 fois de chaque côté.

Le bureau — Assise à votre bureau, les bras le long du corps, levez les bras pour saisir les bords de votre bureau et pressez fort. Comptez jusqu'à six. Relâchez en comptant jusqu'à trois. 10 fois.

Au sol — Allongée sur le dos, les genoux pliés, les pieds bien à plat. Prenez appui sur le sol avec vos pieds pour soulever le corps en ramenant les bras vers les genoux Comptez jusqu'à six. Relâchez en comptant jusqu'à trois. 10 fois.

Après le bain — Debout, les pieds écartés, glissez un coin de votre serviette sous votre talon en tenant l'autre à la hauteur du genou. Placez l'autre main sur la hanche et en tenant le corps bien droit tirez au maximum sur la serviette. Comptez jusqu'à jusqu'à six. Relâchez en comptant jusqu'à trois. 4 fois de chaque côté.

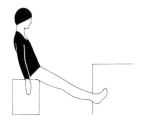

Croiser les genoux — Assise en tenant votre siège des deux mains, croisez une jambe haut sur l'autre cuisse et penchez-vous dans le même sens, comme si vous vouliez repousser votre siège. Comptez jusqu'à six. Relâcher. 6 fois chaque jambe.

A table — Assise à une certaine distance de la table, tendez les jambes jusqu'à ce que vos orteils touchent le dessous de la table, poussez les pieds vers le haut comme si vous vouliez la soulever. Comptez jusqu'à six. Relâchez en comptant jusqu'à trois. 6 fois.

LE YOGA

Cette version du yoga est bénéfique tant pour le corps que pour l'esprit. Sa technique est basée sur la respiration, le maintien et la relaxation. Ne forcez jamais pour faire un mouvement ; à chaque nouvelle tentative vous vous améliorerez et au fur et à mesure vous parviendrez à garder plus longtemps la pose.

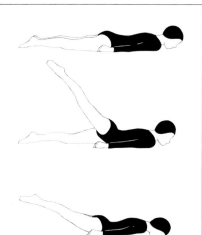

La chandelle — Allongée sur le dos, levez lentement les jambes à la verticale. Contractez les muscles abdominaux, levez haut les jambes en maintenant l'équilibre avec les mains. Poussez vers le haut, abaissez lentement les genoux jusqu'au front, puis ramenez lentement le buste et les jambes au sol. Gardez la pose 1 minute puis, progressivement, 3 minutes.

Muscler les jambes — Allongée à plat ventre, les bras le long du corps, les poings serrés, levez lentement une jambe, le genou tendu, en appuyant des poings contre le sol pour vous aider. Tenez 10 secondes. Relâchez. Puis levez les deux jambes. C'est la position de la sauterelle. Tenez 10 secondes. Relâchez. 3 fois en changeant de jambe.

Expansion du thorax — Debout bien droite, ramenez sans les plier les bras derrière le dos, joignez les mains, penchez-vous en arrière. Relâchez le cou, pivotez le buste en avant, les bras levés derrière vous le plus haut possible. Tenez 5 secondes. Penchez-vous en avant en gardant les mains jointes derrière. Relâchez. 3 fois.

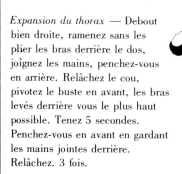

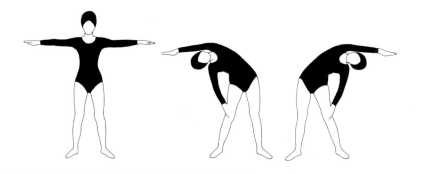

Le triangle — Debout bien droite, les pieds écartés, les bras tendus sur le côté, penchez-vous lentement d'un côté en passant le bras opposé loin au-dessus de la tête, pendant que l'autre descend le long de la jambe. Tenez 10 secondes. Relâchez. 3 fois de chaque côté.

Le front sur les talons — Assise, jambes repliées, les plantes des pieds l'une contre l'autre, saisissez les pieds des deux mains (pas par les orteils), penchez-vous lentement en avant en tâchant d'aller appuyer votre front contre vos talons. 3 fois.

Le grand écart — Assise, les jambes tendues devant vous le plus écartées possible, les genoux tournés vers l'extérieur, les paumes posées sur l'intérieur des cuisses, levez les bras à l'horizontale et penchez-vous en avant en faisant glisser vos mains jusqu'à l'extrémité de vos jambes. Essayez de saisir vos chevilles. Tenez 10 secondes. Relâchez. 3 fois.

Poignée de main dans le dos — Assise en tailleur, le pied sur la cuisse opposée, pliez le coude droit dans le dos. Pliez le bras gauche derrière votre tête. Très lentement rapprochez vos deux mains, entrelacez vos doigts. Inversez 3 fois.

L'arc du cobra — Allongée sur le ventre, le menton au sol, les coudes pliés mais légèrement dégagés, les paumes à plat, levez lentement la tête, puis les épaules, en poussant sur les paumes. Décollez ensuite la poitrine et le haut de l'abdomen en gardant la tête bien en arrière. Tenez 10 secondes. Relâchez. 3 fois.

MODERNE

Au début, ce sera pour vous un test d'endurance, car les mouvements difficiles exigent également contrôle musculaire et concentration. Basée à la fois sur le hatha yoga, le ballet et l'orthopédie, elle exige que la plupart des mouvements s'exécutent le ventre rentré, l'accent étant mis sur le bas du buste et les cuisses.

Échauffement — Debout, les jambes écartées, les bras à la verticale, penchez-vous en avant et vers le bas en sortant les fesses. Remontez, redescendez en vous pliant encore plus et en poussant les bras à l'intérieur des jambes. 10 fois en augmentant progressivement.

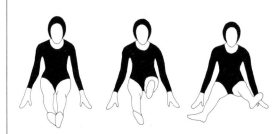

Ronds de jambe — Assise, les jambes allongées, le bassin rentr[é] appuyez-vous sur les mains, leve[z] une jambe, décrivez avec le pied large cercle tout autour de la cheville. Faites 20 cercles. Chan[gez] de jambe.

Contrôle central — A demi-allongée, appuyée sur les coudes, les genoux pliés, rentrez le ventre et en gardant la pose, levez les bras en faisant claquer les doigts, un deux, trois et en décollant légèrement les pieds du sol. 6 fois progressivement.

Rentrer le ventre — Assise sur v[os] talons, les genoux légèrement écartés, les mains levées juste au-dessus de la tête, rentrez le ventre, puis, en alignant les han[ches] et les épaules, penchez-vous lentement en arrière en vous soulevant légèrement de vos talo[ns]. Poussez le bassin vers l'avant, u[ne] fois, deux fois, gardez la pose. Relâchez. 5 fois progressivement[.]

Élongation en l'air — Assise, les jambes bien écartées, les bras entre les jambes, paumes à plat, faites porter le poids sur les mains, décollez très légèrement les jambes du sol. Pliez les jambes, tendez, pliez, tendez. 10 fois dans le rythme. Relâchez. Recommencez.

A croupetons — Debout, en biais à côté d'un support, accroupissez-vous, les talons joints, le ventre rentré, le dos droit. Gardez la pose, puis montez en décollant les fesses des talons. 10 fois, en augmentant progressivement.

Balancier ciseaux — Assise, les jambes légèrement écartées, penchez-vous en arrière de façon à faire porter votre poids sur le coccyx. Pliez les genoux et saisissez vos coups-de-pieds. Tendez et ouvrez vos jambes en un ample mouvement de ciseaux. Tenez en comptant jusqu'à dix. Relâchez. 5 fois.

Balançoire à genoux — A quatre pattes, les bras écartés, les paumes à plat, rentrez le ventre, cambrez le dos, levez une jambe et balancez-vous en pliant et tendant alternativement les coudes. 10 fois en augmentant progressivement. Changez de jambe.

5

LA SEXUALITÉ

La sexualité est indissociable de la santé et de la beauté. Elle devrait représenter la quintessence de la féminité, mais on semble désormais n'y voir que les aptitudes à l'acte sexuel proprement dit. Beaucoup de femmes considèrent encore l'orgasme comme une fin en soi ; pourtant il n'est qu'une composante du cycle sexuel omniprésent, si puissamment tonique pour la beauté et la santé. Faire l'amour vous donnera un nouvel éclat, une nouvelle beauté. La sexualité, c'est connaître votre corps, l'aimer, en prendre soin. La plupart des femmes connaissent par cœur le moindre pore de leur visage et savent s'en occuper, mais elles ignorent tout de la forme de leur poitrine et des soins qu'elle nécessite.

Nous ne somme plus désormais esclaves de notre système reproducteur. Nous savons faire face aux implications physiques et émotionnelles des règles, des crampes, des grossesses non désirées, des sautes d'humeur pré-menstruelles et de la ménopause avec davantage de confiance et de compétence. La tension provoquée par l'ovulation est parfaitement réelle et d'origine biochimique. La connaissance des hormones a changé notre existence à toutes. Considérées sous ce rapport, la vie et la beauté d'une femme peuvent se diviser en trois époques : vers onze ou douze ans, l'œstrogène et la progestérone jaillissent en abondance des ovaires ; au cours des années de maturité, la production reste stable ; vers cinquante ans, avec la ménopause, elle se ralentit. Ces deux hormones déterminent les caractères sexuels : développement de la poitrine, arrondissement des hanches, apparition des poils pubiens et déclenchement du cycle ovarien. Pendant toute la période reproductrice de la vie de la femme, ces deux hormones sont produites selon un schéma cyclique qui, chez la plupart, se répète toutes les quatre semaines. Elles agissent sur le teint, la peau, les cheveux, la vitalité, la santé des ovaires et de l'utérus, le cycle menstruel, l'état des tissus vaginaux et la structure des seins. Elles ont une influence apaisante sur les émotions. Les hormones féminines contrôlent le visible et l'invisible et constituent la somme de la sexualité individuelle.

LA POITRINE

La santé, la forme et la taille de leurs seins préoccupent davantage la plupart des femmes que celles de toute autre partie de leur corps. Si elles ont l'impression qu'ils sont plus gros ou plus petits ou plus ronds ou plus en poire que la normale, elles en souffrent et ce complexe peut les hanter toute leur vie. Certaines femmes en sont si malheureuses que leur existence entière en est affectée. Dans de tels cas, il faut savoir envisager la chirurgie esthétique. De nombreux médecins accueillent favorablement cette idée, spécialement quand il s'agit d'une femme trop plate, convaincue que ce défaut est la cause d'une partie de ses déboires affectifs.

Les seins sont avant tout deux glandes mammaires, conçues pour l'allaitement des bébés. Ils s'étendent normalement entre la deuxième et la sixième côte, de chaque côté du sternum, et recouvrent les muscles pectoraux. Ces glandes sont enveloppées d'un tissu adipeux qui détermine leur forme et leur taille. La fine couche de peau qui les recouvre est reliée à la glande par un tissu fibreux qui leur donne leur aspect rebondi et ferme. Plusieurs facteurs peuvent de l'intérieur agir sur le sein. Sous l'influence des hormones, il se modifie au cours du cycle ovarien ; souvent la poitrine est plus grosse et plus épanouie juste avant les règles et elle est parfois un peu douloureuse. Les régimes féroces ou la suralimentation peuvent aussi modifier la forme de vos seins, ainsi que la pesanteur si vous les laissez absolument sans soutien. Vous ne risquez pas votre santé en abandonnant le port du soutien-gorge, à moins que votre poitrine ne soit particulièrement volumineuse, ce qui pourrait vous valoir, à la longue, des ennuis de maintien. Certaines femmes prétendent que, sans soutien-gorge, leurs muscles sont obligés de travailler davantage et que leurs seins sont par conséquent mieux formés et plus fermes. Néanmoins, vos seins se déformeront sûrement moins facilement s'ils sont soutenus. A moins que vous ne soyez une adepte de la gymnastique et ne fassiez quotidiennement vos exercices de contrôle musculaire.

En dehors de la chirurgie esthétique, il n'existe guère de moyens de modifier radicalement la taille ou la forme de la poitrine. Il est, par contre, possible d'améliorer sa tenue, sa fermeté et son élasticité, en surveillant son maintien et en pratiquant régulièrement la gymnastique, l'hydrothérapie et les massages à l'huile.

Maintien : Les épaules voûtées et les dos ronds font pendre les seins. Une meilleure tenue peut entraîner une amélioration spectaculaire. Cela ne veut pas dire qu'il faut rejeter les épaules en arrière et bomber avantageusement le torse ; il faut surtout soulever la poitrine depuis le diaphragme, étirer les vertèbres depuis les muscles pelviens et lever la tête comme si un fil invisible vous tirait vers le haut par le sommet du crâne.

I

2

3

Exercices : Les muscles pectoraux qui suivent le côté et le dessous de l'enveloppe du sein contrôlent et soutiennent une belle poitrine, mais seulement aussi longtemps qu'ils sont fermes et actifs. Pensez à faire un ou deux mouvements tous les jours ; ils sont simples et efficaces et même si vous ne constatez pas d'amélioration immédiate, les muscles seront progressivement renforcés et aideront les seins à mieux se placer sur la cage thoracique.

1. Pousser sur l'avant-bras : pliez les bras en tenant chaque avant-bras sous le coude avec la main opposée, poussez fort vers le coude sans bouger la main. Vous devez sentir jouer vos muscles pectoraux. 20 fois.

2. Étendre les bras : debout, les coudes pliés à la hauteur des épaules, le dos des mains vers le corps, dépliez les bras et tendez-les lentement en les gardant à la hauteur des épaules. Repliez et ainsi de suite. 10 fois.

3. Le crawl : debout, les jambes écartées, sans plier les genoux, penchez-vous en avant le plus loin possible, un bras tendu devant vous. Amenez l'autre bras vers le haut en imitant le mouvement de natation appelé crawl. Continuez en essayant de faire au moins dix mouvements par bras.

L'hydrothérapie : Des applications d'eau froide peuvent tonifier les seins. Après votre bain, réglez la douche froide au maximum de sa puissance et douchez votre poitrine deux minutes de chaque côté. Si vous n'avez pas de douche, aspergez vos seins à l'eau froide. Dans le bain, veillez à ce que vos seins soient toujours au-dessus du niveau de l'eau chaude.

Le massage : Pour adoucir vos seins, massez-les avec une lotion hydratante ou une huile pour le corps. Avant les bains de soleil, protégez-les toujours par une épaisse couche de crème solaire.

Le maquillage : Vous aurez un décolleté vertigineux si vous passez du blush en poudre entre vos seins. Pour le soir, utilisez un blush irisé.

Toute anomalie dans la région des seins doit vous alerter. Il leur arrive d'être douloureux, en particulier juste avant les règles, et au toucher ils semblent souvent très irréguliers, mais les médecins soulignent que si une tumeur est douloureuse, elle est rarement maligne et provient généralement d'une des causes suivantes :

KYSTES ET FIBROMES : Ils ne sont absolument pas cancéreux, mais forment des bosses et des grosseurs visibles. Les kystes apparaissent lorsque le liquide secrété par les glandes mammaires n'a pas été convenablement évacué par les conduits mammaires. Ils sont généralement de forme régulière, mobiles au toucher — ils bougent sous la peau. Souvent ils apparaissent juste avant les règles et disparaissent d'eux-mêmes dès qu'elles ont commencé. Pour s'en débarrasser, le mieux est de les vider avec un drain sous anesthésie locale, méthode plutôt moins traumatisante, physiquement et moralement, que la chirurgie.

Les fibromes sont des épaississements du tissu fibreux qui maintient le sein. Ils apparaissent à un seul ou à différents endroits des deux seins. Il faut consulter un médecin qui les enlèvera s'ils sont gênants. Certaines femmes souffrent de kystes ou de fibromes chroniques qu'il suffira de surveiller.

LE CANCER : C'est évidemment le grand risque. Le cancer du sein est aujourd'hui la principale cause de la mortalité féminine entre 40 et 44 ans et c'est la forme de cancer qui fait le plus de ravages chez les femmes de tous âges. Le cancer du sein peut frapper chacune d'entre nous. Mais certaines femmes semblent plus particulièrement menacées : les femmes entre 45 et 50 ans qui n'ont jamais eus d'enfants ou qui les ont eus après 30 ans ; celles dont la mère ou les sœurs ont eu un cancer du sein ; les obèses. Il semble que chez les femmes mariées, le taux de cancer soit légèrement inférieur à celui des célibataires, et aussi que les femmes qui ont allaité plusieurs enfants soient moins susceptibles d'y succomber que les autres. Ce ne sont cependant que des statistiques et même si vous appartenez à toutes les catégories menacées, vous pouvez très bien échapper au cancer. Une chose reste certaine : si elles sont négligées, les tumeurs des seins gagnent rapidement les poumons, le squelette et le foie.

Malgré toutes les recherches, les causes du cancer du sein restent inconnues. Il semble bien qu'il n'y ait aucune corrélation entre le cancer et la pilule. On a invoqué les méfaits de l'alimentation, en citant des statistiques qui indiquent un taux plus élevé dans les pays où l'on consomme davantage de graisses animales. En aucun cas, les blessures — coups et chocs sur les seins — ne peuvent être mises en cause.

Une détection précoce est vitale : lorsque les tumeurs sont petites elles sont parfaitement guérissables. Chaque femme a le devoir de se surveiller. Ce sont parfois les médecins qui découvrent les grosseurs au cours de visites de contrôle, mais dans la plupart des cas, elles sont décelées par hasard ou par la femme elle-même au cours d'un auto-examen. Il est souvent bien difficile de les détecter dès le début, car les tumeurs malignes ne font pratiquement jamais mal et se sentent à peine au toucher. Pour les dépister à coup sûr, on emploie trois techniques souvent conjuguées : la palpation, la thermographie et la mammographie. Cette dernière est une radio qui permet de déceler la présence des toutes petites tumeurs avant même qu'un médecin expérimenté puisse les sentir. L'une des meilleures méthodes est une sorte de mammographie appelée xérographie qui fait apparaître les minuscules dépôts de calcium généralement présents en cas de cancer du sein.

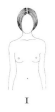

AUTO-EXAMEN DES SEINS : On ne saurait trop insister sur l'importance de cet examen mensuel. Beaucoup de femmes savent qu'elles devraient le faire, mais ne le font pas par crainte de trouver quelque chose. Ne vous affolez pas si, lors de votre premier auto-examen, n'étant guère familiarisée avec vos seins, vous avez l'impression de sentir des multitudes de grosseurs et nodules.

Plus tôt vous commencerez à vous examiner, mieux cela vaudra. Dès seize ans, ce n'est pas trop tôt. N'allez pas bien sûr vous mettre déjà à redouter le cancer, mais apprenez à connaître vos seins et prenez l'habitude de les palper régulièrement.

Cet examen doit se faire dans la semaine qui suit les règles pendant six jours d'affilée. C'est une affaire de dix minutes. Une femme qui connaît bien ses seins doit être en mesure de déceler la moindre irrégularité. Faites l'examen après votre bain qui vous détendra et dilatera les vaisseaux sanguins superficiels de la poitrine, facilitant ainsi votre examen. Si vous trouvez effectivement quelque chose, voyez aussitôt un médecin.

1. Assise ou debout devant une glace, regardez attentivement vos seins, apprenez à en connaître la forme, repérez le tracé des vaisseaux sanguins. Soyez attentive au moindre froncement ou creux inhabituel, à toute modification du mamelon et à l'apparition de vaisseaux plus gros ou plus nombreux que d'habitude.

2. Tendez les bras au-dessus de votre tête, observez bien tous les changements.

3. Placez les mains sur vos hanches, vérifiez la forme de vos seins et la façon dont ils tombent.

4. Croisez les bras, poussez les mains contre l'avant-bras opposé pour contracter les muscles pectoraux. Regardez bien.

5. Allongée sur le côté, une main derrière la tête, avec les doigts de l'autre main bien étalés, palpez doucement un de vos seins en commençant par le mamelon et en décrivant vers l'extérieur des cercles concentriques. Veillez à ne négliger aucune partie et à déceler la moindre irrégularité. Faites de même pour l'autre sein.

6. Palpez votre aisselle en levant un bras au-dessus de la tête. Insérez bien la main au creux de l'aisselle, les doigts écartés, et pressez contre la cage thoracique. Les aisselles sont aussi importantes que les seins, car elles contiennent certains ganglions lymphatiques et les terminaisons mammaires.

Lorsqu'elles découvrent une grosseur, certaines femmes préfèrent l'ignorer en espérant qu'elle va disparaître comme par enchantement. Terrifiées, elles attendent parfois une année entière. Gardez-vous bien d'agir ainsi car cela pourrait vous être fatal. Rappelez-vous que les statistiques indiquent que près de 65 à 80 % de toutes les tumeurs du sein ne sont absolument pas cancéreuses.

Dès le premier examen, le gynécologue peut souvent détecter à quel genre de tumeur il a affaire. Si elle est douloureuse, il y a peu de chances qu'elle soit maligne. De même si elle semble rouler librement sous la peau. Pour être tout à fait sûr, il pourra vous faire une biopsie — c'est-à-dire insérer une aiguille pour ponctionner le liquide ou les cellules en question et les examiner. Cependant, certaines tumeurs sont trop petites ou trop bien cachées pour être ainsi contrôlées et il faut donc avoir recours à la chirurgie. On enlève la tumeur qui est aussitôt analysée ; en quelques minutes, le chirurgien sait si les cellules sont ou non cancéreuses.

Dans l'affirmative, il faut agir le plus vite possible. Certains chirurgiens estiment que la prudence les oblige à opérer sur-le-champ et ils prennent souvent la précaution de demander préalablement à leur patiente l'autorisation d'enlever le sein si la tumeur s'avère cancéreuse. Ils disent que cela réduit à la fois les risques et les frais que pourraient entraîner deux opérations différentes. Pourtant, les femmes aiment mieux avoir le temps de s'habituer à cette idée, et quelques jours d'attente ne peuvent faire une grande différence, à condition de ne pas les laisser se transformer en semaines.

Une femme atteinte d'un cancer du sein doit pouvoir connaître tous les choix qui lui sont offerts. La taille de la tumeur sera le facteur décisif. Les traitements possibles sont : radiothérapie ; radiothérapie et ablation de la tumeur ; ablation du sein atteint (mammectomie simple) ; ablation du sein et de la zone environnante (mammectomie totale) ; ou ablation des deux seins et des zones environnantes (mammectomie double). Tous ces procédés sont maintenant accompagnés de traitements par chimiothérapie ou immunothérapie destinés à éliminer les cellules malignes qui peuvent être dispersées dans tout l'organisme.

On s'efforce aujourd'hui de mettre au point le traitement uniquement à base de rayons sur la tumeur, afin d'éviter la mutilation, mais c'est une thérapie encore bien aléatoire. Les traitements par les ultra-sons sont actuellement à l'étude, mais on commence tout juste à les explorer. Donc, le choix qui s'offre à l'heure actuelle porte plutôt sur l'ampleur de l'opération chirurgicale. Beaucoup de médecins estiment qu'une amputation complète n'est pas toujours indispensable. Les recherches ont démontré qu'en cas d'ablation de la grosseur seulement, les cancers ne s'étendaient pas plus souvent aux ganglions lymphatiques. Sous ce rapport, on considère cette opération comme tout aussi efficace que les opérations plus radicales, et nettement moins traumatisante sur le plan psychologique. Mais certains médecins estiment que c'est faire la part trop belle au hasard. On peut également envisager une mammectomie partielle ; bien que plus étendue que la simple ablation de la tumeur, elle épargne néanmoins la majeure partie du sein. L'argument avancé contre ces deux solutions est que, dans la plupart des cas, les cancers se sont développés pendant six à huit ans avant d'être découverts et qu'ils ont donc eu le temps de s'étendre en grappes microscopiques à d'autres parties du sein.

LES ORGANES SEXUELS

Ce sont les deux ovaires qui produisent les ovules ou cellules reproductrices féminines et les hormones féminines, l'œstrogène ou folliculine et la progestérone. Ces deux organes, de la taille d'un haricot, sont rattachés à des ligaments et reliés aux trompes de Fallope, les canaux qui permettent aux ovules de passer dans l'utérus (ou matrice). L'utérus est pourvu d'un col étroit qui mène à l'extrémité interne du vagin ; celui-ci mesure entre 7,5 et 10 cm et débouche sur la vulve ou partie extérieure des organes sexuels, dont le clitoris est la partie la plus sensible. Le système tout entier a la forme d'un T, dont la barre horizontale serait constituée par les deux trompes de Fallope et la barre verticale par l'utérus et le vagin. Cette partie du corps contrôle certains schémas et certaines émotions qui influent sur la santé générale. Nous dépendons beaucoup de notre production hormonale et tout dérèglement dans un sens ou dans l'autre peut avoir de graves conséquences. Notre capacité reproductrice est fonction du cycle ovarien et nos réactions sexuelles sont fonction de ses stimuli. Il est important de subir des contrôles gynécologiques réguliers, sans attendre qu'un symptôme évident se manifeste. La plupart des femmes souffrent à des degrés divers d'écoulements vaginaux ou d'irritations de la vulve : certains sont dûs à des secrétions inoffensives, courantes et normales ; d'autres réclament des soins spéciaux.

LES KYSTES OVARIENS : Ce sont des grosseurs qui apparaissent sur les ovaires et qui sont fréquentes. Le type le plus commun est mou, gros de 3 à 4 cm de diamètre et disparaît souvent en l'espace de deux ou trois cycles. Les kystes plus gros et persistants exigent une intervention chirurgicale. Il arrive, mais très rarement, que les kystes éclatent, saignent et causent des problèmes. La chirurgie permet d'y remédier efficacement. Les ennuis de ce genre frappent souvent les femmes jeunes. Bien qu'ils soient généralement inoffensifs, les kystes peuvent entraîner des interventions à chaud s'ils ne sont pas décelés à temps. La fertilité n'est en rien menacée.

LE CANCER : Le cancer du col est guérissable à 100 % s'il est détecté assez tôt. Il est recommandé de faire faire un frottis tous les six mois. Cela consiste à râcler doucement le col de l'utérus avec une spatule de bois et à faire analyser le prélèvement en laboratoire. Les résultats sont communiqués au bout d'une semaine. S'ils sont positifs, l'hystérectomie, soit de l'utérus, des trompes de Fallope et des ovaires, semble inévitable. Le cancer étant le plus souvent limité à cette zone, il a rarement eu l'occasion de s'étendre. On pratique aussi l'hystérectomie pour certaines infections auxquelles seule la chirurgie peut remédier. Pour compenser la perte des secrétions hormonales naturelles, on prescrit un traitement hormonal par voie interne.

LA MENSTRUATION

Le cycle moyen est de 28 jours, mais il est tout à fait normal d'avoir des cycles plus ou moins longs au cours de la même année. De nombreuses femmes sont réglées toutes les trois semaines et d'autres tous les 30 jours. La durée des règles et la quantité de sang perdu varient elles aussi, mais elles ne devraient quand même pas varier beaucoup d'un mois sur l'autre. Le cycle est contrôlé par l'hypothalamus qui répond aux stimuli nerveux et incite l'hypophyse à secréter les hormones voulues aux moments voulus et dont la première passe directement dans le sang au début de la menstruation et file tout droit jusqu'à l'un des deux ovaires pour y assurer la maturation de l'ovule. Simultanément, l'ovaire produit de l'œstrogène qui part dans l'utérus préparer la membrane endométrique (la couche interne) à accueillir l'ovule arrivé à maturité.

Quatorze jours environ après le début du cycle, l'ovule passe de l'ovaire dans l'utérus par les trompes de Fallope. C'est ce qu'on appelle l'ovulation et c'est à ce moment-là qu'il peut y avoir conception. Pendant ce temps, dans le follicule où se nichait l'ovule à l'intérieur de l'ovaire, une nouvelle hormone, la progestérone, est secrétée et part elle aussi dans l'utérus aider à créer l'environnement nécessaire à l'ovule fertilisé. Si l'ovule est effectivement fertilisé, de nouvelles hormones sont secrétées par l'hypophyse pour faciliter la grossesse. Sinon, la membrane interne de l'utérus se désagrège et elle est évacuée avec l'ovule non fertilisé, sous forme d'écoulement menstruel. Et puis le cycle recommence.

Cette activité extrêmement complexe, délicate et sensible dépend de l'activité endocrinienne. Étant donné qu'elle est contrôlée par l'hypothalamus qui régit aussi la tension nerveuse, tout choc émotionnel peut facilement se répercuter sur le cycle — parfois au point de déclencher ou de retarder la menstruation. En cas de douleurs ou de saignements irréguliers persistants, consultez immédiatement un médecin.

DYSMÉNORRHÉE (RÈGLES DOULOUREUSES) : La cause la plus sérieuse de douleurs menstruelles est le déséquilibre hormonal. Il y a deux sortes de douleurs : la dysménorrhée spasmodique et la dysménorrhée congestive. La première cause de violentes crampes utérines en début de règles. Ce sont généralement les femmes jeunes qui en souffrent et ces douleurs disparaissent souvent après le premier bébé, car on pense qu'elles sont provoquées par le passage de l'ovule et de l'écoulement menstruel à travers un col trop étroit. Si la douleur persiste, elle peut être soulagée par un apport d'œstrogène grâce à la pilule.

La dysménorrhée congestive, par contre, s'intensifie souvent avec l'âge et les grossesses successives. Parmi les symptômes qui annoncent la menstruation, citons dépression, léthargie, rétention d'eau, maux de tête ou de dos, seins douloureux et constipation. Une thérapie hormonale s'impose, probablement par la progestérone, sous forme éventuellement de suppositoires. On ne parvient pas toujours à traiter ces douleurs par la pilule car celle-ci contient de la progestogène, substance synthétique qui n'agit pas nécessairement comme la progestérone.

AMÉNORRHÉE : C'est l'absence de règles ; on pense qu'elle dépend de facteurs psychologiques, entraînés par une réaction à une tension quelconque dans l'hypothalamus. Elle peut aussi être provoquée par un bouleversement du mode de vie, par certains médicaments, notoirement les tranquillisants, et chez certaines femmes par une interruption dans la prise de la pilule. Autres causes possibles : un gain ou une perte de poids très rapides, particulièrement dans les cas d'anorexie. Il faut toujours consulter un médecin. On considère à l'heure actuelle la thérapie hormonale comme le meilleur traitement.

SAUTES D'HUMEUR : Les chercheurs signalent que 25 à 95 % des femmes souffrent de sautes d'humeur juste avant leurs règles : il s'agit surtout de dépression, d'irritabilité, d'anxiété et de manque de confiance en soi. D'habitude, la période critique se situe à partir de quatre jours avant les règles et dure pendant les quatre premiers jours des règles. Les sautes d'humeur sont prévisibles tout au long du cycle et sont dues aux variations du taux hormonal. Pendant la première moitié du cycle, la plupart des femmes se sentent alertes, heureuses, extraverties et sûres d'elles. Ces sensations atteignent leur apogée au moment de l'ovulation, en même temps d'ailleurs que la libido. Pendant la seconde moitié, les femmes se sentent plus passives et repliées sur elles-mêmes. Juste avant le début des règles, elles deviennent tendues, anxieuses et parfois d'une mauvaise humeur agressive. Les sautes d'humeur correspondent aux changements hormonaux : la production d'œstrogène augmente jusqu'à l'ovulation, après quoi, c'est le niveau de progestérone qui commence à monter et les deux hormones inondent l'organisme. Quelques jours avant les règles, les deux niveaux s'effondrent.

LA CONTRACEPTION

De nos jours, les femmes peuvent contrôler de façon hygiénique et efficace

le nombre d'enfants qu'elles désirent. Il existe en effet tout un choix de méthodes contraceptives très diverses.

LA PILULE : C'est la plus sûre des méthodes de contraception réversibles. Correctement utilisée, elle fournit une protection efficace à 100 % et n'entrave en rien l'acte sexuel. Elle affecte le mécanisme hormonal en combinant la progestogène à des doses relativement petites d'œstrogène pour empêcher l'ovulation. Les premières pilules étaient fortement dosées en œstrogène, mais on a depuis beaucoup réduit cette dose que l'on tenait pour responsable de certains effets secondaires. Les pilules à base de progestogène portent parfois le nom erroné de mini-pilule : elles fonctionnent en agissant sur les muqueuses du col qu'elles rendent hostiles à la pénétration du spermatozoïde.
La pilule a souvent été accusée de faire grossir, mais la variété faiblement dosée en œstrogène a mis fin à cela. Si vous prenez plus de 3,5 kg, consultez votre gynécologue. En fait, au début, la pilule a pour principal défaut de provoquer des saignements en milieu de cycle. Ils devraient progressivement cesser, mais s'ils persistent passé deux mois, il faut peut-être changer de pilule. Ne prenez jamais la pilule sans surveillance médicale : c'est le gynécologue qui décidera quel genre de pilule convient le mieux à votre métabolisme.
Le mode d'emploi est le même pour toutes les pilules : une par jour pendant les 21 premiers jours du cycle, puis une pause de sept jours. Certaines présentations fournissent une fausse pilule pour ces sept jours, afin de ne pas rompre l'habitude. Il est important de prendre les pilules dans l'ordre voulu. Au cours de la quatrième semaine, il peut y avoir de légers saignements, mais ce ne sont pas de véritables règles. Les pilules à base de progestogène doivent être prises tout au long du cycle : bien respecter les délais, car la protection est d'une durée limitée.
On redoute surtout les effets secondaires de la pilule. Quelques femmes hypersensibles souffrent d'hypertension, mais la fréquence des troubles thrombo-emboliques a décru depuis la mise au point des pilules faiblement dosées en œstrogène. Il existe cependant un risque certain et aucune femme que l'on sait prédisposée à la thrombose ne devrait prendre la pilule. Notez qu'il faut si possible arrêter la pilule six semaines avant une opération chirurgicale et qu'il est également préférable de l'arrêter trois mois au moins avant le début d'une grossesse programmée.
Il existe bien sûr plusieurs autres méthodes contraceptives (dont le stérilet) au sujet desquelles il est préférable de consulter votre gynécologue.

LA STÉRILISATION : C'est une opération des trompes de Fallope qui empêche les ovules de passer des ovaires dans l'utérus, tout en laissant le cycle ovarien se dérouler normalement. Mais l'opération est pratiquement irréversible. Elle est plus sérieuse que l'opération analogue que peuvent subir les hommes (vasectomie).

LA GROSSESSE

Le meilleur âge pour avoir un enfant se situe entre vingt et trente-cinq ans. Chez les mères plus jeunes, le risque d'accoucher prématurément est beaucoup plus élevé, tandis que chez les femmes plus âgées, il y a des risques d'aberrations chromosomiques, en particulier le syndrome de Down et le mongolisme. Sous ce rapport, la plus importante découverte récente est l'amniocentèse — une technique qui permet d'examiner les chromosomes du fœtus. Avec une aiguille introduite à travers la paroi abdominale de la mère, on ponctionne le liquide amniotique dans lequel baigne le fœtus. Cela permet de diagnostiquer les malformations, telles que le mongolisme, ainsi que le sexe de l'enfant, ce qui a son importance dans les familles où il existe des maladies héréditaires liées au sexe du bébé.

Pour les hommes, il vaut mieux concevoir avant quarante-cinq ans.

Dans l'idéal, il vaut mieux qu'il y ait un intervalle d'au moins deux ans entre deux enfants, sans quoi le plus jeune risque d'être intellectuellement retardé.

● Ne prenez aucune drogue pendant votre grossesse, même pas de l'aspirine, des gouttes dans le nez ou un apport de vitamines, à moins qu'elles ne soient prescrites par un médecin.

● Ne fumez pas : les recherches indiquent que les fumeuses ont des bébés plus petits, plus nerveux et donc plus prédisposés aux maladies.

● Évitez les radiographies tout au long de la grossesse, même celles des dents, mais veillez néanmoins à faire surveiller celles-ci dès le début de la grossesse.

● Dès que vous êtes à peu près sûre d'être enceinte, consultez un médecin. Il vous prescrira des visites de contrôle régulières et évaluera la date approximative de l'accouchement, mais c'est à vous de veiller à prendre le meilleur soin de votre corps.

Le régime : Pour la santé du bébé et pour la vôtre, il vous faut un régime riche en protéines, vitamines et sels minéraux. Ce n'est pas lorsque vous êtes enceinte qu'il faut vous préoccuper de perdre du poids ; il faut d'ailleurs noter que parfois au cours de la grossesse, les poches de graisse les plus rebelles sont entamées car toute votre graisse est mise à la disposition du fœtus. Essayez néanmoins de vous limiter à 2 000 calories par jour, en faisant la part belle aux viandes, poissons, volailles, fruits et légumes frais, fromages, pains et céréales complets. Pas d'aliments frits, peu de graisses. Inutile de vous gaver de lait, vous aurez suffisamment de

calcium de par votre alimentation générale. Évitez le sucre et les céréales raffinés et le pain blanc. Supprimez l'alcool. L'un des premiers symptômes de la grossesse est une aversion ou une envie inexplicable pour certains aliments. Refrénez néanmoins vos désirs de bonbons, glaces et sucreries. Ne mangez pas de viande rouge crue, bleue ou saignante, elle pourrait être mal supportée par le fœtus.

L'activité physique : La natation et la marche sont idéales ; ajoutez-leur s'il le faut les tâches ménagères. Portez des chaussures à talons assez plats et surélevez vos pieds le plus souvent possible s'ils ont tendance à gonfler. Si vous êtes prédisposée aux varices, portez des bas spéciaux. Tous les jours, faites un ou deux mouvements de gymnastique pour les pieds. Protégez vos seins en portant un bon soutien-gorge que vous devez garder nuit et jour pendant les derniers mois de la grossesse. Matin et soir, baignez les seins à l'eau froide. Faites chaque jour un mouvement très simple pour renforcer les pectoraux.

Le repos : Prévoyez deux plages de repos par jour, une avant le déjeuner et une autre plus longue avant le dîner. Allongez-vous et détendez-vous au maximum.

La peau : Elle est deux fois plus active, ce qui veut dire qu'elle peut faire des progrès étonnants et c'est d'ailleurs souvent le cas. Il faut généralement la nettoyer plus profondément et plus fréquemment. Des taches apparaissent parfois, mais elles disparaissent après la naissance du bébé. Certains médecins recommandent de prendre de la vitamine D.

Les vergetures : Vous risquez moins d'en avoir si vous ne prenez pas trop de poids et si vous restez active. Enduisez-vous le ventre d'huile d'olive, de crème à la lanoline ou d'une crème spécialement adaptée au problème. Vous ne devez pas prendre plus d'une demi-livre par semaine.

Les ongles : Ils peuvent être en mauvais état et il faut leur donner régulièrement des bains d'huile chaude et les masser chaque soir avec une crème grasse.

Les cheveux : Ils seront probablement superbes pendant la grossesse, mais les chutes après la naissance sont fréquentes. D'habitude, celles-ci se produisent entre le troisième et le septième mois après l'accouchement. Si vous avez l'impression d'en perdre anormalement ou que les choses s'aggravent au-delà de cette limite, consultez un spécialiste.

50 % des femmes qui veulent avoir un enfant y parviennent en moins de six mois et 80 % en moins d'un an. Si vous avez du mal à concevoir, n'attendez pas trop longtemps avant de consulter un médecin. Certains facteurs fort complexes peuvent s'opposer à la conception, mais la plupart des cas sont simples et il est facile d'y remédier. Chez un couple stérile, il faut faire des examens chez les deux partenaires pour déceler le blocage

mécanique ou physique qui empêche, soit le spermatozoïde, soit l'ovule d'être fabriqué ou efficace. 10 à 20 % des grossesses sont interrompues par une fausse-couche. Il ne faut pas essayer de les enrayer, surtout si elles surviennent au cours des trois premiers mois. Elles sont souvent dues au fait que le fœtus n'est pas parfaitement normal. Cependant, si vous faites plusieurs fausses-couches, et surtout si vous les faites passé les trois premiers mois de la grossesse, il faut en faire établir la raison par un médecin.

L'AVORTEMENT

Il est possible d'interrompre volontairement une grossesse en milieu hospitalier ou clinique dans presque tous les grands pays du monde. C'est une opération qui comporte fort peu de risques si vous êtes convenablement surveillée ; elle est très simple techniquement et n'est guère susceptible d'endommager l'utérus, ce qui pourrait être néfaste à de futures grossesses. La décision d'avorter pose des problèmes d'ordre moral plutôt que médical. Notons toutefois que les troubles émotionnels qu'entraîne une interruption volontaire de grossesse ne sont pas aussi forts qu'on a tendance à le croire et à le faire croire aux femmes. Disons même franchement que pour beaucoup de celles qui s'y résolvent, le sentiment qui prime est le soulagement.

6

LA PEAU

La peau est une structure très complexe sur laquelle agissent quatre facteurs : la génétique, l'environnement, l'âge et les soins. Elle se régénère avec une grande efficacité biochimique et réagit toujours favorablement aux traitements. Pour être belle, une peau ne doit présenter aucune imperfection et être de couleur uniforme, que celle-ci soit pâle ou sombre. Elle doit aussi être ferme, lisse et élastique. Nous avons tendance, lorsque nous parlons de peau, à ne penser qu'à celle de notre visage, mais la peau du corps entier (sauf celle de la paume des mains et de la plante des pieds, glabre, épaisse et coriace) est de même nature et réagira de la même façon. Toutes les femmes peuvent avoir une peau superbe à n'importe quel âge : il suffit de savoir en prendre soin.

La peau est le plus vaste organe du corps. Épaisse de 2 mm environ, elle pèse dans les 3 kg et mène une existence fort active. Elle forme une enveloppe qui protège le corps contre les bactéries, les produits chimiques et les corps étrangers. Elle respire. Elle contient des vaisseaux sanguins, les canaux des glandes sébacées, des nerfs et des follicules pileux. Elle sert de thermostat en retenant la chaleur ou en refroidissant le corps par l'action des glandes sudoripares. Elle atténue les chocs et, grâce à ses organes sensoriels récepteurs, elle nous maintient en rapport avec le monde extérieur.

Elle est formée de deux couches principales : l'épiderme en surface, et le derme au-dessous. La couche externe protège le corps en renfermant tous ses fluides et empêche de laisser passer tout ce qui pourrait l'abîmer. La couche interne la sous-tend, la nourrit et lui fournit un élément essentiel : l'eau. Les deux couches sont très différentes. L'épiderme est constitué de plusieurs assises de cellules vivantes recouvertes par une pellicule compacte de cellules mortes (appelée parfois kératine). Il se renouvelle constamment et tous les vingt jours de nouvelles cellules naissent à sa base. Elles meurent rapidement et les cellules mortes, poussées à la surface par l'arrivée des nouvelles cellules, tombent. Chaque couche nouvelle vous fournit une excellente occasion d'avoir une belle peau. Si, pour une raison quelconque, vous perdez une partie de votre épiderme, elle repoussera comme neuve. Les cellules vivantes reproductrices sont nourries grâce aux vaisseaux sanguins mais les cellules mortes n'ont besoin que d'une seule chose : l'eau, qui les gonflera, adoucira ou lissera. C'est la quantité d'eau que contient l'épiderme qui détermine le grain de votre peau et, jusqu'à un certain point, sa consistance. L'épiderme est régulièrement approvisionné en eau par le derme, mais en quantité limitée et qui n'est pas toujours suffisante.

C'est aussi l'épiderme qui contient les pigments de la peau ; plus celle-ci est foncée, plus sa teneur en pigments est importante. Les glandes sébacées et sudoripares appartiennent elles aussi à l'épiderme, bien qu'elles soient logées dans le derme et communiquent avec la couche supérieure par des canaux qui remontent jusqu'à la surface. Les glandes sébacées ont une grande influence sur l'état de la peau.

La couche interne tend la peau et contrôle sa tonicité et son élasticité. Elle aussi est vivante, mais elle est incapable de se régénérer et elle ne croît que jusqu'à l'âge adulte. Lorsqu'elle est endommagée, il se forme des cicatrices ou des dégénérescences permanentes. Le derme est constitué de paquets de tissu résistant (le collagène) entremêlé de fibres élastiques et de vaisseaux sanguins qui transportent de l'eau et des éléments nutritifs et qui déterminent le teint. Bien souvent, les émotions affectent ces vaisseaux : ainsi l'embarras peut les faire déborder et provoquer une vive rougeur, la panique peut les vider et laisser la peau d'une pâleur extrême.

PEAU ET DIÉTÉTIQUE

La bonne santé de votre peau exige une alimentation nutritive, beaucoup d'eau, de grand air, d'exercice, de sommeil et le moins de tension nerveuse possible. La peau doit être protégée contre l'environnement — soleil, vent, froid — par des crèmes qui forment écran. Elle souffre des modes de vie déréglés, des régimes trop riches en graisses et en sucre, des excès de stimulants comme le café et des excès de tabac et d'alcool. Il faut éviter les brusques variations de poids qui, après le soleil, sont la cause principale des rides. Lorsque vous grossissez, votre peau est obligée de se distendre, ce qui endommage les fibres élastiques de la couche interne. Par conséquent lorsque vous maigrissez, la peau ne reprend pas automatiquement sa forme originale, surtout si la perte de poids a été rapide et considérable. Outre les rides il peut rester des cicatrices visibles, appelées vergetures, situées particulièrement en haut des cuisses et sur le ventre (on pourrait, dit-on, les atténuer en les frottant d'huile de coco pure ou de beurre de cacao. Ceci vaut surtout à titre préventif pendant la grossesse). Les coussins graisseux sont particulièrement importante pour l'aspect de la peau. Ils sont placés juste sous l'épiderme qu'ils séparent des muscles profonds et des os. Leur fonction est d'étoffer et de sous-tendre la peau, d'approvisionner les glandes sébacées et de transporter les vitamines liposolubles de la peau, A, D et E. Si vous perdez votre masse graisseuse, à la suite d'un régime très dur ou d'une maladie, l'aspect et le grain de votre peau s'en ressentiront immédiatement.

Une alimentation saine est indispensable. Il est important d'absorber suffisamment de protéines, de vitamines et de sels minéraux. Donc, vive la viande maigre, le poisson, les volailles, les œufs, les légumes et fruits frais ! L'avocat, le concombre et le chou sont particulièrement bénéfiques. La vitamine A est celle dont la peau a le plus grand besoin ; notez toutefois qu'elle est très facile à se procurer dans les aliments courants et que tout excès peut être nuisible. Par contre, un apport supplémentaire de vitamines C et E ne peut pas vous faire de mal. On croit que les vitamines A, D, E et K peuvent être absorbées à travers la peau, mais on ne sait pas encore au juste en quelle quantité, dans quelles conditions, ni quels en sont les bienfaits. La cause de la vitamine E est loin d'être entendue. Les dermatologues ont des doutes quant à ses prétentions ré-génératrices, ce qui n'empêche pas certaines femmes de rompre des capsules de 200 mg de vitamine E et d'en répandre le contenu huileux sur leur peau pour l'affermir et atténuer les rides.

PEAU ET HORMONES

Les hormones jouent un rôle essentiel sur l'état de la peau. C'est le déséquilibre hormonal qui dilate les pores au moment de la puberté : les hormones sexuelles stimulent les glandes sébacées qui augmentent de volume, tandis que les canaux et les pores s'élargissent. Une hyperstimulation peut provoquer l'acné. Les hormones en question sont d'une part l'œstrogène et la progestérone, hormones féminines qui rendent la peau plus fine, moins grasse et moins poreuse, et d'autre part l'androgène, hormone mâle, qui a un effet contraire. Ce mélange se retrouve chez toutes les femmes dans des proportions variables. De fortes doses d'œstrogène peuvent améliorer la peau, mais elles ne sont pas conseillées pendant l'adolescence ou les années fécondes. La prise de la pilule entraîne un apport d'œstrogène, mais son effet sur la peau varie selon les femmes. Chez la plupart d'entre elles, l'état de la peau reste stationnaire ; certaines remarquent une amélioration et d'autres une détérioration. Aucune preuve n'est venue étayer la thèse selon laquelle l'activité sexuelle est bonne pour la peau. Par contre, on remarque souvent des modifications pendant ou après une grossesse, mais elles sont liées aux bouleversements internes qu'à subis la femme, et non à sa vie sexuelle.

Le vieillissement de la peau est un processus très lent que l'on peut ralentir encore, voire même empêcher dans une certaine mesure. Si attentifs que soient vos soins, certains changements structurels secondaires sont inévitables. Mais les gros problèmes de peau sont dus avant tout à la négligence et aux mauvais traitements. Les principaux changements structurels sont le ralentissement de l'activité cellulaire, l'augmentation de la sécheresse et de la pigmentation, qui nuisent respectivement au grain de votre peau, à sa consistance et à sa couleur. Une peau vieillissante produit des cellules épidermiques différentes qui tombent moins facilement lorsqu'elles sont mortes ; par conséquent, les couches de cellules mortes s'accumulent et donnent à la peau un aspect rugueux de vieux cuir. En outre, ces cellules retiennent moins bien l'eau et il faut les hydrater de façon constante et accrue pour les empêcher de se dessécher et de se ratatiner. Enfin, un ralentissement du fonctionnement de la glande sébacée aggrave encore ce problème d'hydratation. La pigmentation s'accroît avec l'âge ; la chose se remarque moins chez les peaux noires, brunes ou même olivâtres, mais les peaux claires s'assombrissent d'un ou deux tons et parfois de façon peu homogène. Cette pigmentation peut prendre la forme de taches sur le visage et sur les mains — le soleil est le grand responsable de ces taches pigmentaires.

Avec l'âge, la couche interne subit elle aussi certaines transformations. A mesure que les tissus de soutien dégénèrent, les fibres élastiques perdent leur efficacité et la peau ne parvient plus à maintenir sa tonicité habituelle. Les plis et les rides font leur apparition ; la peau autour des yeux et celle du cou sont les plus vulnérables. Quant aux vaisseaux sanguins, en vieillissant, il leur arrive de s'élargir, ce qui donne à la peau un aspect couperosé ; parfois même ils se rompent et forment un fin réseau à la surface.

LES TYPES DE PEAU

Votre peau aura besoin de différents traitements et produits selon son type — c'est-à-dire son grain, sa couleur et son état. Il existe trois types de peau — grasse, sèche et équilibrée (que l'on appelle aussi normale). Mais nombre de peaux sont mixtes, à la fois sèches et grasses. A certaines couleurs correspondent généralement certaines natures, mais toutes les peaux sont susceptibles d'être sensibles ou abîmées. Pour déterminer votre type de peau, nettoyez-la à fond et examinez-la soigneusement à la loupe sous un bon éclairage.

NATURE

Grasse : Cet état est dû à une surproduction de sébum et affecte surtout les peaux foncées ; mais les peaux claires peuvent aussi en souffrir. La peau grasse brille en permanence, elle est grenue et ses pores sont dilatés. Elle est souvent marquée de points noirs ou d'éruptions intermittentes et c'est elle la plus sujette à l'acné. Par contre, elle vieillit et se ride généralement moins vite et s'améliore d'habitude avec l'âge. Si vous essayez d'éliminer trop radicalement les sécrétions grasses, vous ne ferez que stimuler l'activité glandulaire. Il est important d'enlever l'excès de graisse en surface, mais il faut en laisser suffisamment au-dessous pour éviter tout risque de suractivité. Un traitement trop enthousiaste avec un savon ou une lotion trop décapants a de fortes chances de déshydrater l'épiderme et de craqueler la peau.

Sèche : Cet état peut avoir trois causes différentes : déshydratation, sécrétion insuffisante des glandes sébacées et vieillissement. La sécheresse affecte 85 % des peaux claires. La peau est généralement fine, mais elle est souvent tirée et rigide. Elle gerce et pèle facilement et peut se rider et se creuser très tôt, particulièrement autour des yeux et de la bouche. Plusieurs facteurs peuvent contribuer à la dessécher : l'emploi de produits de beauté mal adaptés et de savons décapants, les expositions au soleil et au vent, le chauffage et l'air conditionné. Lorsqu'on a affaire à une peau sèche, l'une des grandes règles est de veiller à l'empêcher de se déshydrater. Le manque d'huiles naturelles doit être compensé par une abondante lubrification externe.

Équilibrée : C'est une peau dont le sébum, l'eau et l'acidité sont harmonieusement dosés. Idéale, bien sûr, mais rare. La peau est d'un grain très fin, les pores ne se voient pas ; elle est douce au toucher, ni humide, ni grasse. Elle a tendance à devenir plus sèche avec l'âge et il faut la surveiller pour maintenir son bon équilibre.

Mixte : C'est une peau de transition entre sèche et grasse. La zone en forme de T, front-nez-menton sécrète trop de sébum, tandis que le reste est trop sec, surtout autour des yeux et des joues. A traiter séparément.

COULEUR

La couleur de la peau dépend de son degré de pigmentation. Les peaux claires vont du pâle au coloré, du beige au rosé ; les peaux sombres vont de l'olivâtre au caramel, du brun au noir. Le terme général « noir » couvre beaucoup plus de nuances que « blanc ». Un dermatologue a différencié 35 tons de base pour les peaux noires contre 10 seulement pour les peaux blanches. Il n'y a cependant aucune différence fondamentale de structure ou de qualité entre ces deux sortes — donc aucune différence fondamentale dans les soins à donner. Les peaux noires sont généralement plus grasses et contiennent davantage de glandes sudoripares. Elles peuvent néanmoins souffrir elles aussi des effets de la sécheresse, comme en témoigne leur teinte grisâtre par temps froid. En général, plus la peau est sombre, plus elle vieillit lentement, pour des raisons à la fois d'hérédité et d'habitat. Le soleil est le grand ennemi des peaux claires qui ont généralement tendance à être sèches et qui se rident plus facilement. Le pigment également réparti des peaux sombres joue le rôle d'un filtre solaire et leur excès de sébum en surface sert d'écran hydratant. Les peaux foncées, même les peaux noires, peuvent brunir et brûler, mais de façon moins spectaculaire et plus homogène que les peaux claires. Les dermatologues signalent que l'acné et les cancers de la peau sont moins fréquents chez les peaux noires.

ÉTAT

Sensible : C'est d'habitude une peau ultra-sèche, très fine, voire diaphane, car la couche externe est souvent d'une minceur extrême et risque de souffrir de vaisseaux éclatés. Elle réagit très rapidement aux influences tant externes qu'internes — le soleil, le vent, les émotions, la nourriture, la boisson. Il lui faut les soins habituels des peaux sèches, plus un lubrifiant extra-protecteur. Attention aux allergies.

Asphyxiée : C'est généralement une peau ultra-grasse. Elle souffre en permanence de boutons qui tournent parfois à l'acné. Il lui faut le plus souvent les soins pour peaux grasses, très suivis, à base de préparations médicales qui assèchent et soignent — et les conseils d'un spécialiste.

SOINS DE BASE

Pour la peau du corps, il suffit généralement de retenir l'eau en appliquant une lotion pour le corps, de mettre de l'huile dans votre bain si vous avez la peau sèche et d'enlever les peaux mortes par des frictions. La peau du visage est plus vulnérable, mais des soins réguliers donneront des résultats durables. Il suffit de trois minutes matin et soir, mais ce sont des minutes cruciales. Le secret d'une belle peau, c'est l'activité : il faut favoriser au maximum le renouvellement des cellules, et la seule façon de le faire, c'est de veiller à ce que la peau soit toujours propre, hydratée et débarrassée de ses cellules mortes. L'habitude est facile à prendre et une fois prise difficile à rompre. Les produits utilisés n'agissent que sur l'épiderme, mais cela suffit. Voici la marche à suivre : nettoyer, rafraîchir, hydrater, nourrir, exfolier (débarrasser des cellules mortes) et stimuler. Les trois premières opérations doivent être quotidiennes ; les autres hebdomadaires, sauf si vous avez un problème de peau, auquel cas elles doivent être plus fréquentes. Consultez le tableau ci-dessous pour trouver le traitement qui convient à chaque type de peau et référez-vous aux instructions qui suivent pour le détail des soins. Attention, un zèle excessif risque d'endommager votre peau.

PROGRAMME DE BEAUTÉ DE LA PEAU

	PEAU GRASSE	PEAU SÈCHE	PEAU NORMALE
2 fois par jour matin et soir	nettoyer au savon ou au démaquillant qui se rince à l'eau lotion astringente crème hydratante	nettoyer au savon doux ou démaquillant qui se rince à l'eau tonique dilué crème nourrissante	nettoyer au savon ou au démaquillant qui se rince à l'eau tonique crème hydratante
Tous les jours	crème pour les yeux crème pour le cou	crème pour les yeux crème riche	crème pour les yeux crème légère
1 fois par semaine	nettoyage de peau (plutôt 2 fois)	nettoyage de peau (plus souvent si la peau se dessèche)	nettoyage de peau
1 fois par semaine	masque pour stimuler et nettoyer (plutôt 2 fois)	masque pour stimuler et nettoyer	masque pour stimuler et nettoyer

NETTOYER

Il est indispensable de vous démaquiller et de débarrasser tous les jours votre visage de la crasse et des sécrétions naturelles qui peuvent causer certains problèmes de peau. Mais il est important de le faire correctement, car les soins mal adaptés sont pires que pas de soins du tout et vous risquez de priver la peau de son eau et des graisses naturelles qui la protègent. Nettoyez-la deux fois par jour, matin et soir, mais pas nécessairement juste avant de vous coucher.

Il existe quatre genres de produits : les huiles, les crèmes, les savons et les démaquillants qui se rincent à l'eau (crèmes et lotions). Les huiles et les crèmes éliminent le maquillage mais pas la crasse et elles ont en outre tendance à adhérer à la peau ; il faut donc se laver le visage après les avoir utilisées car passer simplement un papier démaquillant ne suffit pas. Rien ne vaut l'eau et le savon, même si votre peau est pâle est fragile. Il existe beaucoup de savons doux spéciaux pour le visage. Les démaquillants qui se rincent à l'eau sont peut-être préférables pour les peaux plus âgées et particulièrement sèches ; ce sont des crèmes et des lotions qu'il faut rincer à l'eau et non essuyer avec un kleenex.

Nombreuses sont les femmes qui ne se passent jamais d'eau sur le visage sous prétexte que c'est mauvais pour la peau. C'est un mythe. Des contacts trop fréquents et prolongés peuvent certes dessécher et gercer la peau, parce qu'ils finissent par lui ôter son eau naturelle, mais il est quand même rare d'être obligée de garder la figure dans l'eau plusieurs heures par jour. Il suffit de deux minutes pour nettoyer la peau à fond et il faut éviter de le faire plus de deux fois par jour.

Marche à suivre : Démaquillez-vous avec une crème ou une huile, en insistant sur les yeux ; essuyez avec un tissu à démaquiller.
Mouillez la peau à l'eau tiède.
Frottez au savon ou au démaquillant qui se rince à l'eau une trentaine de secondes.
Rincez à l'eau chaude pour bien éliminer tout le savon ; d'habitude trois rinçage suffisent.
Séchez avec une serviette ; ne frottez pas.

RAFRAÎCHIR

Les lotions de fraîcheur jouent un rôle important : elles éliminent toute trace de démaquillant ou de savon et restituent à la peau son milieu acide. Elles contribuent aussi à stimuler la circulation et à resserrer les pores. Les lotions toniques et astringentes sont basées sur la même préparation, mais ont une action plus ou moins virulente selon leur teneur en alcool. Les lotions astringentes sont les plus fortes et sont recommandées pour les peaux grasses, alors que les lotions rafraîchissantes et toniques conviennent aux peaux sèches et normales. Les lotions dermatologiques sont des lotions astringentes qui contiennent davantage d'alcool, ainsi que des agents bactéricides.

Marche à suivre : Appliquez immédiatement après vous être nettoyé le visage ; imbibez généralement un tampon de lotion et passez-le sur tout le visage.
Entre vos deux grands nettoyages de la journée, vous pouvez vous passer le visage à la lotion de fraîcheur ; c'est recommandé pour les peaux très grasses.

HYDRATER

Cela aide à compenser l'évaporation causée par l'environnement. Il ne s'agit pas d'hydrater véritablement la peau mais, en l'enduisant d'une couche protectrice, d'empêcher son eau naturelle de s'évaporer. L'eau est l'élément le plus important de la chimie de la peau. Les peaux sèches et vieillissantes, qui ne produisent pas suffisamment d'eau, ont besoin de préparations adoucissantes qui attirent l'humidité de l'atmosphère et retiennent l'eau de la peau. Les produits hydratants assouplissent et gonflent la surface de l'épiderme, améliorent son aspect et comblent les trous ce qui permet de mieux étaler le fond de teint. Si vous n'employez pas de fond de teint, il vaut mieux mettre une crème un peu plus riche. Les crèmes et les lotions hydratantes empêchent l'eau de s'évaporer.

Marche à suivre : Il est préférable d'appliquer ces produits tout de suite après le bain ou le nettoyage de la peau ; même lorsque vous l'avez séchée avec une serviette, la peau reste humide et c'est le meilleur moment pour emprisonner cette humidité.

Mettez un peu de crème sur le front, le nez, les pommettes et le menton ; étalez-la sur le visage et le cou en remontant vers le haut et en tapotant autour des yeux. Attendez pour vous maquiller que la crème ait été absorbée. S'il fait mauvais temps, appliquez une deuxième couche sur les points les plus vulnérables.

NOURRIR

I

Il le faut, pour garder une peau douce et souple ; le traitement sera plus efficace si vous dormez ou que vous vous reposez pendant que la crème agit, car vous serez détendue. Les peaux sèches ont besoin d'une crème très nourrissante appliquée toute une nuit ou plusieurs heures dans la journée. Pour les peaux normales, il faut une crème adoucissante plus légère ; pour les peaux grasses, il vaut mieux s'en tenir à la crème hydratante. Pour les peaux mixtes enfin, il faut traiter les deux zones séparément. Si l'on veut nourrir la peau parfaitement, il faut aussi mettre une crème pour les yeux, car le contour des yeux est pauvre en graisses naturelles et a tendance à se dessécher et à se rider. Une crème adoucissante légère est aussi efficace qu'une crème spéciale.

2

Il faut nourrir votre peau tous les jours. Ce n'est pas en l'enduisant d'une épaisse couche de crème que vous guérirez une peau abîmée ou négligée du jour au lendemain, car seule une mince couche adhère et agit, tout le reste est gaspillé. Tous les produits qui sont de même consistance donnent à peu près les mêmes résultats ; c'est la différence de concentration qui détermine si une crème est légère ou riche. Les crèmes nourrissantes peuvent aussi servir d'écran protecteur pendant la journée.

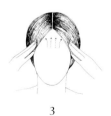

3

Marche à suivre : Appliquez après avoir nettoyé et rafraîchi la peau. Humidifiez d'abord la peau en la couvrant d'un linge mouillé ; cela accroîtra l'efficacité de votre crème nourrissante.

Du bout des doigts, faites pénétrer la crème autour des yeux.

Massez doucement le visage avec la crème ; c'est une bonne occasion d'affermir et de sculpter ses contours. Faites-le cependant assez brièvement, car il n'est pas recommandé de trop manipuler la peau du visage. Utilisez les bouts des doigts de vos deux mains et procédez par effleurements légers.

4

Massage du visage : Employez les mêmes mouvements pour tous les soins du visage afin de travailler les muscles uniformément :

1. Le cou : longs mouvements des deux mains alternées en remontant de la clavicule à la mâchoire.
2. Les joues : en partant du centre, lissez la peau vers l'extérieur et le haut du menton aux oreilles, du nez aux tempes ; massez l'arête du nez vers le bas, les ailes vers l'extérieur.
3. Le front : massez vers le haut, en remontant vers les cheveux.
4. Les yeux : du bout d'un seul doigt, tapotez tout autour de l'œil, en commençant au centre entre les deux yeux et en décrivant un demi-cercle vers la tempe d'abord au-dessous puis au-dessus de l'œil.
Gardez la crème nourrissante plusieurs heures ou même toute la nuit.
Avant de vous maquiller, nettoyez, rafraîchissez et hydratez votre peau. Cela la détendra.

STIMULER

I

Il s'agit de fournir à la peau un véritable coup de fouet en activant la circulation : les éléments nutritifs et l'oxygène remontent à la surface. Le procédé le plus courant consiste à appliquer un masque, mais on peut aussi faire des bains de vapeur. Presque tous les masques contiennent une forte proportion d'eau : l'évaporation rapide qui suit leur application rafraîchit, adoucit et resserre la peau. Leur action est souvent renforcée par l'adjonction d'éléments aromatiques et d'alcool. Lorsqu'on enlève le masque, les vaisseaux sanguins se dilatent et la peau semble plus rose ; le sang que contiennent ces vaisseaux dilatés gonfle la couche interne de la peau, ce qui affine l'épiderme en comprimant les pores. L'aspect de la peau est nettement amélioré et, même si cet effet reste transitoire, la peau est activée et stimulée.

2

3

En outre, les masques peuvent servir à corriger les défauts de la peau, car ils contiennent généralement des éléments qui nettoient et purifient en extrayant les impuretés, les toxines et la graisse. Tous les masques agissent en séchant sur la peau. Ils se divisent en deux grandes catégories : ceux que l'on rince et ceux que l'on arrache. Les premiers nettoient mieux car beaucoup d'entre eux contiennent de l'argile ou du silice (une sorte de sable), qui ont la propriété d'absorber la graisse et les impuretés. Certains contiennent aussi de la gomme et des protéines. Les préparations que l'on décolle contiennent du caoutchouc, de la cire ou du plastique. Ils agissent comme un morceau de papier collant, en entraînant avec eux toute la saleté qui se trouve en surface et quelques cellules mortes, mais ils ne nettoient pas aussi profondément que les autres, même s'ils stimulent tout aussi bien. Les peaux grasses ont besoin d'un masque deux fois par semaine ; pour les autres un seul suffit.
Marche à suivre : C'est ce qu'on appelle communément un nettoyage de peau. Il faut compter une demi-heure.

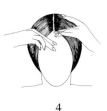

4

1. Dégager complètement le visage en ramenant les cheveux en arrière.

2. Démaquiller la peau selon la méthode indiquée plus haut *(p. 117-118)*. Essuyer ou rincer.

3. Avec un morceau de coton, appliquer une lotion rafraîchissante pour éliminer toute trace de démaquillant.

4. Mettre un peu de crème nourrissante sur le front, les joues et le menton et étaler.

5. Rincer à l'eau tiède.

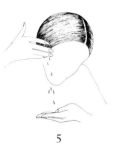

5

6. Appliquer le masque sur tout le visage et le cou, en laissant le tour de l'œil à nu.

7. Couvrir les yeux avec deux morceaux de coton imbibés de lotion rafraîchissante non alcoolisée. Gardez le masque 20 minutes et détendez-vous, si possible allongée.

8. Enlever soigneusement le masque, tapoter le visage et le cou avec une serviette. Pour finir appliquer une mince couche de crème hydratante.

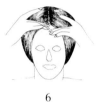

6

Bain de vapeur : C'est une autre façon de stimuler ; la vapeur incite les pores à évacuer la saleté et les impuretés ; elle provoque la transpiration et stimule la circulation, mais elle n'est pas recommandée pour les peaux sensibles ou couperosées.

Les infusions de plantes sont particulièrement bénéfiques. Dans un saladier, versez de l'eau bouillante sur des plantes et, en vous abritant sous une serviette, gardez le visage au-dessus du saladier pendant 10 minutes. Séchez doucement, appliquez une lotion rafraîchissante, puis une crème hydratante. Vous pouvez utiliser les plantes que voici, seules ou bien combinées :

7

Pour nettoyer et adoucir : camomille, alchémille, ortie, romarin, thym.

Pour resserrer : menthe poivrée, sureau, teinture de benjoin, gomme arabique.

Pour assécher : mille-feuille.

Pour cautériser : poireau, consoude, fenouil.

EXFOLIER

8

C'est un nettoyage encore plus profond, qui permet de débarrasser la peau des cellules mortes. C'est l'une des étapes les plus importantes des soins de la peau et malheureusement l'une des moins connues. C'est un traitement qui améliore le grain et la consistance de la peau ; elle devient plus douce au toucher, plus translucide et prend une teinte pâle et unie. les plus cas Les pores paraissent plus petits. Par ailleurs, l'épiderme est beaucoup plus facile à hydrater lorsque les cellules mortes de la surface ont disparu. Les produits gommants existent en lotion, gel ou crème et les éléments abrasifs sont parfois visibles sous forme de grains. Certaines lotions astringentes sont des exfoliants très doux. Pour une peau jeune, il suffit parfois de frotter fort avec un gant de toilette rincé à l'eau tiède. Les peaux plus âgées ont besoin d'un traitement plus sérieux avec un produit et une brosse spéciale pour le visage, une éponge rugueuse ou un gant de crin pour le corps. Le traitement est néanmoins relativement doux et doit être fait une fois par semaine, ou deux si la peau desquame. Par contre, les véritables peelings sont des traitements de choc pour se débarrasser des rides et des imperfections ; ils ne peuvent être faits que par un dermatologue ou une esthéticienne spécialisés.

Marche à suivre : A faire immédiatement après le nettoyage quotidien. Appliquez le produit, en suivant le mode d'emploi.

Enlevez le produit en l'essuyant ou en le brossant avec des mouvements circulaires sur le front, le menton et les joues, des mouvements verticaux sur le nez, les contours du visage et le cou. Rincez à l'eau claire.

Hydratez aussitôt.

Évitez les expositions immédiates au soleil.

LE BRONZAGE

Des expositions au soleil soigneusement dosées vous rendront belle à ravir — bronzée, éclatante, débordante de santé. Mais trop de soleil et votre peau sera irrémédiablement abîmée. Qui plus est, vous risquez de priver votre corps de vitamine B. Ce sont les expositions prolongées, au fil des ans, qui sont responsables d'une part d'un vieillissement prématuré de l'épiderme, et de l'autre des cancers de la peau. Les détériorations s'accumulent. Un pour cent seulement des radiations solaires affectent la peau : les brûlures et le bronzage sont dus aux rayons ultraviolets à ondes courtes, qui sont invisibles.

L'action du soleil se situe à deux niveaux différents de la peau. Tout d'abord, les cellules pigmentées situées au fond de l'épiderme sont activées par les rayons ultraviolets — dont les plus courts seulement sont assez puissants pour pénétrer jusqu'à elles et les inciter à produire de la mélanine (le pigment brun). L'effet ne devient visible qu'au bout de deux jours, mais c'est cette action qui produit le bronzage durable. En même temps, les rayons ultraviolets plus longs agissent sur les grains de mélanine qui se trouvent déjà dans les couches supérieures de l'épiderme et les foncent. Le bronzage durable est plus long à apparaître parce qu'il faut attendre que les grains de mélanine des couches inférieures aient gagné la surface. D'ailleurs, si le bronzage disparaît progressivement, ce n'est pas parce que le pigment s'éclaircit à nouveau, mais parce que les cellules pigmentées tombent progressivement. Pour conserver son bronzage, il faut empêcher le plus longtemps possible les cellules de tomber ; vous pouvez y parvenir en mettant de l'huile dans votre bain et en vous enduisant de lotion hydratante au sortir du bain.

Le bronzage est un mécanisme de défense, car les grains de mélanine forment un écran à la surface de la peau : ils filtrent les rayons nocifs et protègent les couches inférieures plus délicates. Si les rayons ultraviolets n'avaient pas d'autres effets, il n'y aurait pas grand mal. Cependant, ils produisent aussi une substance chimique qui attaque les couches inférieures de la peau. Elle commence par dilater les vaisseaux sanguins, ce qui explique les rougeurs dues aux coups de soleil. Au bout de quelques heures, les vaisseaux dilatés laissent le sérum se répandre dans les tissus, ce qui provoque enflures, tension et une irritation des terminaisons nerveuses ; ensuite la peau pèle et, dans les cas les plus sérieux, cloque. Les cellules endommagées remontent à la surface, deviennent dures et épaisses et forment une couche coriace. C'est le second rideau défensif de la peau, car cette couche reflète et diffuse les rayons, mais l'épiderme prend alors un aspect de vieux cuir sec.

Que vous viviez dans un pays de soleil ou que vos expositions soient passagères, il est essentiel de vous protéger. Si vous voulez bronzer, armez-vous de patience. Les crèmes protectrices sont plus ou moins puissantes. Les plus efficaces sont les crèmes solaires opaques « écran total » qui évitent les détériorations mais qui empêchent aussi de bronzer. Certaines lotions sont tout simplement des produits hydratants ou gras qui attirent les rayons tout en atténuant le dessèchement. Faites bien attention, lisez attentivement les instructions. Parmi les produits naturels, on peut utiliser le beurre de cacao ou encore un mélange d'huile d'olive et de vinaigre de cidre, mais leur protection est très limitée.

Il faut enduire d'un filtre protecteur toutes les parties exposées. Les zones les plus vulnérables sont le visage, surtout le nez, les épaules, le haut du torse, l'estomac, le derrière des genoux et le dos des mains. Si vous ne vous êtes pas exposée au soleil depuis plusieurs mois, soyez très prudente. Le premier jour, mettez-vous au soleil une demi-heure le matin, puis restez à l'ombre jusqu'à la fin de l'après-midi, où vous pourrez reprendre un autre petit bain de soleil. Ensuite, augmentez chaque jour votre temps d'exposition. Méfiez-vous des rayons de midi, des réflections trop fortes dans l'eau et du mélange soleil et vent.

Certaines peaux brûlent et se dessèchent, les autres bronzent. En général, la couleur de la peau et des yeux détermine l'effet du soleil sur la peau. Plus elle est claire, plus il faut faire attention. Les peaux très pâles qui produisent très peu de mélanine ne bronzeront jamais beaucoup. Les rousses seront souvent constellées de taches de rousseur. Dans les deux cas, il faut utiliser un puissant écran protecteur. On a signalé que des personnes qui avaient tendance à brûler avaient pu s'exposer plus longtemps en prenant un supplément de vitamine B PABA (cf. tableau des vitamines, p. 32), à raison d'1 g par jour. Les peaux délicates sont également susceptibles de bronzer plus facilement enduites de cette vitamine.

Les peaux olivâtres et brun clair n'ont besoin que d'un filtre protecteur, qu'il faut éventuellement renforcer si vous ne voulez pas foncer davantage. Pour les peaux brunes et noires une lotion solaire très douce qui se borne à hydrater et à lubrifier suffit. Il est indéniable que les peaux sombres ne brûlent pas aussi facilement que les peaux claires et supportent de plus longues expositions, mais il ne faut pas les négliger pour autant. Si l'on omet de les graisser abondamment, toutes les peaux se dessèchent au soleil.

Le bronzage artificiel à la lampe à bronzer peut être d'un grand secours pour habituer très progressivement les peaux sensibles au soleil et, après les vacances, pour conserver plus longtemps une belle couleur. Il est préférable de le faire dans les instituts où l'on trouve les nouveaux lits ou cabines solaires à rayonnement U.V.A. Ces rayons qui ne provoquent pas d'érythème font bronzer sans brûlures et plus profondément que les lampes du commerce qui, elles, produisent surtout des U.V.B. dangereux. Il faut absolument porter des lunettes protectrices, car les rayons ultra-violets peuvent abîmer les yeux. Pas besoin de crème protectrice, mais n'oubliez pas d'appliquer ensuite une lotion adoucissante ou une huile pour éviter le dessèchement.

LES PROBLÈMES DE PEAU

La peau peut présenter diverses imperfections et infections qui sont vilaines à voir et susceptibles de dégénérer en maladies graves. Voici les plus courantes :

L'ACNÉ : C'est l'une des maladies de peau les plus déprimantes qui soient ; elle affecte surtout les peaux jeunes. Une acné non soignée risque de laisser de profondes cicatrices. Elle est causée par les hormones sexuel-les. On pensait jadis que l'alimentation jouait un grand rôle, mais on sait aujourd'hui qu'elle est d'une importance mineure — notons toutefois qu'une alimentation trop grasse risque d'aggraver le problème. C'est l'hormone mâle appelée testostérone qui est la principale responsable, car à la puberté sa production est souvent très irrégulière. Les hormones sexuelles stimulent les glandes sébacées et règlent la production de sébum. Une hyper-activité hormonale a pour résultat une sécrétion excessive de sébum qui s'amasse dans les pores, et les bloquent. Par ailleurs, les enzymes se mettent à produire des acides gras. Le résultat de tout cela est une pustule, un point blanc (une accumulation de graisse sous la peau sans point de sortie) ou un point noir. C'est souvent à ce moment-là que commence l'infection ; le pus rompt la paroi de la glande sébacée, l'infection s'étend à la couche interne. Le résultat inévitable est une cicatrice indélébile.

Comme il est impossible d'éliminer la cause de l'acné, le traitement se limite à certaines mesures qui suppriment l'infection et l'empêchent de s'étendre à la glande sébacée. Certes, une saine alimentation, une bonne hygiène cutanée et certaines préparations médicales peuvent aider, mais ce sont désormais les antibiotiques à très faible dose et la vitamine A acide qui sont à la base de tous les traitements, car ils éliminent les bactéries qui causent l'infection. On emploie parfois la cortisone, mais elle a d'indésirables effets secondaires. On peut aussi donner de l'œstrogène, l'hormone féminine, pour contrebalancer la production excessive de testostérone, mais il faut faire très attention, surtout chez les femmes très jeunes. Le soleil et les traitements aux ultraviolets donnent souvent de bons résultats, ainsi que les expositions superficielles aux rayons X.

POINTS NOIRS : Ce sont des amas de graisse, qui bloquent les pores et qui noircissent au contact de l'air — la couleur n'est pas signe de saleté mais d'oxydation. Ce sont les imperfections cutanées les plus communes ; ils peuvent parfois s'infecter et dégénérer en acné. Les nettoyages réguliers et soigneux sont d'excellentes mesures préventives et peuvent même guérir les cas bénins. Pour enlever les points fermement incrustés, il vaut mieux faire appel à un spécialiste. On commence par ouvrir le pore à la vapeur ou avec des compresses chaudes. Ensuite, on presse sur le pourtour de l'orifice, soit avec un instrument spécial, soit du bout des doigts bien propres (jamais avec les ongles) et le point noir setrouve projeté dehors. Certaines esthéticiennes procèdent par aspiration, à l'aide d'un appareil. Il faut ensuite tamponner la peau à l'alcool, puis l'essuyer avec une lotion astringente pour refermer les pores.

VAISSEAUX ÉCLATÉS : Ils affectent généralement le visage et les jambes. Plus leur réseau est fin, plus il est difficile de s'en débarrasser. Il existe certaines techniques pour les assécher avec une aiguille spéciale et un produit chimique. Il faut souvent plusieurs séances.

DERMATITES : C'est un terme général qui couvre toutes les inflammations de la peau dues à des causes physiques ou émotionnelles. L'eczéma et le psoriasis entrent dans cette catégorie et on pense qu'ils sont d'origine émotionnelle ou nerveuse. Les crises aiguës peuvent être soignées médicalement, mais pas la source.

GRAINS DE BEAUTÉ : Ces taches de pigment foncé sont parfois assez laides, surtout lorsqu'elles sont en relief et qu'il y pousse des poils. Il est facile et indolore de les enlever. N'épilez jamais les poils : il vaut mieux les couper au ras de la peau. Un grain de beauté en relief, surtout si vous l'avez depuis l'enfance, est généralement inoffensif. Mais si un grain de beauté plat se met à foncer ou grossir ou prendre du relief, ou bien s'il saigne, consultez immédiatement un médecin.

TACHES BRUNES : Si vous vous êtes exposée au soleil sans faire attention, vous avez sans doute récolté quelques taches brunes dont la taille varie. Il n'est pas facile de les faire partir et beaucoup de crèmes pour blanchir la peau sont trop fortes. Un peeling, en surface ou en profondeur, pourra vous en débarrasser. Si vous voyez apparaître des taches rouges et rugueuses, consultez immédiatement un médecin, car elles peuvent devenir malignes. Le cancer de la peau est aussi grave qu'un autre ; certains restent très localisés, mais d'autres gagnent rapidement les ganglions lymphatiques et le corps tout entier. Prises à temps, les taches rouges peuvent être soignées par ablation, cautérisation, abrasion, congélation, acides ou rayons X.

VERRUES : Quand elles sont petites, on peut s'en débarrasser aisément en les rabotant ; en principe, il n'y a pas de cicatrice. Quand elles sont plus grosses, il faut couper ou brûler, ce qui peut laisser une marque.

POINTS BLANCS : Ce sont de minuscules accumulations de substance blanchâtre, juste au-dessous de la peau, qui ne peuvent pas remonter à la surface sans votre intervention. Il faut leur ouvrir un tout petit passage. Des applications d'huile peuvent aider à les forcer à sortir.

LE PEELING

Il arrive un moment où les peaux vieillissantes ou abîmées ne peuvent plus être améliorées, si ce n'est en arrachant littéralement la vieille peau pour laisser place à une peau neuve. C'est un traitement de choc, mais qui se pratique couramment. Il n'a rien à voir avec la chirurgie esthétique qui remodèle le contour du visage. Le peeling vise à embellir le grain de la peau. Il y a deux méthodes : le peeling chimique, qui nécessite l'emploi de produits chimiques pour brûler la couche externe de la peau ; ou la dermabrasion qui la rabote. Tous deux sont des interventions médicales.

LE PEELING CHIMIQUE : On l'appelle aussi parfois chirurgie chimique. C'est la technique utilisée pour les peaux abîmées par l'acné ou toute autre cicatrice, mais elle peut aussi avoir des résultats étonnants pour les peaux vieillissantes. On emploie un produit caustique pour détruire tout l'épiderme, ainsi qu'une partie de la couche interne. On enlève donc non seulement la vieille peau en surface, épaissie et ridée, avec ses pores dilatés, mais aussi tout ce qui peut s'y attacher : verrues, boutons, taches brunes. En faisant disparaître en outre une partie de la couche interne, on stimule la croissance d'une nouvelle couche, ce qui contribue très efficacement à reformer la peau. C'est une opération très délicate, dont le succès dépend avant tout d'une grande précision.

L'opération n'est pas aussi douloureuse ou désagréable qu'on pourrait le croire, mais le produit caustique provoque une inflammation intense qui est horrible à voir et s'accompagne souvent d'œdème. C'est bien compréhensible, si l'on se rappelle qu'après le peeling, il ne reste plus du tout d'épiderme et seulement deux tiers du derme. Peu à peu, un nouvel épiderme se reforme ; au début, il faut absolument veiller à protéger les zones traitées de tout contact avec l'extérieur. Une fois repoussé, l'épiderme est doux, dépourvu de marques et d'un grain très fin.

Il faut compter environ trois à six mois pour voir apparaître l'amélioration définitive. Seul inconvénient : la nouvelle peau a un aspect un peu artificiel. C'est avant tout parce que la couche interne est constituée uniquement de tissus cicatrisés qui n'ont ni le tonus, ni la profondeur de la peau d'origine. Elle est également moins résistante et il peut y avoir des rechutes dans les un à dix ans qui suivent le traitement, selon la qualité de l'intervention. Il est tout à fait possible de répéter cette opération pour en prolonger les effets.

Il peut y avoir certaines complications. La plus commune est la formation d'une pigmentation plus forte qu'auparavant et irrégulière, due à une très vive réaction au produit caustique ou bien à une exposition prématurée au soleil. Il peut aussi se produire le contraire — le pigment se reforme mal et la peau reste rougeaude.

DERMABRASION : C'est bien souvent la méthode préconisée pour atténuer les cicatrices ou l'acné, pour faire disparaître les imperfections superficielles et pour éliminer les petites rides. On enlève la couche externe de la peau à l'aide d'une brosse métallique ou d'une fraise électriques tournant à grande vitesse. La profondeur du traitement varie selon la gravité des cas ; on peut aussi traiter des zones isolées. Très vite une croûte se forme, qu'il faut ramollir au début avec un onguent prescrit par votre médecin, puis à l'eau tiède. Elle met généralement un mois à disparaître et le visage présente l'aspect que peuvent provoquer de sévères brûlures, mais au fil du temps la rougeur s'atténue. Il est indispensable d'éviter toute exposition au soleil pendant six mois. Bien souvent, on pratique une légère dermabrasion en même temps que le lifting.

7

LE VISAGE

Le principal os du visage est l'os frontal qui comprend le front, les orbites et l'arête du nez. Sa taille et son inclinaison peuvent varier énormément et contribuent pour une grande part à individualiser chaque visage. Les os des pommettes forment une surface plate au-dessous des orbites et déterminent les contours et les plans du visage. Les autres os sont les os du nez — deux petits os reliés à l'os frontal — et les mâchoires, supérieure et inférieure, qui s'articulent près des oreilles et abritent les dents. L'oreille ne comporte aucune structure osseuse, uniquement du cartilage et du muscle.

Les yeux sont aussi délicats qu'ils sont compliqués et leur efficacité dépend non seulement du bon état du globe oculaire mais aussi de celui des muscles et des nerfs optiques.

Les muscles du visage forment un assemblage extrêmement complexe et assurent la mobilité de chaque centimètre carré. Du point de vue esthétique, les plus importants sont les zygomas qui traversent les joues depuis les tempes jusqu'aux commissures des lèvres et qui assurent la fermeté des contours du visage. Ce sont les muscles qui déterminent l'expression des traits. La mastication est un excellent exercice pour eux ; quant au sourire et au rire, ils peuvent certes ajouter quelques rides supplémentaires autour du nez, des yeux et de la bouche, mais eux aussi sont excellents pour les muscles des joues qu'ils tirent vers le haut, empêchant le visage de tomber.

Le visage vieillit bien avant le corps. Ses muscles ont une réaction négative au stress, à l'émotion et à la tension nerveuse. On prend très vite l'habitude de faire des grimaces, de froncer ou de hausser les sourcils et cela creuse des sillons et des rides qui s'accentuent au fil du temps.

I

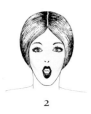

2

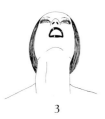

3

4

EXERCICE ET CONTRÔLE

Comme n'importe quelle partie du corps, le visage (et le cou qui lui est étroitement associé) doivent mouvoir et contrôler leurs muscles pour rester en bonne forme et en bonne condition. Le contrôle, c'est avant tout une prise de conscience. Cela ne veut évidemment pas dire que vous devez toujours garder un visage impassible, mais que vous devez être plus consciente des mouvements de votre visage. Lorsque vous parlez ou écoutez, efforcez-vous de ne pas exagérer vos expressions, car vos traits se marqueront plus rapidement.

GYMNASTIQUE FACIALE : Elle améliore et maintient les caractéristiques d'un contour et d'une enveloppe jeunes. Elle peut sembler parfois bizarre car il s'agit de mouvements faciaux qui font bouger le visage pour le corriger, mais vous vous apercevrez très vite que lorsque vous les faites, certaines rides sont momentanément effacées. Si vous les faites régulièrement, ils sont très efficaces. Faites-les dans votre bain ou devant votre glace avant de vous maquiller.

1. *Bouche et joues :* Froncez les lèvres et en même temps gonflez les joues. Placez les trois premiers doigts de chaque main de chaque côté de la bouche et pressez-les contre la joue gonflée, mais sans laisser l'air s'échapper. Comptez jusqu'à dix. Relâchez. 10 fois de suite, passez progressivement à 30.

2. *Bouche, joues et yeux :* Ouvrez tout grand la bouche, comme pour crier, écarquillez les yeux en fixant le regard droit devant vous. Comptez jusqu'à trois. 10 fois de suite. Puis recommencez en tournant la tête d'abord à gauche, puis à droite. 5 fois de chaque côté.

3. *Bouche et mâchoires :* Ouvrez grand la bouche, renversez la tête en arrière, ouvrez et fermez la bouche en actionnant la mâchoire inférieure. 10 fois.

4. *Front :* Avec la paume de la main, repoussez le cuir chevelu en arrière, en lissant tous les sillons du front. Comptez jusqu'à trois. Recommencez 10 fois.

GYMNASTIQUE POUR LE COU : Les mauvaises habitudes musculaires rident et font pendre la peau du cou. Lorsque les muscles sont suffisamment actifs, cependant, la peau reste lisse et tendue. Le cou n'est pas une zone indépendante, car il est indissociable du maintien et sert à garder toute la région de la gorge lisse et agile. La plupart des femmes ne se rendent même pas compte du peu de contrôle qu'elles exercent sur leur port de tête ou sur la façon dont elles bougent cette dernière. Cette gymnastique vous aidera à mieux les contrôler en libérant le cou de toute tension, en dégageant et abaissant les épaules, en allongeant les muscles du cou. Il

1. *Étirer le cou :* A plat sur le dos, les bras le long du corps, les jambes tendues et serrées, soulevez lentement la tête et le cou, en tirant fort. Reposez très lentement. 5 fois, passez progressivement à 20.

2. *Tonifier les muscles :* Assise, les genoux contre la poitrine, étirez le cou vers le haut en baissant les épaules. Penchez la tête en avant, puis renversez-la lentement le plus loin possible ; ouvrez et fermez la bouche lentement 3 fois. Fermez la bouche et ramenez la tête en avant. 5 fois.

3. *Contrôler le cou :* Assise en tailleur, les paumes à plat juste derrière les fesses, les épaules baissées, le dos droit, sans bouger le buste, faites lentement pivoter le menton vers chaque épaule en allongeant bien le cou. 5 fois de chaque côté.

4. *Libérer les épaules :* Debout, les pieds légèrement écartés, les bras pendant devant vous, le dos des mains joint, la tête baissée, levez lentement la tête, tendez les bras vers le haut et vers l'arrière, les doigts écartés, les paumes vers le sol, le cou allongé. 10 fois.

I

2

3

4

est important d'avoir conscience de son cou, de la façon dont on le tient ; il faut sentir la distance qui sépare le cou des oreilles, sentir les épaules bouger librement, sans être nouées par la tension.

MASSAGE DU VISAGE ET DU COU : C'est un massage beaucoup plus doux que celui du corps, vous le ferez du bout des trois derniers doigts des deux mains que vous devez passer très délicatement à la surface de la peau. Ces manipulations très douces lissent l'épiderme sans forcer, ni tirer ; des massages plus appuyés risqueraient de faire plus de mal que de bien. Si vous les faites régulièrement, ces mouvements presque impalpables donneront les meilleurs résultats. Tâchez d'y consacrer entre 8 et 20 minutes par jour, de préférence dans votre bain, au lit ou bien en regardant la télévision.

1. *Joues et bouche :* Froncez les lèvres en les arrondissant, respirez normalement ; avec trois doigts (index, médium, annulaire), partez des commissures et remontez vers le haut en formant des V le long des joues. Recommencez lentement. 6 fois.

2. *Menton et bouche :* Froncez les lèvres, du bout des trois derniers doigts, remontez du milieu du menton jusqu'au creux des joues. 6 fois.

3. *Front :* La bouche fermée normalement, en partant du centre, massez doucement le front vers les tempes en mouvements circulaires de bas en haut. 6 fois.

4. *Gorge et dessous du menton :* La bouche fermée, remontez lentement les doigts depuis la clavicule jusqu'au bord de la mâchoire ; les mouvements doivent légèrement dévier vers l'extérieur, les doigts commençant tout en bas, les paumes vers le sol. 6 fois.

LES YEUX

Le globe oculaire mesure environ 2,5 cm de diamètre, mais l'on n'en voit que le douzième. La partie qui sert à voir est la pupille noire à travers laquelle la lumière passe jusqu'au fond de l'œil. Les pupilles paraissent plus petites à la lumière et plus larges à l'ombre, car l'iris qui les entoure se contracte et se dilate ; il rétrécit dans l'obscurité pour que la pupille puisse s'agrandir et laisser entrer davantage de lumière. La cornée est la surface transparente de l'œil et forme aussi une sorte d'objectif qui permet d'ajuster la vision. Plus en arrière se trouve le cristallin qui filtre tout ce qu'absorbe la cornée. Il est mince et détendu lorsque l'œil regarde au loin et s'épaissit lorsqu'il fixe un objet proche. Enfin, l'image atteint la rétine, au fond de l'œil, laquelle transmet cette image au cerveau. Toute l'opération se déroule dans la même seconde.

A partir de dix ans, l'œil est parfaitement formé et, en principe, il ne doit plus changer jusqu'à quarante ans et plus. Un œil en bon état doit être

Ci-contre : Guy Bourdin, 1973

Pages suivantes : Norman Parkinson, 1972

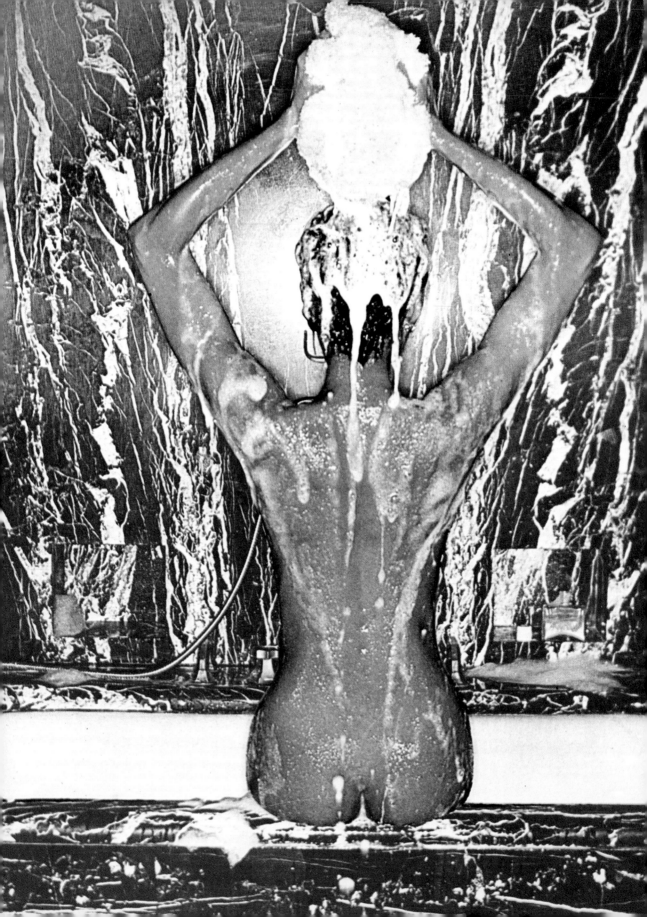

capable de voir nettement, du plus près au plus loin. La mise au point dépend de la conformation anatomique de la cornée et du cristallin, et les erreurs de réfration ont généralement des origines génétiques. Les défauts de la vue, comme la myopie, l'hypermétropie et l'astigmatisme, sont dus le plus souvent à un placement défectueux du cristallin au sein du globe oculaire. En tout cas, ni le surmenage des yeux, ni les mauvaises lunettes, ni un excès de télévision ne causent de dommages permanents.

Une personne dotée d'une bonne vue doit être capable de voir aussi clairement ce qui est loin que ce qui est près. L'opticien évalue la vue normale à 6/6, ce qui veut dire que l'on voit parfaitement à six mètres exactement ce qui a été conçu pour être distingué clairement à cette distance. Ainsi, vous devez être capable de lire une plaque minéralogique à 23 m. Si votre vue est de 6/8 par exemple, cela veut dire que vous voyez clairement à six mètres ce que vous devriez voir à huit.

Myopie : L'œil myope est généralement trop long, par conséquent la lumière a plus de chemin à parcourir depuis le cristallin jusqu'à la rétine, au fond de l'œil, qui transmet l'image au cerveau. Parfois, la lumière ne pénètre pas jusque-là et l'image obtenue n'est pas nette.

Hypermétropie : L'œil est au contraire trop court, si bien que les rayons porteurs d'images dépassent la rétine au lieu d'y converger. Cela signifie que ces yeux sont mieux faits pour voir de loin que de près.

Astigmatisme : Une partie de la vision est brouillée, en général à cause d'une malformation de la cornée.

Strabisme : La cause en est le plus souvent un œil paresseux dont les muscles manquent de force. Lorsque l'œil normal ajuste sa vision, l'autre ne peut pas suivre et se tourne par conséquent vers l'intérieur, l'extérieur, le haut ou le bas. Parfois les yeux peuvent fonctionner ensemble dans un sens, mais pas dans l'autre. On commence en général à loucher très jeune et il faut corriger ce défaut avant douze ans, sans quoi il risque d'être trop tard. Parfois, une petite opération est nécessaire. Les exercices correctifs donnent généralement de bons résultats, ainsi que les verres correcteurs pour fortifier l'œil paresseux.

Daltonisme : C'est l'incapacité de reconnaître certaines couleurs, le plus souvent le vert et le rouge.

LES MALADIES INFECTIEUSES : La conjonctivite est une inflammation de la mince couche qui protège l'œil, accompagnée d'écoulement visqueux. Elle se déclenche souvent à la suite d'allergies ou peut être le symptôme d'une maladie nerveuse. Elle attire les bactéries et entraîne souvent une infection qui peut être contagieuse. Il existe divers onguents et collyres qui calment et lubrifient les zones irritées mais seuls les antibiotiques assurent une guérison rapide.

La blépharite est une inflammation située à la racine des cils, que l'on rencontre surtout chez les femmes qui ont une peau à tendance sèche, des pellicules ou de l'acné. Tous les produits de maquillage sont des allergènes en puissance et s'ils ne sont pas correctement éliminés, ils peuvent provoquer ce genre d'inflammation qui se traite néanmoins très facilement.

LES MALADIES DUES A L'ÂGE : En vieillissant, le cristallin tend à s'opacifier et lorsque la vue est sérieusement gênée, on appelle cela la cataracte. Elle se développe très lentement et lorsqu'elle a trop empiré, le seul remède est l'ablation chirurgicale du cristallin.

Avec l'âge également, la pression intra-oculaire s'accroît et provoque des maux de tête et des douleurs irradiantes, ainsi que des halos colorés autour des lumières. C'est ce qu'on appelle un glaucome, mal souvent héréditaire. Pour le traiter, on s'efforce de maintenir ouverts les canaux d'écoulement entre l'iris et le cristallin en contractant la pupille. Une petite opération peut s'avérer nécessaire pour agrandir ces canaux.

LES SOINS : Pour conserver une bonne vue, il faut faire travailler les yeux, mais sans les surmener. Veillez à ne pas les fatiguer et s'ils donnent des signes de faiblesse, consultez un spécialiste. Efforcez-vous de ne pas lire dans un véhicule en marche. Assurez-vous que vous êtes suffisamment et correctement éclairée : la lumière doit venir de derrière et d'en haut plutôt que de devant. Lorsque vous lisez, arrêtez-vous toutes les heures pour reposer vos yeux pendant 15 minutes.

La vitamine A est importante pour les yeux et se trouve facilement dans les légumes, surtout les carottes, les céleris et les tomates. La vitamine B-2, la vitamine C et la vitamine D sont également nécessaires. Lorsque vous souffrez d'une carence de vitamine B-2, vos yeux sont très souvent injectés de sang, ils vous démangent et coulent.

Les yeux ont besoin de repos et d'exercice. Pendant la journée, reposez vos yeux tout simplement en les recouvrant avec la paume de vos mains pendant cinq minutes, ce qui a pour effet de les couper totalement de la lumière. Autre méthode : asseyez-vous devant une image et regardez-la, puis fermez doucement les yeux et couvrez-les avec les paumes. Détendez-vous trois minutes ou plus. Vous constaterez que les yeux voient d'abord du gris-noir, puis du noir profond. Ouvrez-les et regardez à nouveau l'image.

La gymnastique oculaire est simple, rapide et efficace. Tournez les yeux vers la droite, puis vers la gauche, en décrivant des cercles complets, 20 fois dans chaque sens. Ensuite, fixez le bout de votre doigt près de votre visage, puis un objet très lointain, puis à nouveau le bout de votre doigt. Recommencez à plusieurs reprises.

Les cernes et les yeux bouffis peuvent être imputés au manque de sommeil ou à un mauvais fonctionnement rénal. Autrement, il s'agit d'un relâchement normal des tissus vieillissants. On peut souvent dégonfler les yeux bouffis par des bains d'eau glacée ou de lait. L'hamamélis est aussi excellent — mettez-en un peu sur un tampon d'ouate, de préférence glacé. Une application de pomme de terre râpée sous les yeux les fait également dégonfler, ainsi que les infusions de roses, les figues fraîches ou les fraises.

Si vos yeux sont irrités, pressez-y quelques gouttes de jus de concombre ou bien placez une tranche de concombre sur chaque œil et laissez 15 minutes. Des compresses à la camomille sont aussi fortement recommandées. Les yeux sont injectés de sang, soit parce que les vaisseaux sanguins souffrent d'une dilatation congénitale, soit parce qu'ils sont irrités par quelque chose, bien souvent l'alcool. Les collyres donnent de bon résultats, mais il ne faut pas en faire un usage prolongé.

LES VERRES DE CONTACT : Pour des raisons esthétiques, certaines femmes choisissent les verres de contact pour corriger une mauvaise vue. A vous de décider, avec votre opticien, quel genre vous convient le mieux.

Les lentilles cornéennes, toutes petites, qui ne mesurent que 8 mm de diamètre, recouvrent uniquement la cornée. Les verres « scléraux », plus grands, recouvrent tout l'œil et, en raison de leur excellente protection, sont idéaux pour le sport. Les verres hydrophiles, faits de plastique extrêmement mou et souple, ne recouvrent que l'iris. Ils peuvent convenir à celles que les verres plus importants irritent.

On trouve des lentilles de différentes couleurs, en plastique patiné. La plupart des gens choisissent un gris clair pour filtrer la lumière, ou bien un bleu et un vert un peu plus soutenus que leurs propres yeux, pour en accentuer la couleur. La première fois que vous mettrez des verres de contact, vous pleurerez probablement à chaudes larmes, mais à mesure que vous vous accoutumerez, votre vue s'ajustera. Pour commencer, ne portez vos lentilles qu'une ou deux heures de suite, deux fois par jour pendant trois jours. Puis augmentez progressivement d'un quart d'heure à chaque fois.

Les nouvelles lentilles ultra-souples en plastique sont plus faciles à supporter. Vous pouvez dès le départ les garder plusieurs heures de suite et vous en arriverez même à les garder pour dormir. La tolérance ne pose donc aucun problème mais, par contre, il est plus difficile de les adapter très exactement à la vue d'une personne souffrant d'un fort astigmatisme. En effet, elles bougent avec l'œil, car elles flottent sur un coussin de fluide oculaire. Elles doivent donc être faites sur mesure par un expert qui dispose d'un instrument spécial pour mesurer la courbure de l'œil. Il existe environ 56 courbures différentes et la plupart des lentilles ne forment pas une seule courbe continue, mais une succession de 3, 4 ou 5 petites courbes. Si vous portez des verres de contact, évitez les maquillages gras, car ils peuvent s'introduire dans l'œil et troubler votre vision. Les particules de poudre ou d'ombre à paupière peuvent aussi vous causer des ennuis et votre fard à cil doit être indélébile.

LES LUNETTES : Elles ne sont pas faciles à choisir. Voici quelques conseils :

Essayer toujours vos montures devant une glace où vous vous voyez en pied, c'est la seule façon de vous faire une idée exacte des proportions. Assurez-vous que les montures vous vont, qu'elles chevauchent convenablement votre nez, qu'elles ne vous serrent pas les tempes et que le haut de la monture est dans l'alignement de vos sourcils, sans quoi vous aurez deux lignes parallèles, trop proches l'une de l'autre.

Pour les visage carrés, choisissez des montures assez grandes, carrées ou rectangulaires, dont le bord inférieur est plus large que vos pommettes. Pour les visages ronds, des montures larges mais pas trop hautes. Pour les visages longs, des montures hautes et profondes qui couvrent une grande partie du visage. Pour les visage courts, des lunettes rectangulaires petites et étroites, ou bien d'énormes lunettes rondes que vous porterez très haut sur le nez.

La couleur est fonction de la couleur des cheveux, mais il vaut mieux vous cantonner aux teintes neutres, beige, brun ou gris, ou encore aux montures métalliques.

Les verres teintés sont souvent jolis : pour l'intérieur, choisissez une nuance très pâle, un peu plus foncée pour les pièces très ensoleillées ou pourvues d'une lumière artificielle très forte ; pour l'extérieur, le gris est généralement préférable.

Si vous êtes obligée de porter des lunettes, il vous faudra un maquillage différent, un peu plus coloré, avec davantage de fard à cil ou même des faux cils. Les verres des myopes font paraître les yeux plus petits ; par conséquent, soulignez le bord de la paupière supérieure d'une ligne noire. Par contre, les yeux des hypermétropes paraîtront plus grands, et il faut donc atténuer les lignes et les couleurs. Les montures sombres doivent s'accompagner d'un rouge à lèvres plus soutenu. Veillez à ce que votre rouge à joues ne disparaisse pas sous vos lunettes, portez-le bas pour souligner vos pommettes plutôt que pour les colorer.

LES LUNETTES DE SOLEIL : Les verres teintés sont excellents lorsque le soleil est très violent et ils peuvent être très flatteurs, mais il n'est pas conseillé de les porter constamment. Le soleil est bon pour les yeux, car il les oblige à s'ajuster sans cesse de l'ombre à la lumière vive. Les bonnes lunettes de soleil filtrent aussi bien les rayons infrarouges que les rayons ultraviolets ; les lunettes de qualité inférieure ne filtrent que les uns ou les autres, ou bien un peu des deux. Les verres photochromatiques changent de couleur selon que la lumière est forte ou douce — très pâles à l'ombre, ils foncent dès que vous vous trouvez au soleil.

LES OREILLES

La plupart d'entre nous possèdent de naissance une ouïe plus développée qu'il n'est besoin et la conservent toute leur vie. Ne vous inquiétez pas cependant si, l'âge aidant, vous avez l'impression d'entendre moins bien les sons aigus. Le bruit constant de la vie citadine ou industrielle peut considérablement irriter les oreilles ; les bruits trop forts peuvent leur être nocifs et attaquer tout le système nerveux en provoquant un excès de tension.

L'oreille fonctionne de la façon suivante : les ondes sonores sont forcément provoquées par la vibration d'un élément quelconque, qui peut être l'eau ou une matière solide, mais qui est le plus souvent l'air. Nous percevons cette vibration, dont le volume est fortement intensifié par le mécanisme des osselets situés derrière le tympan. Le son se propage jusqu'à une cavité remplie de fluide, il stimule le nerf auditif et il est enregistré par le cerveau. Les sons trop intenses peuvent endommager ce mécanisme, tandis que d'autres sons lui sont bénéfiques, par exemple la musique : personne n'a encore vraiment compris pourquoi elle calme ou stimule ou pourquoi certains assemblages de sons ont même des effets régénérateurs.

Une mauvause ouïe peut être congénitale, ou bien être due à une maladie infectieuse, à un bouchon de crasse ou de cérumen, à un abcès ou à une congestion, à un coup reçu sur l'oreille ou à une maladie nerveuse. Il est même possible d'endommager son ouïe simplement en se mouchant trop fort ! Les infections de la bouche, du nez ou de la gorge peuvent s'étendre aux oreilles. Un taux élevé de cholestérol coïncide souvent avec une diminution de l'acuité auditive.

Si vous éprouvez la moindre gêne ou la moindre sensation de changement, consultez aussitôt un spécialiste. Toute seule, ne vous risquez tout au plus qu'à vous nettoyer les oreilles. Vous pouvez vous faire mal simplement en essayant de déloger un bouchou de cérumen. On répugne souvent à reconnaître que l'on entend mal ; pourtant il existe pour y remédier de nombreux moyens chirurgicaux et mécaniques qui ne causent qu'un minimum de désagrément. Dans bien des cas, la surdité est due à un durcissement des osselets ; c'est ce qu'on appelle l'otosclérose et il est presque toujours possible de la guérir en manipulant un minuscule osselet de l'oreille moyenne, l'étrier. Il peut également s'agir d'une pression sur la trompe d'Eustache, que l'on traite d'ordinaire par la micro-chirurgie. Enfin, il est actuellement possible de greffer des tympans artificiels.

La technologie moderne a mis au point d'étonnants appareils miniaturisés pour amplifier l'ouïe. Certains sont suffisamment petits pour tenir dans le creux de l'oreille, d'autres sont fixés derrière et munis d'un petit tube transparent inséré dans la cavité de l'oreille ; d'autres encore sont introduits dans des branches de lunettes.

Les oreilles percées : C'est une intervention indolore et inoffensive si elle est bien faite. La méthode la plus simple, couramment pratiquée dans les bijouteries et souvent chez les coiffeurs est l'utilisation du pistolet-perce-oreille. C'est une sorte d'agrafeuse qui à la fois perce l'oreille et y introduit une boucle provisoire en plaqué or, pour éviter allergie et infection. Cette boucle doit être gardée jusqu'à ce que la cicatrisation soit parfaite, au minimum un mois. Il faut veiller à bien désinfecter chaque jour, la circulation est peu active dans le lobe de l'oreille et la cicatrisation y est particulièrement lente.

LES DENTS

Tout le monde sait que les dents ont besoin de calcium. Elles sont constituées par la substance la plus dure du corps humain, le phosphate de calcium. Ce qu'on sait moins, c'est qu'une carence de vitamine D entrave l'assimilation et l'utilisation du calcium. La vitamine C est importante, elle aussi, pour renforcer les tissus conjonctifs. Le fluor protège les dents et dans certains pays les autorités en ajoutent à l'eau du robinet. On peut facilement en trouver dans des lotions ou pâtes dentifrices. On dit que la poudre d'os empêche les caries, car elle est riche en calcium, phosphore et fluor. Elle est faite d'os de veaux et de bouvillons finement moulus, et vendue sous forme de poudre ou de cachets. Les pommes, le céleri et les carottes nettoient et renforcent les dents, dont les grands ennemis sont le sucre et la farine blanche. Les bactéries s'y multiplient et une carie peut en résulter très vite, si l'on ne prend pas soin de faire disparaître toute trace par le brossage minutieux des dents.

La couleur des dents peut être trompeuse. Les dents très blanches ne sont pas nécessairement les plus saines. Cette blancheur peut au contraire indiquer qu'elles sont recouvertes d'un émail mou et poreux, trop épais et transparent. D'habitude, l'émail dur est mince et clair et laisse transparaître l'ivoire qu'il recouvre. Il est impossible de blanchir parfaitement cet émail très dur ; les pâtes dentifrices abrasives ne font que le rayer et risquent de provoquer des caries.

CARIES ET MALADIES : Avant 35 ans, la carie dentaire et les cavités qu'elle provoque sont les principales causes de la perte des dents. Passé cet âge, le principal coupable est une infection périodontale des gencives qui érode les tissus et les os. Cette infection peut d'ailleurs gagner d'autres parties du corps et causer de sérieux ennuis. Dans la plupart des cas, cette infection périodique peut être enrayée ou prévenue. Le tout est de contrôler la plaque dentaire, cause principale aussi bien de la carie que du délabrement des gencives. La plaque dentaire est un mélange de bactéries, de salive et de résidus alimentaires, qui adhère aux dents. Elle est incolore, transparente, invisible, Même les dents très blanches peuvent en être couvertes. Elle s'insinue dans les interstices entre les dents et autour de la racine, le long des gencives. Au bout de 24 heures, elle produit des acides qui attaquent l'émail, déclenchent la carie et fournissent en outre l'environnement idéal pour la formation du tartre, une matière rugueuse et dure qu'il faut faire enlever par un professionnel.

Si l'on n'élimine pas la plaque deux fois par jour en se brossant les dents, elle peut causer une inflammation des gencives, la gengivite. La réaction est très progressive : les gencives sont irritées, elles saignent, des ulcérations en résultent et les gencives se rétractent. A ce stade, la guérison est encore tout à fait possible, mais si rien n'est fait, l'inflammation dégénère en pyorrhée (ou périodontite). A mesure que les gencives se rétractent et que l'inflammation s'étend aux os, les dents commencent à se déchausser. La situation est grave, mais la chirurgie périodontale peut y remédier, tant que la maladie n'a pas atteint un stade trop avancé.

Si vous souffrez de cette affection, votre bouche et vos gencives sont rouges et gonflées ; elles vous démangent et saignent souvent. Vous avez mauvaise haleine et, après avoir mangé, vos dents sont douloureuses.

SOINS D'HYGIÈNE : Un brossage normal et routinier des dents n'élimine que 20 % de la plaque dentaire. Si vous ne le croyez pas, faites le test du révélateur : après vous être brossé les dents, laissez fondre dans votre bouche un cachet de révélateur, puis regardez-vous attentivement dans la glace ; les zones où il reste de la plaque et des débris alimentaires auront viré au rouge ou au violet. Lorsque vous vous brossez les dents, suivez ces règles :

Brosses à dents : Elles doivent avoir des poils minces et souples, à bout rond. Le nylon est excellent car vous pouvez en changer la consistance en trempant la brosse dans de l'eau froide pour l'affermir ou chaude pour l'amollir. Il faut changer de brosse tous les trois ou quatre mois. Les brosses électriques ne sont pas nécessairement meilleures. Quand vous brossez, dirigez les poils vers la racine et brossez dans le sens de la dent, vers le bas pour les dents du haut et vice-versa ; frottez vigoureusement le long de la gencive. Il est recommandé de détacher d'abord la plaque dentaire à la brosse puis de polir les dents avec la pâte dentifrice. Il faut compter de deux à cinq minutes.

Le fil de soie : Il est destiné à nettoyer entre les dents et sous les gencives, là où la brosse ne peut pas aller. Il faut s'en servir une fois par jour, de préférence le soir et avant de se brosser les dents. Son usage exige une certaine dextérité : prenez-en une bonne longueur, une trentaine de centimètres au moins, enroulez-le autour de vos deux index en le déroulant à mesure que vous en aurez besoin ; gardez le fil bien tendu. Après l'avoir passé doucement entre les dents, glissez-le sous les gencives et râclez dans le sens de la dent.

Les appareils à jet pressurisé : Ils sont particulièrement utiles pour celles qui portent des appareils dentaires ou des bridges car ils chassent les débris alimentaires et aident à éliminer la plaque dentaire.

Les bains de bouche : Les dentistes mettent en garde contre une utilisation excessive des bains de bouche du commerce, surtout ceux qui visent à rafraîchir l'haleine, car ils peuvent déséquilibrer la flore naturelle. Vous pouvez utiliser régulièrement un produit oxydant tel que l'eau oxygénée : elle tue les bactéries et assainit les gencives. Autre excellent bain de bouche naturel : une infusion de menthe poivrée ou bien de romarin, anis et menthe en quantités égales que l'on laisse infuser une demi-heure. Le persil et le cresson rafraîchiront votre haleine si vous avez mangé des plats trop épicés.

LES SOINS PROFESSIONNELS : La médecine dentaire compte désormais plusieurs spécialités. Le dentiste est chargé des soins et des problèmes d'esthétique. L'endodontiste traite les problèmes de racines. L'orthodontiste est spécialisé dans le bon fonctionnement, l'équilibre et l'alignement des dents (il n'en plombera jamais une seule car ce n'est pas son rôle) mais son travail servira sans doute à éliminer par la suite la nécessité de soins esthétiques. Il veille à la bonne santé de la bouche, des gencives et des os. L'hygiéniste (qui malheureusement n'est pas admis en France actuellement) est responsable du nettoyage et du détartrage de routine ; il utilise un appareil à ultra-sons dont les vibrations sont si rapides que vous ne sentez rien. En le passant doucement sous le bord de la racine et le long de la dent, il vous débarrasse de toute trace de plaque dentaire.

Tout le monde devrait se faire nettoyer et contrôler les dents tous les six mois. Il faut plomber les cavités dans les plus brefs délais, mais parfois vous ne voyez et ne sentez pas commencer les caries. La roulette et le plombage ne doivent vous causer aucune douleur. La plupart des dentistes administrent un anesthésique local (parfois même un tranquillisant auparavant), avant d'injecter dans la gencive un liquide, le plus souvent à base de xylocaïne. S'il s'écoule suffisamment de temps entre les deux, vous ne sentirez même pas l'aiguille.

Certaines cavités nécessitent un traitement de la racine : on élimine toute la partie infectée, puis la dent est stérilisée et remplie de métal ou de gutta-percha. Parfois il faut insérer un pivot dans la racine pour pouvoir y rattacher une jaquette en porcelaine. Il existe de nombreux plombages qui ressemblent à s'y méprendre à de l'émail, ce qui fait que les réparations ne se voient plus. Pour des raisons de solidité, on utilise toujours les alliages d'argent pour les molaires et pour un plombage vraiment important, rien ne vaut l'or.

LES SOINS ESTHÉTIQUES : Un dentier ne remplacera jamais les dents de façon satisfaisante et les soins esthétiques peuvent désormais remédier de façon radicale aux méfaits causés par la nature ou la négligence. Les couronnes et les bridges inamovibles ressemblent parfaitement aux dents véritables et reproduisent jusqu'aux petites imperfections et altérations de couleur si caractéristique. La porcelaine est généralement d'un plus bel effet que le plastique et elle est montée sur un support métallique qui la renforce ; il s'agit en général d'un alliage quelconque et d'or.

Pour mettre une jaquette, il faut d'abord limer la dent à la roulette, en ne laissant dépasser qu'un tronçon pointu que l'on recouvre d'une jaquette en plastique temporaire, fixée par du ciment. On prend alors une empreinte et la jaquette permanente est à son tour fixée par du ciment la fois suivante

Si les dents sont tombées, on peut mettre un bridge rattaché aux dents voisines qu'il faut consolider avant d'y fixer l'appareil. On ne peut garantir que les jaquettes ou les bridges dureront éternellement, car les gencives ont tendance à se rétracter à mesure qu'on vieillit. On doit pouvoir cependant les conserver au strict minimum 4 ou 5 ans : 10 ans est une moyenne et beaucoup de jaquettes durent bien plus longtemps.

Si l'on ne veut pas faire de gros travaux sur une dent cassée, fêlée ou ébréchée, il est possible de recouvrir l'endroit abîmé de résine adhérente qui se fond avec la texture et la couleur de la dent. On utilise cette même résine pour protéger les zones érodées près des gencives.

On peut aussi vous faire parfois des bridges amovibles qui exigent autant de minutie que la bijouterie fine. Ils ne ressemblent absolument pas à de fausses dents et il ne faut les retirer que pour les nettoyer.

Les implants dentaires ne sont pas toujours satisfaisants. Les implants naturels, c'est-à-dire la réimplantation d'une dent perdue mais intacte, ne durent que cinq ans environ, car l'os de la mâchoire envahit généralement la zone affaiblie de la racine et tue la dent. Les implants artificiels obligent à fixer un support ou un pivot en acier dans l'os maxillaire avant de le recouvrir de porcelaine ou de plastique. C'est la réaction de chaque individu qui détermine leur durée.

Pour des raisons esthétiques, il est possible de restructurer les dents pour donner une illusion de régularité sans modifier la structure de base.

MCCABE

8

BRAS ET JAMBES

LES BRAS

Il est très difficile de changer la forme de ses bras. Il est préférable évidemment qu'ils soient minces, mais pas maigres — malheureusement il est impossible d'étoffer un peu ses bras sans grossir de partout. Le haut du bras devient parfois flasque, surtout chez les femmes d'un certain âge : cela est dû à un manque de tonus musculaire. Il peut aussi être marbré lorsque la circulation est défectueuse. Dans les deux cas, une gymnastique quotidienne peut vous être bénéfique — voyez ci-après l'explication détaillée des mouvements. Si les bras sont vraiment trop flasques vous pouvez avoir recours à la chirurgie esthétique. C'est souvent nécessaire après une perte de poids considérable qui laisse apparaître un surplus de peau dont on ne peut se débarrasser autrement.

Comme toutes les parties du corps, les bras ont besoin d'être hydratés et massés. Lorsque vous appliquez votre lotion, massez-vous avec toute la paume de votre main, en remontant du poignet jusqu'à l'épaule. N'oubliez pas les coudes. D'une façon générale, tâchez de ne pas trop vous appuyer dessus, cela les rend rugueux. Pour les adoucir, frottez-les avec une lotion en décrivant des mouvements circulaire. Si vos coudes sont très gris, servez-vous d'un bon démaquillant ou frottez-les au citron. S'ils sont rugueux, essayez de les pétrir avec une pâte faite de farine d'avoine et d'eau, qui possède la propriété de nettoyer merveilleusement. Tous les bras sont plus ou moins poilus ; à moins que ce ne soit vraiment disgracieux, n'y touchez pas. Si les poils sont très sombres, décolorez-les plutôt que de vous décider à les enlever. Si vous y tenez absolument, faites-les épiler, mais ne les rasez jamais.

GYMNASTIQUE POUR LES BRAS : Il existe quatre bons mouvements qui améliorent le tonus musculaire et la circulation du haut du bras. Il faut les faire tous les jours ; un peu de gymnastique quotidienne est plus efficace

I

2

3

4

que beaucoup une fois par semaine. Il n'est pas indispensable de les faire tous ; n'en faites que deux, si vous préférez.

1. *Ronds de bras :* Debout, les pieds légèrement écartés, allongez les deux bras devant vous, à la hauteur des épaules, les paumes vers le sol. Rejetez les bras en arrière en vous efforçant de les garder le plus haut possible. Tirez-les loin derrière vous, jusqu'à ce que les bouts de vos deux mains se touchent. 6 fois au moins.

2. *Hausser les épaules :* Debout, les pieds écartés, tendez les bras sur les côtés, à la hauteur des épaules, les paumes en avant. Serrez les poings, pliez les bras de façon à ce que vos poings viennent s'appuyer contre vos épaules, au-dessus des seins, en imaginant qu'une force invisible vous résiste. Poussez fort, comme si vous vouliez presser l'une contre l'autre les parois de votre buste. Faites rebondir 2 fois les poings dans cette position et reprenez lentement votre position initiale. 6 fois au moins.

3. *Les poids :* Prenez un poids d'environ trois livres — haltère, poids, ou livre. Tenez-le fermement d'une main et levez ce bras au-dessus de la tête en le gardant bien tendu, le coude près du crâne ; le dos doit être bien droit. Pliez le coude et faites descendre le poids pour aller toucher derrière l'épaule opposée. Relevez le bras. 10 fois chaque bras, lentement, sans temps mort. Tâchez d'augmenter jusqu'à 20.

4. *Pour finir,* un mouvement isométrique où l'action offre une résistance au mouvement. Debout, dans l'encadrement d'une porte, les pieds légèrement écartés, serrez les poings et levez les bras en triangle en appuyant les poings contre le chambranle de la porte — les paumes vers l'avant. Inspirez profondément et efforcez-vous de repousser le chambranle. Comptez jusqu'à trois, relâchez. Commencez par 3 poussées et tâchez de passer à 5.

LES MAINS

Il y a 28 os dans la main et le poignet, tous imbriqués avec la plus grande précision pour assurer un maximum de mobilité. La peau du dos de la main est fine et douce ; elle contient de nombreuses glandes sébacées, productrices de sébum gras qui protège la peau, et des glandes sudoripares. La paume est plus rude et coriace ; elle aussi contient des glandes sudoripares mais, à l'encontre des autres parties du corps, pas de glandes sébacées. C'est donc une des parties les plus sèches du corps.

Ce sont souvent les mains qui trahissent l'âge — les visages peuvent être liftés, pas les mains. On a bien essayé de les « rembourrer » au silicone liquide, mais les résultats ne sont pas durables et on a constaté que l'opération pouvait avoir des conséquences dangereuses. Il vaut donc mieux s'efforcer de prévenir les méfaits de l'âge par des soins constants. Première règle d'or : l'eau est fatale pour les mains ; les détergents et

autres produits de nettoyage sont nocifs. L'exposition aux différents éléments — soleil, froid, humidité, mer, terre — ne vaut guère mieux.
Protéger et soigner sont donc des besoins quotidiens.

Rappelez-vous ceci : Portez des gants de caoutchouc pour tout ce qui se fait
dans l'eau, si possible doublés de coton pour absorber l'excédent d'humidité. Pour le jardinage, portez des gants spéciaux et mettez toujours des
gants pour sortir, s'il pleut, vente ou neige.

● Chaque fois que vous êtes obligée de vous mouiller les mains, séchez-
les soigneusement et enduisez-les de lotion.

● Lavez-vous les mains à fond plusieurs fois par jour avec un savon doux,
rincez-les à l'eau claire avant de les sécher doucement ; mettez chaque
fois de la crème. Une fois par jour, au moins, brossez-vous les doigts et les
ongles.

● Pour enlever les taches plus résistantes et les rugosités, servez-vous
d'une pierre ponce.

● Une fois par semaine (deux si vous avez le temps), avant de vous
coucher par exemple, massez vos mains avec une crème nourrissante.
Commencez par le bout des doigts et descendez jusqu'à la base, puis
massez la paume et le dos.

● Chaque fois que vous le pouvez, portez des gants de coton la nuit
par-dessus une couche de crème pour les mains.

● Traitement de première urgence : une couche de parafine chaude ouvre
les pores, élimine les toxines et nettoie.

● Le jus de citron nettoie et blanchit les mains : avant qu'il ait fini de
sécher, enduisez les maine de crème.

● Pour nettoyer et tonifier les mains, utilisez un masque, le même que
pour le visage.

● L'huile tiède — d'olive ou d'amandes douces — est le meilleur des
traitements contre la sécheresse ; donc, faites un bain d'huile d'une
demi-heure chaque semaine ; c'est aussi excellent pour les ongles.

● Pour protéger vos mains contre la sécheresse, les gerçures et autres
irritations, rincez-les avec une eau légèrement vinaigrée.

Certains problèmes nécessitent des soins spéciaux :
Taches brunes : On peut retarder et bien souvent prévenir l'apparition de
ces taches par l'application d'une crème solaire. Les taches déjà existan-
tes peuvent être partiellement atténuées par une crème dépigmentatrice
ou bien dissimulées sous une couche de fond de teint couvrant indélébile ;
les dermatologues peuvent atténuer les taches grâce à diverses techniques, dont la cryothérapie et l'électrodessication.
Engelures : Elles sont dues le plus souvent au manque d'activité des doigts
et à une protection insuffisante contre le froid et l'humidité. Faites des

exercices pour stimuler votre circulation, massez fréquemment vos doigts et veillez à ce que votre alimentation soit assez riche en calcium. Portez des gants chauds.

Gerçures et crevasses : Elles sont causées par le froid, la suractivité manuelle et la manipulation de produits desséchants. Nettoyez les crevasses au citron, puis faites-y pénétrer de l'huile d'olive avec du coton hydrophile. Lavez-vous les mains à l'eau savonneuse chaude, rincez-les à l'eau claire et terminez par un massage avec une crème très nourrissante. Répétez quotidiennement ces opérations. Si les crevasses sont très profondes, il ne faut pas les laisser en contact avec l'air. Couvrez-les d'albuplast que vous n'enlèverez que pour nettoyer et nourrir. Cette méthode aura raison des crevasses les plus résistantes.

Articulations gonflées : Cela peut être dû à des rhumatismes ou de l'arthrose, auquel cas il faut surveiller votre alimentation et consulter un médecin. La suractivité manuelle peut aggraver les choses et il est important de faire des mouvements pour les mains et les doigts et de vous masser les mains tous les jours.

Taches de jus de fruit et de nicotine : Pour les enlever, l'eau oxygénée et le citron sont imbattables. Pour les taches vraiment résistantes, frottez à la pierre ponce. N'oubliez pas de vous enduire ensuite les mains de crème, car le citron et l'eau oxygénée dessèchent beaucoup.

MOUVEMENTS POUR LES MAINS ET LES DOIGTS : Certains mouvements donneront à vos mains davantage de souplesse et de grâce et ils sont excellents pour la circulation.

1. *Ouvrir le poing :* Serrez fort le poing, restez ainsi une seconde, puis ouvrez brusquement la main le plus grand possible. Faites-le des deux mains en même temps. 6 fois.

2. *Écarter les doigts :* Tendez les mains droit devant vous, les paumes vers le bas, les doigts serrés. Écartez brusquement les doigts le plus loin possible. 6 fois.

3. *Mouvements circulaires :* Assurez-vous que vos mains sont molles et détendues, puis faites-leur décrire des cercles à partir du poignet, d'abord dans un sens, puis dans l'autre. 10 fois dans chaque sens.

4. *Ondulations :* En tenant les mains gracieusement, la paume vers le bas, soulevez-les lentement à partir du poignet, puis laissez-les retomber. Gardez-les très souples mais pas complètement molles. 10 fois.

LES ONGLES

L'ongle est une extension de la peau. La partie visible n'en constitue que la moitié environ ; l'autre partie, ou matrice, est presque entièrement cachée puisqu'on n'en voit que la lunule. La matrice est ovale et assez semblable à l'ongle proprement dit ; elle s'étend jusqu'à la première articulation. C'est là que se forme l'ongle, c'est là que notre corps transforme les protéines et certains autres éléments en ongles. Ceux-ci consistent en couches horizontales de kératine. La mollesse ou la dureté des ongles sont en partie héréditaires, mais l'alimentation a aussi son importance. Un régime riche en protéines, fer, calcium, potassium, vitamine B et iode vous aidera à avoir de beaux ongles. Les aliments tels que yogourt, céleri, carotte, soja, œuf et produits de la mer sont particulièrement bons. Les ongles reflètent assez fidèlement l'état général de la circulation ; il suffit de presser dessus et de voir à quelle vitesse le sang revient.

Qu'est-ce qui cause les irrégularités ? En effet, qui de nous ne décèle pas, de temps en temps, quelques sillons, bosses ou marque quelconque sur ses ongles ? Des bosses horizontales régulières sur tous les ongles dénotent une maladie passée, mais si un seul ongle est atteint, cela signifie plutôt que vous l'avez quelque peu maltraité ou que vous avez endommagé le cuticule avec un instrument coupant. Des soins assidus devraient en venir à bout. Les lignes verticales sont généralement héréditaires et s'accentuent avec l'âge ; elles dénotent parfois une sécheresse de l'ongle. Les taches blanches peuvent être symptome de maladie ou de tension nerveuse, ou bien elles sont dues à des poches d'air qui se forment sous l'ongle lorsqu'il pousse, auquel cas elles disparaissent éventuellement. Les ongles jaunissent à cause du tabac, de certains médicaments ou bien d'une pigmentation due au vernis à ongles ; c'est pourquoi il est important de toujours mettre une base. Les ongles qui se fendent ou se cassent sont souvent des ongles mal soignés.

Les ongles poussent à raison de 6 mm par mois. Un ongle met donc environ quatre mois pour aller de la cuticule à l'extrémité. Par conséquent, dès que vous commencez à soigner vos ongles, les résultats ne se font pas longtemps attendre. Les ongles poussent plus ou moins vite selon les individus et selon l'âge (leur croissance se ralentit à mesure qu'on vieillit). La grossesse accélère la pousse des ongles, de même que la chaleur, toute activité digitale (dactylographie, piano) et le massage des doigts de la base vers le bout. Les ongles des doigts du milieu poussent plus vite, ainsi que ceux de la main droite (si vous êtes droitière), ce qui semble indiquer que l'activité, quelle qu'elle soit, accélère la pousse.

S'ils sont exposés aux méfaits du grand froid, du grand soleil, du chlore ou des détergents, les ongles deviennent cassants. Ils s'amollissent si vous les mettez trop souvent en contact avec le savon et l'eau. En les coupant aux ciseaux vous encouragez les fentes et les cassures. Le vernis à ongles n'est pas nocif, au contraire, il protège et embellit. Quelques femmes y sont allergiques et il existe pour elles des formules anti-allergiques. Le dissolvant par contre dessèche beaucoup ; c'est une fausse économie que d'avoir recours à l'acétone pure et les dissolvants gras eux-mêmes doivent être utilisés avec parcimonie, pas plus d'une fois par semaine, lorsque vous faites votre manucure. Si votre vernis s'écaille entre-temps, il vaut mieux y faire une retouche que de l'enlever à chaque fois. Il est généralement mauvais de couper les cuticules.

Voici les soins de base pour avoir de beaux ongles :

● Limez toujours avec une lime en carton.

● Limez en amande, car les ongles en pointe se cassent beaucoup plus facilement. Ne limez pas trop loin sur les côtés.

● Amollissez les cuticules en les hydratant en permanence ; lorsque vous avez mis votre crème pour les mains, efforcez-vous de toujours repousser doucement les cuticules avec une serviette ou un kleenex.

Les ongles à problèmes exigent des soins spéciaux. Si vous suivez les conseils que voici, les résultats vous étonneront :

● Évitez au maximum le contact de l'eau ; portez des gants, nettoyez-vous les mains avec une crème plutôt que de les laver plusieurs fois par jour. En vous couchant, mettez une crème pour les cuticules.

● Une fois par semaine, faites tremper vos ongles dans de l'huile d'olive tiède, ne les essuyez pas et dormez avec des gants.

● Lorsque vous faites votre manucure, remplacez l'eau savonneuse par de l'huile tiède, mais n'oubliez pas de passer vos ongles au dissolvant avant d'appliquer le vernis, sans quoi celui-ci ne tiendra pas.

● Avant de mettre le vernis, polissez les ongles avec un polissoir et de la pâte ou de la poudre à polir pour lisser la surface.

● Bannissez tous les instruments métalliques : servez-vous de limes en carton et de bâtonnets de buis pour soulever les cuticules.

● Avant de mettre votre vernis, appliquez toujours une base.

● Essayez la cure de gélatine — 3 cuillerées à café rases par jour dans du jus de fruit ou une tasse de consommé chaud. Au bout de deux mois, les ongles devraient s'en ressentir. Seul inconvénient : lorsqu'on arrête le traitement, les ongles risquent de redevenir fragiles.

LA MANUCURE : Une véritable manucure de professionnelle n'est pas si difficile à réussir et si elle est faite lentement, méthodiquement et régulièrement, vous aurez des ongles impeccables. Pour que les ongles et les cuticules restent toujours bien nets, elle doit être hebdomadaire.

Équipement nécessaire et indispensable : Serviette, coton hydrophile, brosse à ongles, bol d'eau chaude savonneuse (pas de détergent, du shampooing doux ou un produit pour le bain).

Instruments : Lime en carton, deux pinces, une pour couper les ongles, une pour les cuticules, bâtonnets en buis, polissoir.

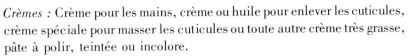

Crèmes : Crème pour les mains, crème ou huile pour enlever les cuticules, crème spéciale pour masser les cuticules ou toute autre crème très grasse, pâte à polir, teintée ou incolore.

Cosmétiques : Dissolvant gras, crayon blanc, base, vernis, laque protectrice, de quoi faire un pansement.

Marche à suivre :

1. Enlevez l'ancien vernis : mouillez un coton de dissolvant et pressez-le une seconde contre l'ongle pour amollir le vernis que vous enlèverez doucement. Un petit coup rapide ne suffit pas ; la méthode indiquée ci-dessus permet de faire disparaître même le vernis qui s'est glissé sous les cuticules.

2. Limez les ongles en amande à grands coups de lime, des côtés vers le centre ; jamais de mouvements de va-et-vient ; ne coupez jamais l'ongle aux ciseaux. S'il est abîmé ou trop long, taillez-le droit avec la pince et donnez-lui une forme à la lime, en veillant à laisser les côtés et le bout bien carrés si l'ongle est court. Cette forme le rendra plus fort et vous pourrez l'arrondir plus tard. Si vos ongles sont fragiles, gardez-les courts, à peine plus longs que le bout du doigt ; vos mains seront quand même élégantes. Ne les limez pas trop dans les coins, cela nuit à la croissance.

3. Massez les ongles avec une crème pour les cuticules ou une crème nourrissante ; cela stimule la base de l'ongle et aide à détacher les peaux mortes.

4. Faites tremper les ongles dans de l'eau tiède savonneuse une dizaine de minutes ; s'ils sont sales et tachés, frottez-les doucement avec une brosse en sanglier. Après le trempage, essuyez soigneusement chaque ongle avec une serviette bien sèche.

5. a) Enduisez les cuticules de crème pour les amollir.

   b) Avec un bâtonnet entouré de coton humide que vous retremperez à l'occasion dans l'eau savonneuse, repoussez et soulevez délicatement les cuticules. Soyez très douce ; si vos gestes sont trop brusques, vous risquez d'abîmer la matrice de l'ongle et le nouvel ongle poussera avec des bosses.

   c) Si vous voyez des peaux mortes, coupez-les soigneusement à la pince ; ne coupez pas toute la cuticule, il faut éviter de trop dégager la base de l'ongle, car cela rend la cuticule plus coriace et la fait repousser d'autant plus vite. Si une tache s'est infiltrée sous votre ongle ou le long du côté, frottez avec un coton-tige trempé dans l'eau oxygénée.

6. Appliquez une lotion pour les mains et massez les mains et les doigts ; veillez à bien tirer sur les doigts à la hauteur des articulations.

7. Replongez les bouts de vos doigts dans l'eau et brossez pour débarrasser l'ongle de toute peau qui adhérerait encore et de toute trace de graisse.

8. Si besoin est, passez un crayon blanc sous le bout de l'ongle.

9. Si vous voulez polir vos ongles ou bien si vous avez besoin d'un ou de plusieurs pansements, c'est le moment. Le polissage est un des meilleurs traitements pour les ongles, soit pour les préparer au vernis en stimulant la circulation, soit pour les rendre brillants sans vernis. Mettez un soupçon de pâte à polir sur chaque ongle et frottez-les doucement, toujours dans le même sens, avec un polissoir ou une peau de chamois. Comptez une minute par ongle. Si vous désirez rosir vos ongles, servez-vous d'une pâte teintée. Si vous voulez uniquement stimuler votre circulation, ne mettez pas de pâte.

10. Appliquez le vernis. Quel que soit le doigt, tâchez de recouvrir tout l'ongle en trois coups de pinceau sur toute la longueur, un au centre et un de chaque côté. Une couche de base assure une surface plus lisse et empêche le vernis de décolorer l'ongle. Le vernis fortifie l'ongle tout en le colorant. A vous de décider combien de couches vous voulez : deux au minimum, mais certaines spécialistes en conseillent quatre. La laque protectrice aide à protéger l'ongle et empêche le vernis de s'écailler. Mettez aussi du vernis sous le bout de l'ongle. Le vernis vous permet d'obtenir certains effets spéciaux : atténuez la taille des mains trop grandes en vernissant l'ongle entier ; recouvrez tout l'ongle s'il est court ou petit ; allongez les doigts trop courts et les ongles trop larges en n'appliquant le vernis qu'au centre de l'ongle ; pour les ongles courts et les mains trapues, les couleurs pâles sont préférables ; les teintes sombres accentuent la fragilité des mains ; les teintes tirant sur l'abricot, le rouge orangé et le rose mettent le bronzage en valeur.

11. Pour terminer, passez un coton-tige imbibé de dissolvant tout autour de l'ongle pour faire disparaître toute tache de vernis.

Les pansements : Si un ongle se fend ou se casse, il n'est pas toujours nécessaire de le couper — parfois même, lorsque la cassure est profonde, il peut être à la fois douloureux et laid de le faire, sans parler des risques d'infection. Il suffit de mettre un pansement jusqu'à ce que l'ongle ait suffisamment poussé pour pouvoir éliminer la cassure. C'est une technique qui exige une certaine dextérité un peu longue à acquérir, mais vous devriez finir par être capable de poser un pansement invisible sous le vernis :

1. Avec un coton imbibé de dissolvant, nettoyez l'ongle à fond.

2. Arrachez un petit morceau de papier spécial, un peu plus grand que la surface à recouvrir ; ne le coupez pas car les bouts effilochés se fondent mieux avec la surface de l'ongle et ont moins tendance à se décoller.

3. Enduisez le papier de colle spéciale ; en vous servant d'une pince à épiler ou d'un bâtonnet, posez-le sur l'ongle, avec le bout effiloché dans le prolongement ; il faut laisser dépasser un peu de papier pour pouvoir le rabattre sous l'ongle.

4. Lissez le papier contre l'ongle avec un coton-tige imbibé de dissolvant. Rabattez sous l'ongle le papier qui dépasse et assurez-vous que votre pansement adhère parfaitement à toute la surface qu'il couvre et que vous avez bien fait disparaître tout excès de colle ; veillez aussi à éliminer toutes les bulles d'air entre le pansement et l'ongle.

5. Recouvrez d'abord de base, puis de vernis et enfin de laque protectrice. Si vous en prenez soin, un pansement doit tenir l'espace de deux changements de vernis au moins.

Les pansements préventifs : Vous pouvez adopter la même technique pour protéger un ongle à problèmes pendant sa repousse. Recouvrez tout l'ongle de papier dont le bout effiloché se trouvera à la base de l'ongle et l'autre replié dessous ; lissez bien le papier contre l'ongle. Peut-être faudra-t-il rajouter un peu de colle sous l'ongle pour maintenir le pansement. Appliquez la base, le vernis et la laque protectrice.

Les faux ongles : Ils doivent être réservés exclusivement aux urgences. Il y en a de deux sortes : ceux que l'on colle et ceux que l'on façonne soi-même avec une espèce de ciment. Des ongles en ciment invisibles et très solides sont faits dans certains instituts spécialisés. Ils sont une excellente solution pour permettre à des ongles très abîmés — ou rongés — de repousser.

LES JAMBES

La longueur et la forme de la jambe sont héréditaires et rien ne peut les changer. Par contre, la graisse et la cellulite s'accumulent au fil des ans et on peut parfaitement les empêcher de s'installer, ou tout au moins les contrôler. En général, les déboires commencent après la fin de la croissance ou bien ils sont dus à une totale négligence pendant la puberté. La jambe représente environ un tiers du poids du corps, mais la cheville doit supporter le corps entier et c'est l'une de nos plus solides articulations. Le genou est la plus grosse articulation et c'est lui qui soutient le plus gros de tous nos os, le fémur. L'aspect de la cuisse dépend de la conformation des muscles supérieurs et inférieurs et de la masse de chair qui recouvrent l'os. C'est souvent là que commencent tous nos malheurs, d'abord parce que c'est une partie que nous ne faisons généralement pas assez travailler, et aussi parce que c'est une zone qui contient une couche particulièrement épaisse de tissu adipeux, qui ne demande qu'à se gonfler encore de tout un stock de graisse emmagasinée. Seules l'activité physique régulière et une alimentation soigneusement contrôlée peuvent protéger, corriger et préserver la forme de vos cuisses. Le défaut de la plupart des jambes, c'est tout simplement qu'elles sont trop grosses au-dessus du genou. Si vous avez les jambes enflées, c'est une autre histoire, vous faites probablement de la rétention d'eau.

De nature, les jambes sont plutôt sèches, car elles ne contiennent pas assez de glandes sébacées actives pour que la peau reste lisse et luisante. Il est donc important de les lubrifier avec une lotion ou une crème pour le corps après avoir pris votre bain, plus souvent l'été ou elles sont nues et plus sèches en raison du contact du soleil et de la mer.

Les jambes sont couvertes de poils. Certaines peuplades attribuent à ce phénomène un pouvoir érotique, mais du point de vue esthétique, il vaut mieux les faire disparaître.

LA CELLULITE : la cellulite est fort laide et tend à s'accumuler en haut des cuisses, autour du genou, sur les hanches et les fesses. Elle est due davantage aux abus qu'à l'âge et elle peut très bien exister chez les femmes d'une corpulence normale, voire chez les maigres. La cellulite met un certain temps à apparaître, et encore beaucoup plus longtemps à disparaître. Les grandes causes en sont la mauvaise circulation et la rétention d'eau : c'est cette dernière qui donne à la peau son vilain aspect bouffi et irrégulier de peau d'orange. La cellulite est généralement due aussi au manque d'exercice et à l'abus d'hydrates de carbone sucrés et féculents. Certains médecins pensent qu'elle est causée par une sécrétion excessive d'œstradiol (hormone féminine), ce qui laisserait en toute logique supposer l'existence d'un traitement médical. Or, pour le moment, seuls les traitements physiques — soins personnels et traitements en institut — donnent des résultats. Essayez la méthode suivante, qui exige une parfaite régularité quotidienne — c'est la seule façon d'obtenir des résultats.

Alimentation : Réduisez les graisses, les sucres et les féculents ; rabattez-vous sur les viandes riches en protéines, les légumes verts, les salades et les fruits. Mangez beaucoup de concombre, aliment diurétique par excellence, qui aide à raffermir les tissus. Mangez tous les jours des concombres en salade — finement émincés avec leur peau, assaisonnés d'huile d'olive, ail, jus de citron et persil (pour combattre l'odeur de l'ail).

Activité physique : La marche et la natation sont idéales, ainsi que la bicyclette, vraie ou fausse, c'est-à-dire en pédalant dans le vide couchée sur le dos, les mains sous les hanches. Chez vous, prenez l'habitude de marcher au pas de l'oie ; vous sentirez les muscles internes de vos cuisses travailler dur pour garder vos jambes dans l'alignement.

Applications : Vous pouvez faire pénétrer dans la peau des crèmes anti-cellulite en vous massant les cuisses, mais en fait c'est bien souvent le massage qui agit plutôt que la crème. Le lierre entre dans la composition de nombreuses crèmes de ce genre et lorsqu'il est utilisé seul, il a un effet indéniable sur la cellulite. Vous pouvez broyer du lierre pour vous en faire des cataplasmes. Ou bien obtenir une solution, en faisant tremper du lierre dans de l'eau froide pendant 24 heures et en vous en servant pour baigner de façon répétée la zone qui vous préoccupe.

Frictions : Elles servent à stimuler la circulation, à accélérer le métabolisme des cellules graisseuses. Pincez-vous la peau à travers une serviette de bain ; frappez la zone avec des éponges ou des gants de toilette chauds et froids en alternance ; frictionnez-vous avec un loofah ou un gant de crin, de nylon ou de caoutchouc rugueux ; saupoudrez le gant de gros sel et faites vibrer la peau.

Massages : Il faut veiller à ne pas trop masser votre corps et à ne pas le traiter trop durement ; massez avec de l'huile, de la crème nourrissante ou de la crème anti-cellulite, et veillez à ce que les mouvements montent toujours en direction du cœur ; ils ne doivent jamais descendre. Ne vous contentez pas de frotter ; des deux mains, tordez et pressez la peau flasque comme si vous vouliez la vider de son eau, puis avec les poings lissez-la en remontant. Pour les jambes, saisissez des deux mains une de vos chevilles et remontez jusqu'au genou en tordant. Pour l'intérieur de la cuisse, pétrissez puis lissez la peau. Pour les fesses, placez-vous de profil à 10 cm d'un mur et en vous tournant légèrement, frappez d'abord un côté, puis l'autre.

L'eau : Un jet d'eau projeté contre le corps est excellent — qu'il s'agisse d'un jet dans une piscine ou d'une douche particulièrement forte. Les douches écossaises d'eau froide et chaude sont bonnes aussi — prenez une douche froide suivie d'un bain chaud ou bien douchez à l'eau froide et chaude en alternance certaines zones spécialement atteintes. Il est aussi recommandé de prendre tous les soirs des bains chauds où l'on a dilué du sel d'Epsom.

Traitements : Les instituts de beauté préconisent chacun leur méthode individuelle pour lutter contre la cellulite — parafine, boue, vapeur, eau, traitements électriques et aux enzymes, généralement suivis d'un massage. L'aromathérapie revendique également de bons résultats contre la cellulite (voir *La médecine parallèle* p. 286).

CHEVILLES ÉPAISSES : Certaines femmes ont des chevilles naturellement charnues et épaisses que rien ne peut faire mincir. Dans ce cas, la masse de chair est importante, mais ferme. Par contre, si elle est flasque, il doit s'agir de rétention d'eau, comparable à la cellulite et que l'on peut combattre par les mêmes moyens — régime, sport, massage, traitements.

CHEVILLES ENFLÉES : Ces enflures sont généralement passagères et anormales ; pour vérifier, pressez du doigt la zone enflée. Si votre doigt laisse un trou qui disparaît lentement, c'est un état éphémère. Il s'explique par le fait que le sang et les fluides du corps doivent lutter contre la pesanteur pour remonter des extrémités vers le cœur. Lorsque vous êtes restée debout toute une journée, il est possible qu'une partie des fluides que contient votre corps se soit infiltrée dans les tissus qui enveloppent vos chevilles et les fasse gonfler. Si vous êtes pieds nus ou que vous portez des sandales ouvertes, ce sont vos pieds qui auront tendance à enfler. Le remède est simple : il suffit de surélever les pieds par rapport à la tête pour favoriser la circulation vers le haut. L'enflure disparaîtra, mais il faut parfois plus d'une heure. Les gonflements dus aux varices sont très semblables et on peut également y remédier en surélevant les pieds ; les bas à varice sont aussi d'un grand secours.

Autre cause d'enflure des chevilles — et l'une des plus communes — le déséquilibre hormonal qui survient juste avant les règles ou pendant la grossesse. Beaucoup de femmes de trente et quarante ans se plaignent d'avoir les chevilles enflées la semaine qui précède leurs règles. L'augmentation artificielle des taux d'hormones provoque une rétention d'eau et c'est pour cette raison que certaines femmes ne supportent pas la pilule anticonceptionnelle. Les femmes plus âgées qui prennent des pilules aux hormones souffrent de troubles analogues. Pour combattre l'enflure, il faut absolument juguler la rétention d'eau. Commencez par contrôler votre consommation de sel ; à cause du taux hormonal élevé, les reins retiennent le sel à l'intérieur du corps et la rétention de sel provoque invariablement une rétention d'eau. Ensuite, mangez des aliments diurétiques — légumes verts, fruits et certaines infusions ; les concombres et les artichauts sont particulièrement efficaces. Enfin, prenez des bains de pieds dans de l'eau salée et essayez les compresses au lierre.

VAISSEAUX ÉCLATÉS : On voit parfois apparaître sur les cuisses, derrière les genoux ou autour des chevilles de fins réseaux de vaisseaux sanguins. Ils ne sont guère esthétiques mais ne présentent généralement aucun caractère de gravité. Parfois ces vaisseaux sont contrôlés par les hormones et c'est pourquoi on les voit apparaître en cours de grossesse. Vous en aurez peut-être aussi si vous prenez la pilule ou si vous êtes alcoolique. Les gaines trop serrées et les bottes ne causent pas d'ennuis veineux, mais il n'est pas sain d'en porter constamment, ni d'avoir les jambes enfermées en permanence dans des collants en fibre synthétique. Les vaisseaux éclatés sont en fait un problème cosmétique et on peut les cacher avec un fond de teint spécial appliqué en remontant. On peut également avoir recours à des piqûres ; les vaisseaux s'atténueront et finiront par disparaître, mais vous aurez peut-être des bleus pendant quelques temps. On peut aussi empêcher le réseau de s'étendre, grâce à un traitement électrique qui coagule le sang. Pour faire disparaître ce genre d'imperfection, il faut compter d'autant plus de temps que vous les avez depuis longtemps.

VARICES : Elles sont à la fois laides et souvent dangereuses. Elles sont dues à un mauvais fonctionnement du réseau sanguin situé dans les jambes et sont très répandues chez les Occidentales. Les veines des jambes sont soumises à une très forte tension puisqu'elles défient la gravité en ramenant le sang vers le cœur. Certaines sont incapables de résister à ce régime. Les veines sont de longs tubes aux parois élastiques à l'intérieur desquels le sang coule à sens unique sous le contrôle de valvules. Parfois ces parois s'amollissent ou bien les valvules fonctionnent mal et au lieu de se fermer pour empêcher le sang de retomber, elles se relâchent, fléchissent et laissent un peu de sang s'infiltrer dans le mauvais sens ; celui-ci se heurte alors au flux principal qui arrive dans l'autre direction, les parois élastiques gonflent et, avec le temps, il se forme un nœud permanent de veines bleuâtres et tordues. On ne connaît pas encore exactement les causes de cette faiblesse valvulaire, mais il y a certainement des facteurs héréditaires qui jouent. Les excédents de poids aussi font pression sur les veines.

Les varices ne guérissent pas toutes seules. C'est au contraire un mal qui progresse et qu'il faut traiter dès le début car il peut s'aggraver au point de provoquer des complications telles que thromboses, eczémas et ulcérations. Les varices les plus graves sont les varices post-thrombotiques. Elles se présentent généralement sous la forme d'un groupe de petites veines autour de la cheville, qui provoque enflure et taches brunes. Si on ne les soigne pas, elles risquent d'entraîner des ulcérations.

On peut traiter les varices soit par la chirurgie, soit par les piqûres. Les deux méthodes sont tout à fait différentes et c'est à vous et à votre médecin de décider laquelle est préférable dans votre cas. La veine la plus souvent touchée est la grande saphène qui va du pied à l'aine sur la face interne de la jambe ; la petite saphène est souvent atteinte elle aussi et les varices apparaissent derrière la jambe. La chirurgie réussit dans 95 % des cas. Avec une opération soigneusement faite, vous n'aurez jamais plus d'ennuis avec la veine en question, mais d'autres veines peuvent nécessiter par la suite d'autres interventions.

Les piqûres conviennent à tous les genres de veines ; outre les injections, le traitement comporte des bandages et des exercices et nécessite aussi une bonne dose de patience, car il faut le poursuivre six mois au minimum avant d'atteindre la guérison. On injecte dans la veine un liquide sclérosant qui a pour effet d'irriter les parois de la veine qu'il rend rugueuses et qu'il resserre ; les jambes sont alors étroitement bandées de la cuisse à la cheville ; il faut noter que l'injection du liquide est beaucoup moins importante qu'un diagnostic soigneusement établi et que la technique du bandage compressif ; elle ne fait que déclencher les réactions en chaîne qui vont amener la veine à se vider et souder les deux parois. Il est absolument impératif de ne pas déranger les bandages ; pas de bains donc, juste des douches, avec un sac en plastique pour couvrir le bandage. Il faut parcourir au minimum 1,5 km à pied tous les jours (certains médecins disent même 3 km). Les piqûres et le bandage prennent moins d'une heure, mais les soins consécutifs sont assez considérables. Cette méthode connaît une forte proportion de réussites ; bien souvent des taches brunes apparaissent quand les veines se sont resserrées, mais vous pouvez toujours les maquiller.

Évidemment, la prévention est encore la meilleure méthode. Si votre famille est sujette à la fragilité veineuse, il faut veiller à reposer vos jambes le plus possible, porter peut-être des bas à varices à titre préventif, éviter de rester debout trop longtemps et marcher tous les jours le plus possible. Surveillez votre alimentation ; l'obésité est très mauvaise pour les jambes et même les femmes minces diminuent le risque d'avoir des varices si elles mangent beaucoup de protéines et réduisent leur consommation de sucre et de féculents.

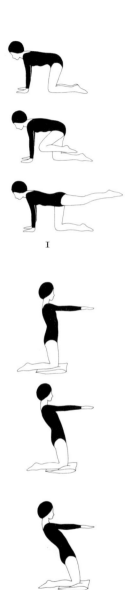

BRÛLURES SUPERFICIELLES : Une fois que la peau est abîmée par ce genre de brûlures, il faut un certain temps avant que les traces disparaissent. C'est parce que les brûlures ont atteint la couche interne et qu'il faut attendre que tout l'épiderme soit tombé pour voir les cellules endommagées remonter à la surface et tomber à leur tour. Pour faire disparaître les taches, essayez l'eau oxygénée diluée. Veillez à bien hydrater les jambes avec une crème après chaque bain, tout particulièrement la zone du tibia peu enveloppée de chair.

MOUVEMENTS POUR LES JAMBES : Vos jambes ne garderont une belle forme et une excellente condition que si vous leur faites faire quotidiennement de l'exercice. Voici quatre mouvements fondamentaux destinés à les affiner et à les raffermir. Ne les exécutez que quelques fois pour commencer et augmentez progressivement jusqu'à vingt minutes pour l'ensemble. C'est de ce genre de soins que vos jambes ont besoin ; vous verrez s'améliorer non seulement leur forme, mais leur santé, car ces mouvements maintiendront la circulation à un niveau tonifiant.

1. *Extension à quatre pattes* (pour les cuisses et les fesses) : A quatre pattes, le dos bien tiré, les bras tendus, pliez le genou gauche en le relevant vers la poitrine, puis tendez la jambe en arrière dans le prolongement de la fesse. 10 fois sans reposer la jambe. Recommencez avec l'autre jambe.

2. *A genoux en oblique* (pour les cuisses et les jambes) : A genoux, le dos droit, les bras tendus devant vous, en gardant le buste bien droit, le postérieur rentré, les hanches en avant, penchez-vous lentement en arrière le plus loin possible — sans forcer sur les cuisses et sans vous écrouler. A mesure que vos cuisses se muscleront, vous pourrez vous pencher de plus en plus loin. Revenez à la verticale. 8 fois.

3. *Plier les genoux* (pour les jambes et les cuisses) : Debout, les pieds légèrement écartés, les paumes sur les cuisses, montez sur la pointe des pieds, puis pliez les genoux en les ouvrant vers l'extérieur et accroupissez-vous ; relevez-vous jambes tendues, reposez les talons. 10 fois au début, puis autant de fois que vous le pourrez.

4. *Faire rebondir les genoux* (pour les genoux et les mollets) : Assise par terre, les jambes allongées en V bien ouvert, pliez légèrement les genoux en ramenant les talons vers vous, tendez les jambes et faites rebondir l'arrière des genoux par terre 2 fois ; resserrez les jambes droit devant vous. 10 fois.

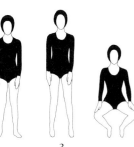

3

LES PIEDS

Si nous tenons debout, c'est grâce à nos pieds. La majeure partie de leur force vient du gros orteil rattaché à un muscle centré sur le tibia ; c'est la cambrure du pied qui amortit le poids du corps. Le véritable point d'équilibre se situe au niveau de l'éminence métatarsienne, mais la position exacte varie selon les individus. La façon dont vous placez vos pieds et maintenez votre corps en équilibre détermine votre maintien et votre démarche. Pour trouver le point d'équilibre idéal, tenez-vous debout, pieds nus orientés droit devant vous, écartés de 20 cm environ. Détendez-vous, les bras souples le long du corps, puis sans lever les talons, balancez-vous doucement. Si vous ne vous crispez pas, votre corps s'arrêtera de lui-même au point d'équilibre qui vous convient. Concentrez-vous pour vous rappeler sa position exacte sous le pied et servez-vous-en désormais consciemment. Vous serez étonnée du sentiment de légèreté que vous éprouverez.

4

Dans la structure du pied, les éléments les plus importants sont, dans l'ordre : les muscles, les os et la peau car c'est dans cet ordre que les pieds se détériorent. Chaque pied comprend 26 petits os délicats ; c'est la plus forte concentration osseuse du corps. Il y a également de trois à quatre fois plus de ligaments et de muscles qui maintiennent ces os en place et donnent au pied sa vigueur et son élasticité. La cambrure, qui doit porter tout le poids et fournir la grâce, n'est pas vraiment une cambrure mais un ensemble de trois cambrures différentes, deux dans le sens de la longueur et une dans celui de la largeur.

La structure du pied est très semblable à celle de la main, mais les orteils n'ont pas la mobilité du pouce et des doigts. Cependant, les pieds ne devraient pas rester aussi inactifs et inertes qu'ils le sont d'habitude. Les pieds dont les orteils ne sont pratiquement jamais mis à contribution souffrent d'une mauvaise circulation dont découlent de nombreux problèmes. Les pieds qui ne font jamais de gymnastique ont des muscles flasques qui deviennent incapables de supporter le poids du corps et de maintenir correctement en place les os de soutien. Par conséquent, ces derniers trop sollicités sortent de leur alignement : la cambrure s'affaisse ; des oignons se forment.

90 % des problèmes de pied sont imputables aux chaussures trop petites, trop étroites, trop pointues ou trop hautes. L'étroitesse provoque des cors et des oignons, qui sont une sorte d'auto-défense contre la pression exercée sur le pied. Les talons de plus de 5 cm empêchent la cambrure d'encaisser correctement les chocs, ce qui provoque des maux de tête et de dos et se répercute sur les muscles des jambes et sur le maintien.

Changez de hauteur de talon tous les jours et plusieurs fois au cours de la journée. Plus le talon est bas, plus les jambes travaillent normalement, mais comme chaque hauteur fait travailler des muscles différents, il est bon de les varier.

Assurez-vous que vos souliers sont parfaitement à votre taille. Il doit y avoir une bonne pincée de cuir entre les deux côtés de la chaussure à l'endroit du cou de pied (généralement l'endroit le plus large) et pas moins d'un demi-centimètre entre le bout du gros orteil et le bout de la chaussure. Tâchez d'acheter vos chaussures l'après-midi car les pieds sont moins gonflés le matin et une chaussure qui vous va à neuf heures peut vous faire souffrir le martyre à seize. Dites-vous que vos chaussures sont comme des gants et pensez à les ôter quand vous rentrez chez vous.

Soins des pieds : Des soins journaliers font beaucoup pour le bien des pieds et vous les verrez réagir aussitôt à votre sollicitude !

● Brossez vos pieds tous les jours avec une brosse à ongle ; brossez chaque orteil individuellement, la cambrure, la plante et le talon.

● Passez la pierre-ponce sur les cors et les durillons.

● Massez-vous souvent les pieds avec une lotion pour les mains et le corps, en insistant sur chaque orteil et bien sur le talon.

● Lorsque vous mettez de la crème, repoussez les cuticules comme vous le faites pour les ongles des mains.

● Talquez vos pieds, le talc absorbe l'humidité.

● Faites-vous une pédicurie tous les dix jours.

● Protégez les zones sensibles en les enveloppant ou en les recouvrant de coton hydrophile.

● Pour les pieds fatigués, prenez un bain de pieds à l'eau salée — deux cuillerées à soupe de sels d'Epsom par litre d'eau tiède ; plongez-les ensuite dans de l'eau froide parfumée aux sels ou à l'huile de bain et enfin dans de l'eau très froide additionnée d'un peu de tonique astringent.

● Le jus de citron adoucit la peau et soulage les pieds fatigués.

● Si vous transpirez des pieds, tamponnez-les deux fois par jour à l'alcool à 90° et talquez-les, surtout par temps chaud.

● Si vous avez des ampoules, saupoudrez-les de maïzena.

● Allez pieds nus le plus souvent possible — sur le sable, l'herbe, la moquette ; les pieds ont besoin d'air et de liberté.

● Les os des pieds ont besoin de vitamine D — le soleil en est une excellente source.

● Si vous avez mal aux pieds, n'hésitez pas à aller consulter un pédicure médical, même s'il ne s'agit que d'un simple cor.

LES CORS : Ils sont causés par la pression ou la friction des bas ou des souliers, et constituent en fait une espèce de protection, puisque le corps s'efforce de fabriquer une véritable carapace pour protéger et rembourrer le pied. Les cors sont faits de peau morte durcie en forme de cône dont la pointe est tournée vers l'intérieur. Lorsque cette pointe appuie sur un nerf, la douleur est parfois fort vive. Les cors sont généralement situés aux articulations des orteils. Beaucoup de gens souffrent d'une déformation appelée « orteil en marteau ». C'est le second orteil (d'habitude le plus long de tous) qui se plie à l'articulation et il se forme des cors de chaque côté de la pliure. Vous pouvez aussi avoir des cors sous le pied, causés par l'irrégularité de la semelle de vos souliers. On peut aussi avoir entre les orteils des sortes de cors mous appelés œils-de-perdrix.

Pour vous en débarrasser, il faut faire appel aux services d'un professionnel. En attendant, vous pouvez soulager la douleur en prenant un bain de pied d'eau salée pendant une heure. Il serait imprudent d'essayer de supprimer vous-même le cor avec un couteau, un rasoir ou des ciseaux, car vous pourriez déclencher une infection.

LES OIGNONS : Ils apparaissent sur l'articulation à la base du gros orteil. Il s'agit d'un épaississement de la peau au sommet du métartarse qui forme une bosse douloureuse sur le côté du pied et qui peut avoir de multiples causes — des chaussures trop courtes ou trop étroites, des bas trop serrés. Le relâchement du muscle au centre du pied et le manque d'activité du gros orteil qui devient de ce fait raide et dépourvu de souplesse, jouent aussi un rôle important. Dès que vous croyez discerner un oignon, consultez un spécialiste, faites des mouvements pour le pied et les orteils et protégez-le avec un pansement de gaze ou de caoutchouc. Si l'articulation est complètement déformée, peut-être faudra-t-il opérer, car si l'oignon est en partie une masse de peau durcie, il est aussi constitué d'une excroissance osseuse. Il faut inciser le long de l'articulation du gros orteil, jusqu'au-delà de l'oignon et enlever l'excroissance. L'opération entraîne une semaine d'hospitalisation et les suites sont parfois douloureuses, particulièrement lorsqu'on recommence à marcher. On enlève les fils au bout de deux semaines, mais il faut bien compter six semaines avant de pouvoir remettre des chaussures normales.

LES DURILLONS : Ils sont dus à la friction de chaussures mal adaptées à votre pied. Ils sont moins douloureux que les cors car ils n'ont pas de racine, mais ils peuvent néanmoins gêner considérablement. Il vaut mieux les faire enlever par un spécialiste, mais vous pouvez déjà éprouver un certain soulagement en frottant la zone avec une pierre ponce ou un gant de crin ; faites suivre d'une application de crème pour le corps.

LES VERRUES PLANTAIRES : Il s'agit d'un virus que l'on contracte en marchant pieds nus. Elles sont très douloureuses, car elles poussent vers l'intérieur. Parfois il n'y en a qu'une, parfois toute une grappe. Bien souvent il suffit de placer sous l'endroit où elles se trouvent un anneau de feutre. Autrement, il faut aller voir un pédicure qui vous débarrassera du virus et qui enlèvera la verrue. Il existe quatre méthodes : les pâtes ou liquides acides, les traitements électriques, la neige carbonique ou bien la chirurgie, si la verrue est enracinée très profondément.

LE PIED D'ATHLÈTE : Il s'agit en fait d'un champignon infectieux que l'on attrapait jadis bien souvent en se déplaçant pieds nus dans les gymnases ou les piscines. Ce champignon se développe sur les zones chaudes et humides de la peau, il se propage facilement et il est terriblement contagieux. C'est une espèce d'herpès qui apparaît tantôt entre les orteils et tantôt sous la plante des pieds. Les symptômes vont de la plaque d'eczéma qui démange, aux fissures de la peau entre les orteils, en passant par les ampoules sous les orteils.
Il n'est pas facile de prévenir le mal : si vous marchez au bord d'une piscine, prenez soin de vous laver les pieds aussitôt après et de les essuyer bien à fond, surtout entre les orteils. Tâchez de conserver en permanence les pieds le plus au sec possible et pensez à les dégager des chaussures et des bas qui retiennent l'humidité. Il existe toutes sortes de préparations liquides ou en poudre pour lutter contre ce mal, mais s'il persiste, consultez un spécialiste. Vous aurez de bons résultats en l'espace de deux semaines.

LES INFECTIONS DES ONGLES : C'est la plus répandue de toutes les infections des pieds. Elle porte le nom d'onychomycose et elle aussi est due à un champignon qui décolore et épaissit l'ongle à tel point qu'il devient impossible de le couper. Ce n'est pas nécessairement douloureux, mais c'est extrêmement laid à voir et si l'ongle frotte contre un des orteils voisins, il peut provoquer un cor ou une plaie. L'ongle du gros orteil est le plus souvent touché. Ce champignon est lui aussi contagieux et prolifère à la chaleur et à l'humidité. Le traitement consiste à rogner et à limer les parties atteintes de l'ongle afin de pouvoir enduire d'un certain liquide traitant la surface molle qui se trouve en dessous, pour détruire le champignon. Il faudra peut-être compter plusieurs semaines, mais le traitement ne prend que quelques minutes par jour. Parfois, il faut attendre la repousse complète d'un ongle pour qu'il redevienne parfaitement sain.

LES ONGLES INCARNÉS : Cela peut être affreusement douloureux, car les bords de l'ongle pénètrent de force dans la peau. Cela peut venir soit d'un ongle mal coupé (taillé sur les côtés au lieu de l'être uniquement au sommet), soit de chaussures trop étroites ou pas assez profondes. Consultez aussitôt un spécialiste ; plus vous attendrez ou interviendrez à tort et à travers, plus vous aurez de mal à soigner votre ongle. Certains ongles restent en mauvais état à vie parce qu'on a négligé de les soigner dès le départ. Les pieds ont tendance à s'infecter très facilement : alors ne risquez pas une inflammation ou même un empoisonnement du sang à cause d'un ongle qui entaille la chair.

MOUVEMENTS POUR LES PIEDS ET LES ORTEILS : Les pieds ont peu souvent l'occasion de bouger librement. Voici quatre mouvements qui doivent faire partie de votre gymnastique quotidienne ; ils sont à faire pieds nus.
1. *Tirer sur l'articulation :* Debout, le poids du corps sur un pied, soulevez le talon de l'autre pied et pliez l'articulation des orteils à angle droit avec la plante du pied ; comptez jusqu'à deux ; mettez alors le pied sur l'extrême pointe et comptez jusqu'à deux ; revenez à la position pliée et enfin reposez le talon. 6 fois chaque pied.
2. *Pour tonifier les muscles :* Debout sur un livre ou une marche, laissez les orteils dépasser, puis pliez-les fermement vers le bas, comptez jusqu'à deux ; tirez-les fortement vers le haut, comptez jusqu'à deux. 10 fois.
3. *Contrôle des orteils :* Assise ou allongée, les jambes tendues devant vous, redressez les pieds et efforcez-vous d'écarter les orteils comme vous écarteriez les doigts ; essayez de faire monter et descendre chaque orteil individuellement. 10 fois. (Au début, il vous sera presque impossible de faire ce mouvement et vous aurez sans doute intérêt à maintenir les quatre autres orteils pendant que vous en ferez travailler un. Faites ce mouvement dans votre bain, car l'immersion favorise la circulation.)
4. *Ronds de pied :* Assise ou allongée, les jambes bien tendues devant vous, décrivez de larges cercles vers l'extérieur en cambrant le pied. 10 fois. Recommencez en tournant vers l'intérieur. (Ce mouvement est particulièrement bon pour muscler et amincir la cheville et aussi pour améliorer la forme du pied.)

I

2

3

4

PÉDICURIE : Il vous en faut une tous les dix jours. Comptez 45 minutes.
Équipement :

Matériel nécessaire : Serviette, coton hydrophile, brosse à ongles, pierre ponce, cuvette d'eau savonneuse (avec si possible de l'huile ou de la mousse pour le bain).

Instruments : Lime en carton, pince à ongles, pince à cuticules, bâtonnets de buis, polissoir, râcle.

Crèmes : Lotion pour les mains ou le corps, crème pour enlever les cuticules, pâte à polir teintée ou incolore.

Cosmétiques : Dissolvant, base, vernis à ongles, laque protectrice.

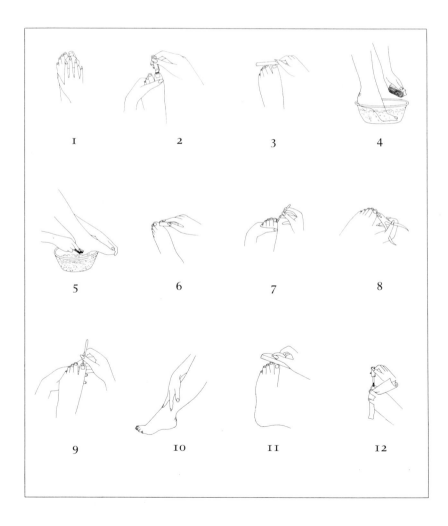

Marche à suivre :

1. Enlever l'ancien vernis en pressant un coton imbibé de dissolvant gras contre l'ongle et en frottant.

2. Taillez les ongles tout droits, nets et carrés, avec une pince à ongle, jamais avec des ciseaux. Il est extrêmement important de garder les ongles des pieds bien droits, même s'ils sont assez longs, afin d'éviter les ongles incarnés.

3. Limez les ongles pour lisser les bords, mais ne leur donnez pas de forme. Pas de mouvements de va-et-vient.

4. Faites tremper les pieds dans l'eau savonneuse, brossez-les bien — sur les orteils, le talon et la plante du pied.

5. Frictionnez à la pierre ponce les endroits vraiment rugueux et les durillons. Si vous avez beaucoup de peaux mortes, vous pouvez les éliminer avec une râcle, mais allez-y doucement, car il est facile d'entailler la peau — les mouvements courts et rapides sont préférables. Replongez les pieds dans l'eau pour faire tomber les lambeaux de peau.

6. Nettoyez sous les ongles et le long des côtés avec un coton-tige imbibé d'eau. S'ils sont tachés, trempez le coton dans de l'eau oxygénée et essayez de faire disparaître les taches, mais n'oubliez pas qu'elles peuvent être dues à l'infection et non à la saleté.

7. Graissez les cuticules avec une crème spéciale ; massez-les doucement et repoussez-les avec un bâtonnet.

8. Si vous avez des peaux tenaces — c'est souvent le cas sur le côté du gros orteil — qui refusent de se détacher après le massage, coupez-les délicatement pour dégager les bords. Ne coupez pas toute la cuticule, juste les bouts qui dépassent.

9. Contrôlez les articulations des orteils pour vérifier que la peau n'est pas en train de durcir et, le cas échéant, frottez avec une pierre ponce.

10. Après avoir encore une fois rincé vos pieds pour les débarrasser des derniers lambeaux de peau, séchez-les bien et massez-les avec une lotion pour le corps ; remontez jusqu'au-dessus de la cheville en longs mouvements ascendants ; massez chaque orteil séparément.

11. Polissez les ongles pour stimuler la circulation, toujours dans le même sens, sans quoi l'ongle chauffe trop. Une minute par ongle doit suffire. Si vous ne comptez pas mettre de vernis, une pâte teintée donne un joli brillant : enduisez-en l'ongle avant de le polir.

12. Appliquez le vernis comme pour les ongles des mains, mais avant de le faire, écartez les orteils avec des tampons de coton ou des kleenex roulés pour qu'ils ne se tachent pas en frottant contre le vernis frais. Après avoir mis la base, appliquez deux couches de vernis teinté, puis la laque protectrice. S'il y a des bavures, faites-les disparaître avec un bâtonnet trempé dans du dissolvant.

PATRICK HUNT

9
LES
CHEVEUX

La majorité des femmes consacrent plus de temps, d'intérêt, d'énergie et d'argent à leurs cheveux qu'à tout autre aspect de leur beauté physique. Pourtant, les têtes merveilleusement coiffées ne courent pas les rues. L'explication est simple : la santé des cheveux est essentielle pour leur beauté et, à l'encontre de la peau qui se maquille, il est impossible de camoufler les insuffisances de l'une par l'autre. La qualité, l'état, la nature, la couleur et la forme du cheveu ont une égale importance. Les chevelures qui ont du corps et du brillant et qui donnent une impression de vitalité contrôlée appartiennent à un corps en parfait état et reçoivent des soins qui leur conviennent.

NOTIONS ÉLÉMENTAIRES :

Un cheveu est une structure cellulaire complexe qui diffère selon les individus. La base est la même pour tous : chaque cheveu, si fin soit-il, est constitué de trois épaisseurs : la couche externe, ou cuticule, est composée d'écailles qui s'emboîtent les unes dans les autres et protègent les couches internes. La couche médiane, ou cortex, consiste en longues cellules filiformes et c'est la plus importante car elle donne au cheveu son élasticité et sa souplesse et contient en outre le pigment qui le colore. La couche interne, ou moelle, est faite d'un tissu spongieux dont les cellules contiennent parfois des grains de pigment.

La partie visible du cheveu, celle qui sort de la peau est la tige et celle qui reste cachée à l'intérieur du cuir chevelu est la racine. Celle-ci n'est pas une entité indépendante puisqu'elle est logée dans une sorte de sac, le follicule pileux à la base duquel se trouve une minuscule éminence, la papille, véritable réservoir qui alimente le cheveu. Lorsqu'on vous arrache un cheveu, on arrache le petit bulbe blanc que vous voyez au bout, mais pas la papille qui va peu à peu fabriquer et nourrir un nouveau cheveu. C'est pourquoi une épilation ne vous débarrasse jamais de façon définitive des cheveux ou poils indésirables. C'est aussi pourquoi les cheveux tombés peuvent repousser.

Entre les follicules sont imbriquées des poches de sébum, dont le rôle est de lubrifier le cheveu et de lui donner son éclat et sa souplesse. Une glande sébacée bloquée ou qui fonctionne au ralenti provoque un dessèchement du cheveu, tandis qu'une glande trop active le rend gras.

Le cheveu pousse raide ou bouclé selon la structure interne de sa racine. Si celle-ci est lisse, le cheveu forme un cylindre parfait et il est raide. Si par contre elle est déformée, la tige du cheveu est ovale, voire même tout à fait plate et il pousse ondulé ou frisé. Quelle que soit sa qualité, votre chevelure compte entre 90 000 et 140 000 cheveux. Ce sont les blondes dont les cheveux sont plus fins qui en ont généralement le plus grand nombre, puis les brunes. Les chevelures rousses sont les moins fournies, mais comme le cheveu est très gros, ce sont elles qui paraissent les plus abondantes. La vie moyenne d'un cheveu peut être de quelques mois ou de plusieurs années. Chaque cheveu a son propre cycle de croissance, suivi d'une période de repos au bout de laquelle il tombe pour laisser la place à un nouveau cheveu. Ce processus se déroule en permanence sur la tête entière et il est parfaitement normal de perdre tous les jours un certain nombre de cheveux.

En moyenne, les cheveux poussent de 1,3 cm par mois, mais le rythme se ralentit lorsqu'on prend de l'âge. Ils poussent plus vite par temps chaud et la nuit. Rien ne peut accélérer la pousse des cheveux et lorsqu'ils ont atteint 25 cm de long, la plupart d'entre eux diminuent de moitié leur rythme de croissance. Il est faux de croire que les cheveux poussent mieux si on les coupe. Ils ont simplement l'air plus épais et plus sains parce qu'on les a débarrassés de leurs extrémités fourchues et appauvries.

Il existe trois pigments qui vont déterminer la couleur de vos cheveux — noir, rouge et jaune. Pour les cheveux noirs et châtain foncé, il y a concentration du pigment noir. Le rouge commence à apparaître dans les cheveux châtains ; les cheveux roux sont teintés surtout par le pigment rouge, nuancé soit de noir, soit de jaune ; enfin, pour les cheveux blonds, le pigment est jaune avec des traces de rouge. A strictement parler, les cheveux ne deviennent pas gris, ils perdent simplement leur couleur. La couche médiane de la tige cesse de produire du pigment et s'emplit de bulles d'air incolores. L'âge du grisonnement est souvent déterminé par l'hérédité. On croit à tort que les cheveux peuvent blanchir en une seule nuit : à la suite d'une maladie ou d'un choc émotionnel, ils peuvent en effet se décolorer rapidement.

Nous avons par trop tendance à oublier qu'une chevelure saine appartient à un corps sain et qu'elle est directement affectée par son métabolisme et son équilibre émotionnel. Ce sont certes les gènes qui en déterminent la qualité, mais sa vigueur et son état dépendent de la façon dont elle est nourrie. Un régime riche en protéines avec beaucoup de fruits et de légumes frais est excellent pour les cheveux. Les aliments qui contiennent des vitamines B sont indispensables, ainsi que ceux qui contiennent les vitamines A et C. Parmi les minéraux, le fer, l'iode et le cuivre sont les plus bénéfiques et une carence d'iode peut être désastreuse pour les cheveux. Il est recommandé à toutes celles qui ont des cheveux à problèmes de prendre des cachets de superlevure. Dans certains cas, lorsqu'un grisonnement prématuré est dû à une carence nutritionnelle, il est possible d'y remédier en administrant des doses massives de vitamine B.

NATURE ET ENTRETIEN

Une belle chevelure doit être impeccablement propre et brillante et pour cela il lui faut un programme d'entretien soigneusement conçu. Avant de mettre le vôtre au point, il est important de connaître votre nature de cheveux. Sont-ils secs, gras ou normaux ? Sont-ils teints, décolorés, permanentés ou défrisés ? Voilà tout ce que vous devez savoir. Le grain, l'épaisseur et la qualité entreront en ligne de compte quand il sera question de mise en plis et de coupe, mais ils ne modifient en rien les soins de base. Tous les cheveux ont besoin d'être lavés souvent. Pour les cheveux secs ou normaux une fois par semaine doit suffire, mais si vous êtes exposée à la poussière et à la pollution urbaine, faites plutôt un shampooing tous les cinq jours. Les cheveux gras ont généralement besoin d'être lavés tous les deux ou trois jours. Ayez pour règle de vous laver les cheveux dès qu'ils semblent sales à l'œil et au toucher. Certains cheveux exigent des rinçages spéciaux et tous les cheveux ont besoin d'être dorlotés de temps en temps avec un traitement nourrissant en profondeur. Consultez le tableau de la page suivante pour mettre au point votre programme d'entretien et puis vérifiez sa mise en application détaillée.

LES SOINS DE ROUTINE

Votre apprentissage des soins de beauté a probablement commencé avec le lavage des cheveux. Les consignes actuelles sont de laver souvent, de laver légèrement et d'appliquer le shampooing avec parcimonie ; de cette façon le cheveu reste suffisamment lubrifié et les fungicides et antiseptiques naturels ne sont pas détruits — ils sont très utiles, car ils protègent le cuir chevelu de l'infection. Voici la marche à suivre pour un lavage impeccable :

1. Brossez doucement les cheveux pour faire tomber les cheveux morts et les pellicules de peau qui collent aux cheveux et au cuir chevelu.
2. Massez le cuir chevelu en le pétrissant doucement ; utilisez le bout des doigts et massez en douceur pour décoller d'autres pellicules.

3. Le cas échéant, appliquez votre traitement nourrissant en profondeur.

4. Mouillez abondamment les cheveux à l'eau chaude — la douche est idéale. Appliquez une petite quantité de shampooing que vous ferez mousser modérément. Rincez à l'eau chaude.

5. Rincez les cheveux jusqu'à ce qu'ils crissent sous les doigts. Il vous faudra peut-être trois ou quatre rinçages ; finissez par de l'eau tiède ou froide pour resserrer les écailles.

6. Si vous en avez besoin, appliquez votre traitement en surface ou votre rinçage spécial et rincez si le mode d'emploi vous y invite.

7. Séchez les cheveux avec une serviette éponge pour absorber l'eau ; ne frottez pas, tapotez simplement.

8. Peignez les cheveux avant de les mettre en plis ou de les sécher ; ne les brossez jamais mouillés.

ÉTAT	SECS	GRAS	NORMAUX
Cheveux naturels ni teints, ni décolorés, ni permanentés, ni défrisés	Shampooing pour cheveux secs Crème de rinçage Traitement nourrissant en profondeur toutes les 3 semaines	Shampooing pour cheveux gras Rinçage astringent Traitement nourrissant en profondeur 1 fois par mois Shampooing sec à l'occasion	Shampooing neutre Rinçage naturel, évitez les crèmes Traitement nourrissant en profondeur 1 fois par mois
Cheveux teints, permanentés, exposés au soleil ou au chlore, extrémités fourchues	Shampooing pour cheveux secs ou teints Crème de rinçage Traitement en surface 1 fois par semaine Traitement en profondeur toutes les 3 semaines	Shampooing pour cheveux secs ou teints Traitement en surface tous les 15 jours Traitement en profondeur 1 fois par mois Shampooing sec à l'occasion	Shampoing pour cheveux teints ou shampooing neutre Traitement en surface tous les 15 jours Traitement en profondeur 1 fois par mois
Cheveux décolorés ou éclaircis, ou bien décolorés et teints en blond	Shampooing pour cheveux décolorés Crème de rinçage Traitement en surface 1 fois par semaine Traitement en profondeur toutes les 3 semaines	Shampooing pour cheveux décolorés Traitement en surface 1 fois par semaine Traitement en profondeur 1 fois par mois Shampooing sec à l'occasion	Shampooing pour cheveux décolorés Traitement en surface 1 fois par semaine Traitement en profondeur 1 fois par mois

BROSSAGE ET MASSAGE

Un brossage quotidien stimule la circulation et donne davantage de corps et de volume à la chevelure. Il est également essentiel de brosser les cheveux avant le shampooing et c'est d'ailleurs la première opération de vos soins de routine. Offrez-vous une brosse de qualité. Les meilleures sont en sanglier, mais si vous prenez du nylon, veillez à ce que les poils soient arrondis. Votre brosse doit toujours être d'une propreté impeccable, sans quoi vous ferez pénétrer la poussière dans vos cheveux au lieu de l'en faire sortir. Il suffit de tremper la brosse dans une solution d'ammoniaque et d'eau, puis de l'agiter dans une eau tiède savonneuse avant de la rincer et de la sécher à l'envers. Vous pouvez si vous trouvez cela plus commode utiliser deux brosses, une dans chaque main.

Il faut brosser vigoureusement, mais sans tirer — les cheveux réagissent mieux à la douceur qu'à la violence. Chaque fois que vous les brossez, vous perdez quelques cheveux ; c'est tout à fait normal. La chute des cheveux oscille, estime-t-on, entre 40 et 100 cheveux par jour. Il faut les brosser à l'envers ; assise ou debout, penchez la tête de façon à ce que vos cheveux pendent devant votre visage. Commencez à brosser en partant de la nuque ; gardez la brosse près du cuir chevelu — sans le râcler — et donnez de longs coups de brosse vers l'extrémité des cheveux. S'ils sont très emmêlés, séparez-les en mèches que vous démêlerez progressivement en travaillant vers le front. Ensuite rejetez vos cheveux en arrière et lorsqu'ils ont repris leur place, lissez-les doucement avec la brosse. Si vous n'avez pas l'intention de les laver, mettez une soie sur votre brosse pour les faire briller.

Les massages stimulent la circulation et détendent les muscles noués. Faites-en un avant le shampooing et chaque fois que vous avez le temps. Commencez derrière la tête et décrivez lentement des cercles avec les doigts, sans griffer ni presser avec les paumes. En procédant par mouvements circulaires, remontez le long des côtés jusqu'au sommet du crâne et terminez à la ligne d'implantation. Le cuir chevelu doit bouger à la plus légère pression.

LE SHAMPOOING

Toute négligence dans ce domaine peut avoir de graves conséquences, soit que vous utilisiez un type de shampooing qui ne convient pas à vos cheveux, soit que vous utilisiez le bon shampooing, mais mal. Après avoir copieusement mouillé les cheveux à l'eau chaude, ne versez pas plus d'une cuillerée à café de shampooing pour obtenir une mousse peu fournie. Ne frottez pas fort ; vous pouvez nettoyer la ligne d'implantation avec une brosse à ongles douce. Quant aux pointes des cheveux longs, lavez-les comme vous laveriez un textile délicat. Il faut vraiment que vos cheveux soient très sales pour avoir besoin de deux shampooings. Les shampooings détergents modernes sont très concentrés et si vous y avez recours trop souvent, ils ne feront que stimuler vos glandes sébacées qui sécrèteront davantage.

Les shampooings du commerce se divisent en deux grandes catégories — les shampooings au savon et les détergents. L'étiquette précise si le produit est pour cheveux secs, gras ou normaux, pour cheveux teints ou décolorés, s'il est enrichi et avec quoi, s'il est traitant ou hypo-allergique, s'il provient de sources naturelles ou non. Des expériences ont prouvé que certaines molécules de protéine des shampooings enrichis aux protéines sont absorbées par la tige du cheveu et le nourrissent ; le reste des molécules gaine momentanément le cheveu et disparaît au lavage suivant. Elles rendent souvent les cheveux plus dociles et légèrement plus épais. L'étiquette de nombreux produits porte la mention « pH » qui indique le taux d'acidité ou d'alcalinité. Les cheveux sont en effet gainés d'une sorte de fil humide (dû à l'atmosphère, la transpiration, etc.), qui devrait être légèrement acide. Cependant, certaines altérations du cheveu — dont la teinture et la permanente — laissent souvent un résidu alcalin qui prive le cheveu d'une partie de sa souplesse et peut le rendre cassant ou fourchu. Par conséquent le pH d'un shampooing (ou d'un rinçage ou d'une crème) peut être important à connaître si vous avez besoin de rétablir ou de maintenir l'équilibre acide-alcalin naturel de votre chevelure. Une échelle numéraire précise le taux d'acidité ou d'alcalinité des produits : 7 signifie neutre, de 0 à 7 signifie acide et de 7 à 14 alcalin. La plupart des shampooings se situent entre 6 et 8.

Pour trouver le shampooing qui vous convient, rien ne vaut l'expérience. Essayez-en plusieurs, voyez comment ils nettoient vos cheveux, s'ils les laissent souples et dociles. Vous pouvez confectionner vous-même plusieurs shampooings très simples :

Shampooing au savon : Pour les cheveux vraiment délicats, rien ne vaut le savon. Faites fondre 120 g de savon blanc ordinaire dans 1/2 l d'eau chaude — il faudra sans doute attendre quelques jours avant que le mélange se coagule convenablement. Utilisez en petites quantités.

Shampooing aux plantes : Ajoutez à un shampooing au savon une infusion concentrée de romarin ou de thym par exemple.

Shampooing aux jaunes d'œufs : Battez deux jaunes d'œufs dans une tasse d'eau tiède ; massez-en le cuir chevelu et les cheveux pendant 5 minutes ; laissez pénétrer encore 10 minutes et rincez — il est inutile d'utiliser un autre shampooing avant ou après.

Shampooing aux œufs et au cognac : Battez deux jaunes d'œufs dans 1/2 tasse de cognac et 1/2 tasse d'eau tiède ; massez sur le cuir chevelu et laissez pénétrer 10 minutes. Rincez.

Shampoing à la camomille et aux œufs : Faites une infusion très concentrée de camomille ; pour les cheveux gras ou normaux, ajoutez un blanc d'œuf mousseux ; pour les cheveux secs, un jaune d'œuf battu. Ce shampooing ne convient qu'aux cheveux blonds ou clairs. Pour les cheveux foncés remplacez la camomille par de la sauge ou du romarin.

Shampooing pour cheveux gras : Battez 4 œufs entiers et appliquez-les sur les cheveux en massant. Laissez 15 minutes. Rincez soigneusement à l'eau claire et terminez par un rinçage fait d'une tasse de rhum et d'une tasse d'eau de rose.

LE SHAMPOOING SEC

Si vous manquez de temps ou si vous êtes malade, un shampooing sec peut vous dépanner. La plupart se présentent sous forme de poudre et la grande erreur des utilisatrices est d'en mettre trop. Faites-en tomber une petite quantité dans les cheveux, frottez doucement pour le faire pénétrer partout, puis éliminez-le à la brosse, en brossant vers le haut et de la racine à la pointe. Il faut compter 5 minutes environ. Un bon truc : envelopper votre brosse dans une gaze pour absorber la poussière et la graisse. Vous avez aussi la solution du nettoyage à sec à l'eau de cologne : recouvrez votre brosse d'une gaze ou d'une étamine, humectez-la d'eau de cologne et passez-la dans les cheveux. La racine d'iris pulvérisé est un excellent shampooing sec naturel : saupoudrez-en une petite quantité dans les cheveux, brossez 5 minutes.

LE RINÇAGE

Si vos cheveux ne sont pas bien rincés, c'est comme si vous ne les aviez pas lavés. Il faut absolument rincer à l'eau claire après n'importe quel shampooing. Rincez une, deux, trois, quatre fois ou plus, jusqu'à ce que la moindre parcelle de savon ait disparu. Le plus petit résidu rendra vos cheveux ternes et collants et ils attireront immédiatement la saleté. Le dernier rinçage devrait être à l'eau très tiède, et même froide si vous la supportez, particulièrement pour les cheveux gras, car cela resserre bien les écailles. Pour les cheveux sombres, ajoutez un peu de vinaigre à la dernière eau de rinçage et pour les cheveux clairs quelques filets de jus de citron. Tous deux contribuent à rétablir la gaine acide du cheveu et à éliminer les dernières traces de savon. Voici d'autres rinçages naturels qui vous permettront d'obtenir les effets suivants :

Pour faire briller les cheveux : Faites bouillir du persil 20 minutes dans de l'eau, passez et servez-vous du liquide pour votre dernier rinçage.

Pour lustrer les cheveux foncés : Versez 1/2 l d'eau sur 2 cuillerées à soupe de romarin ; laissez infusez 1/2 h, passez, ajoutez ce liquide à votre dernier rinçage.

Pour faire ressortir votre couleur naturelle : Laissez frémir une poignée d'orties dans 1/2 l d'eau jusqu'à ce qu'elles soient tendres, passez, ajoutez le liquide à votre dernier rinçage. Fortifie aussi les cheveux.

Pour éclaircir les cheveux naturellement blonds : Laissez frémir une tasse de fleurs de camomille séchées dans 1/2 l d'eau ; au bout d'1/2 h passez et servez-vous du liquide pour votre dernier rinçage.

Pour éclaircir les cheveux : Faites frémir 4 cuillerées à soupe de racine de rhubarbe pulvérisée dans 3/4 de litre d'eau pendant 30 minutes ; laissez infuser plusieurs heures ; passez, rincez à plusieurs reprises.

Il existe aussi des crèmes de rinçage : elles rendent le cheveu soyeux et facile à démêler, ce qui élimine une des principales causes des cheveux cassants et fourchus. Elles font briller la chevelure et la disciplinent en la débarrassant d'une partie de son électricité statique. Il est important d'en mettre peu, sans quoi les cheveux deviennent trop mous. Elles ne sont pas recommandées pour les cheveux gras.

Voici une recette de crème naturelle pour assouplir et faire briller les cheveux : Versez 1/2 l d'eau bouillante sur 2 cuillerées à soupe de romarin (pour les brunes) ou de camomille (pour les blondes) ; laissez 1/2 h, passez, ajoutez 90 g d'huile d'amandes douces.

LE TRAITEMENT NOURRISSANT

Les cheveux de toutes natures seront protégés par l'application régulière d'un traitement nourrissant. Pour les cheveux qui donnent des signes de sécheresse ou qui cassent, c'est un soin indispensable. Il importe aussi de compenser les effets altérants des shampooings colorants, teintures, permanentes, défrisages et décolorations. Le but du traitement nourrissant est de remettre le cheveu dans son état naturel, de le rendre facile à coiffer, d'éviter qu'il se casse ou qu'il fourche.

Il existe deux sortes de traitement nourrissant — ceux qui agissent et ceux qui vont en profondeur. Les premiers sont généralement des liquides enrichis (ils contiennent 9 fois sur 10 des protéines) que l'on applique sur les cheveux juste après le shampooing. Ils assouplissent la chevelure et lui donnent du gonflant et de la vigueur.

Le traitement en profondeur est composé de substances riches en crèmes et en huiles nourrissantes. On l'utilise pour masser la tête et on laisse agir de 10 à 30 minutes selon les cas afin que les éléments nourrissants aient le temps de pénétrer dans la tige du cheveu. Ils améliorent remarquablement les cheveux secs et les cheveux abîmés. On applique ce traitement tantôt avant le shampooing, tantôt après — consultez soigneusement le mode d'emploi. Si les cheveux sont en très mauvais état, un traitement en profondeur hebdomadaire s'impose jusqu'à ce que vous constatiez une visible amélioration.

Shampouinez et rincez très soigneusement pour enlever tout le shampooing.

Essuyez avec une serviette et passez doucement le peigne pour démêler.

Séparez les cheveux et appliquez le produit. Massez le cuir chevelu, pour faire pénétrer.

Enroulez les cheveux dans une serviette humectée d'eau chaude. Laissez 15 à 30 mn.

Rincez très soigneusement trois ou quatre fois sous la douche.

Voici des recettes maison de traitement en profondeur à faire vous même.

Traitement à l'huile chaude : Faites chauffer 2 cuillerées à soupe d'huile d'olive et massez-en doucement tout le cuir chevelu. Trempez une serviette de toilette dans de l'eau chaude, essorez-la et drapez-la en turban autour de la tête. Dès qu'elle refroidit, réchauffez-la à deux ou trois reprises pour assurer une complète saturation. Faites ensuite votre shampoing et rincez abondamment. Excellent pour les cheveux secs.

Traitement à l'huile de ricin : Faites chauffer 1/2 tasse d'huile de ricin, massez-en le cuir chevelu, puis passez un peigne dans les cheveux pour les imprégner d'huile ; enroulez autour de la tête une serviette trempée dans l'eau chaude et essorée que vous garderez 1/2 h avant de faire votre shampooing. Excellent pour les cheveux fragiles.

Traitement à l'huile d'olive et au miel : Mélangez 1/2 tasse d'huile d'olive vierge et 1 tasse de miel liquide ; agitez vivement ; laissez reposer 1 jour ou 2 ; massez le cuir chevelu avec ce mélange et passez le peigne dans les cheveux pour l'allonger jusqu'aux pointes, mais veillez à ne pas râcler le cuir chevelu avec les dents du peigne. Recouvrez le crâne d'un sac en plastique hermétiquement fermé. Laisser 1/2 h avant de faire le shampooing et de rincer. Les cheveux bruns seront particulièrement brillants.

Traitement aux protéines : Battez 2 œufs et, tout en continuant à battre, ajoutez en filet 4 cuillerées à soupe d'huile d'olive, 1 cuillerée à soupe de glycérine et 1 cuillerée à soupe de vinaigre de cidre. Appliquez sur des cheveux lavés et rincés. Gardez de 15 à 30 minutes, rincez bien. Nourrit toutes les natures de cheveux.

Traitement à la vinaigrette : Battez ensemble 1 œuf, 1 cuillerée à soupe de vinaigre, 2 cuillerées à soupe d'huile végétale et appliquez immédiatement sur le cuir chevelu en massant, allongez jusqu'aux pointes avec le peigne. Laissez 15 minutes, faites votre shampooing et rincez. Ce traitement contribue à hydrater le cuir chevelu et lubrifie les cheveux secs.

LES CHEVEUX A PROBLÈMES

Des cheveux entretenus avec soin sont généralement en bonne santé. Un cheveu est naturellement à la fois élastique et plastique. Élastique parce que vous pouvez l'étirer et le mettre en plis sans le casser. Plastique parce que vous pouvez le modeler à votre guise de façon passagère ou permanente. Mais si résistant soit-il, le cheveu n'est pas toujours exempt de problèmes. Les traitements maison s'avèrent souvent efficaces, mais si la détérioration persiste ou s'aggrave, consultez un spécialiste.

L'ENVIRONNEMENT

La pollution n'est pas seule à abîmer les cheveux. Jour après jour, quel que soit le climat sous lequel vous vivez, les cheveux sont constamment exposés à la chaleur, à l'humidité, au vent, au froid, au soleil, à l'eau, au chauffage central ou à la climatisation.

La pollution industrielle : Les particules de suie, de saleté et de poussière s'agglutinent dans les cheveux, particulièrement s'ils sont gras ou laqués. On pense, en outre, que ces éléments altèrent la couleur des cheveux teints ou décolorés.

Le soleil : Un peu de soleil est bon pour les cheveux. Mais un excès de soleil peut causer les pires ravages, car il dessèche les cheveux et les rend cassants et fourchus. Le soleil éclaircit les cheveux naturellement blonds, mais son effet sur la couleur des cheveux teints ou décolorés n'est pas aussi heureux : ils deviennent ternes ou roussâtres et le soleil fait généralement ressortir le rouge. Si vous devez beaucoup vous exposer au soleil, couvrez-vous la tête et faites-vous un traitement en profondeur toutes les trois ou quatre semaines.

La chaleur : Elle intensifie la nature des cheveux ; s'ils sont secs, ils le deviennent encore plus et s'ils sont gras de même. Les cheveux se salissent d'ordinaire plus vite car le cuir chevelu transpire davantage et cette humidité fait adhérer la saleté. Des cheveux normaux exposés à la chaleur ont besoin d'être lavés plus souvent et d'être traités en profondeur une fois par mois. Pour les cheveux secs, il faut un traitement en surface après chaque shampooing et un traitement en profondeur toutes les trois semaines. Les cheveux gras ont eux aussi besoin d'être lavés plus souvent et d'un traitement en profondeur toutes les trois semaines.

L'humidité : Elle a un mauvais effet sur tous les cheveux. Les cheveux frisés frisent d'autant plus, les raides sont comme des baguettes et même les cheveux normaux resteront moins longtemps en plis. Si vous vivez sous un climat humide, adoptez de préférence les coiffures simples et utilisez pour la mise en plis une lotion assez forte. Les cheveux de toutes natures réagiront bien aux traitements en profondeur.

L'eau : L'eau de pluie est inoffensive, sauf dans les zones très polluées ; mais l'eau de mer et de piscine peut être nocive. Le chlore dessèche et décolore les cheveux, naturels ou teints ; il vaut mieux porter un bonnet ou alors vous rincer les cheveux dès que vous sortez de l'eau, en appliquant si possible un traitement en surface. L'eau de mer dessèche et décolore elle aussi, d'autant plus que les cheveux sont souvent exposés en même temps au soleil. Le sel qu'elle contient accélère encore la détérioration. Rincez toujours les cheveux à l'eau douce, en appliquant là aussi un traitement en surface si vos cheveux sont naturellement secs ou décolorés.

LES PELLICULES

C'est le plus courant de tous les dérèglements du cuir chevelu. Des particules blanches très visibles se forment près de la racine du cheveu ; il s'agit en fait de peaux mortes qui ne sont pas en elles-mêmes infectieuses, mais qui peuvent entraîner une infection. C'est en tout cas un signe de mauvaise santé du cheveu et il faut traiter les cas bénins dès le début, en suivant un programme de soins avec la plus grande vigilance. Un cuir chevelu très irrité doit être traité par un spécialiste. En vous brossant ou en vous peignant trop violemment, ou en vous grattant la tête, vous risquez d'activer la séborrhée en arrachant des peaux encore partiellement attachées ce qui met à nu des zones où prolifèrent les bactéries. Il existe deux genres de pellicules : sèches ou grasses. Dans le cas de pellicules sèches, les peaux sont constamment visibles ; c'est non seulement laid à voir, mais cela peut entraîner des troubles oculaires. Les pellicules grasses sont très courantes chez les adolescents et s'accompagnent souvent d'acné. Les causes des pellicules sont nombreuses et difficiles à cerner. Parfois c'est tout simplement que les cheveux ne sont pas suffisamment exposés à l'air libre. Autres causes : dormir avec des rouleaux, ne jamais se brosser les cheveux, la fatigue, les troubles émotionnels et le climat — les habitants des pays froids ont généralement plus de pellicules que ceux des pays tropicaux. Les médecins suggèrent en outre certains facteurs héréditaires et un déséquilibre hormonal, mais rien n'a été prouvé.

Si vous avez des pellicules, passez d'abord votre alimentation en revue : une surconsommation de sucre et de féculents provoque de l'acidité et des éruptions cutanées, tandis qu'une alimentation trop riche en graisses peut stimuler des glandes sébacées. Faites la part belle aux viandes maigres, aux légumes, aux salades et aux fruits frais.

Il faut absolument veiller à ce que le cuir chevelu soit impeccablement propre. Les cheveux à pellicules doivent être lavés très fréquemment avec un shampooing traitant et ceci s'applique aux cheveux secs comme aux cheveux gras. Une bonne recette : mettez une cuillerée à café d'antiseptique dans votre eau de rinçage. Voici également un traitement bénéfique : mélangez un quart de jus de pomme et trois quarts d'eau et frottez sur le cuir chevelu 2 ou 3 fois par semaine.

LES MAUVAIS TRAITEMENTS

Les teintures, décolorations, permanentes et défrisages abîment tous les cheveux dans une certaine mesure, mais les deux traitements les plus nocifs sont la décoloration et le défrisage. Il faut carrément éviter les décolorations trop violentes, car elles affaiblissent le cheveu et attaquent le cuir chevelu. Si vous êtes brune, cessez de vous décolorer, contentez-vous d'éclaircir légèrement votre couleur. Quant au défrisage, il étire dangereusement les cheveux et il est beaucoup plus nocif que la permanente. Certaines pratiques esquintent les cheveux : un emploi constant des rouleaux à brosse ou des rouleaux chauffants, des fers à friser, du brushing, des élastiques et de toute attache permanente.

Les cheveux abîmés sont cassés, fourchus et desséchés. La seule façon de lutter contre ces maux est d'avoir recours au traitement en profondeur. Si vous voulez éliminer les pointes fourchues, il faudra vous résoudre à les faire couper, sinon la tige tout entière finira par se dédoubler. Il faut couper régulièrement vos pointes, même si vous avez les cheveux longs, pour qu'elles restent en bonne santé. Certains coiffeurs les brûlent pour éliminer les bouts fourchus : on enroule une mèche de cheveux autour d'un support pour faire ressortir les bouts cassés ou fourchus et on les brûle précautionneusement avec une flamme. C'est un procédé extrêmement long et qui ne peut être fait que par un expert.

LES CHUTES DE CHEVEUX

L'alopécie désigne soit la chute de cheveux à un endroit précis du crâne, soit une chute répartie sur tout le crâne. On s'inquiète à l'heure actuelle de constater qu'un nombre croissant de femmes perdent leurs cheveux. On pense que les responsabilités et les tensions accrues, leur font produire davantage d'hormone mâle appelée androgène. L'équilibre hormonal normal pour une femme est de huit parts d'œstrogène (hormone féminine) pour une d'androgène. L'œstrogène affecte le grain de la peau et la vigueur des cheveux. Les spécialistes pensent que tout dérèglement de cet équilibre retentit sur la pousse du cheveu.

De tout temps, les femmes ont subi de fortes chutes de cheveux quelques mois après leurs accouchements : elles sont dues à la chute brutale du taux d'œstrogène très élevé pendant toute la grossesse. La pilule maintient elle aussi les hormones féminines à un niveau assez élevé et on s'est aperçu que les femmes qui cessaient de la prendre étaient souvent sujettes à cette même alopécie post-natale.

Si vous portez vos cheveux très tirés, vous pouvez provoquer une inflammation à la surface du cuir chevelu ou juste en dessous de la première couche de peau. La repousse normale s'en trouve entravée et les cheveux, à force d'être ainsi tirés à outrance, peuvent arrêter de pousser. Parfois, la papille se racornit et se dessèche et ne réussit à produire qu'un cheveu malingre ou même rien du tout. On peut souvent remédier à une alopécie si l'on découvre sa cause profonde. Une chute de cheveux intense et brutale relève de la médecine et non plus de l'esthétique. Il faut donc faire des examens du corps entier et pas seulement du cuir chevelu, en particulier vérifier la thyroïde, les reins, le taux de calcium, le taux d'enzymes et le foie. Enfin, il faut s'assurer que le corps fabrique suffisamment d'œstrogène.

LES POILS SUPERFLUS

Certaines parties du corps sont recouvertes de poils et on considère généralement qu'il est plus joli de les faire disparaître. Les brunes ont d'habitude plus de problèmes que les blondes, parce que leurs poils se voient davantage et sont plus épais. Une pousse de poils assez anarchique est parfaitement normale chez toutes les femmes pubères. Les changements hormonaux jouent un rôle primordial et c'est pourquoi les poils poussent davantage après la ménopause et parfois pendant la grossesse. Il existe beaucoup de façons de se débarrasser de ces poils ; cela dépend, à parts égales, de vos préférences personnelles et de l'endroit à traiter.

Abrasion : A faire avec une pierre ponce ou un gant abrasif. Commencez par couper les poils au ras de la peau, enduisez l'endroit de savon en faisant bien mousser et frottez les poils avec des mouvements circulaires. Pour les bras et les jambes.

Décoloration : Elle convient pour les poils bruns qui ne sont en fait qu'un simple duvet. Si vous utilisez une préparation du commerce, suivez soigneusement le mode d'emploi, mais vous pouvez vous-même mélanger de l'eau oxygénée à 30 volumes avec un peu d'ammoniaque et d'eau. Appliquez localement avec un tampon d'ouate ; il faut totalement décolorer le poil, et non se contenter de le blondir. Il sera peut-être nécessaire de repasser deux fois à 24 heures d'intervalle. Pour les poils du visage, des avants-bras et du corps.

Dépilation : C'est l'application de dépilatoires chimiques sous forme de poudre, gel, crème ou spray. Ils amollissent et détruisent la tige du poil, mais pas sa racine, et n'empêchent donc pas sa repousse. Ils agissent en 10 ou 15 minutes selon les parties du corps, plus longtemps si vous avez l'habitude de vous raser. Si vous utilisez des dépilatoires pendant plusieurs années, vos poils finiront par s'affaiblir, ils mettront plus longtemps à pousser et seront moins épais. Avant de vous lancer pour la première fois, il vaut mieux faire un essai sur une zone très restreinte. Ces produits sont réservés aux jambes, bras, aisselles — ne vous en servez jamais pour le visage, sauf si le mode d'emploi stipule qu'il n'y a aucun danger.

Électrolyse : C'est la seule technique qui assure une disparition définitive des poils superflus. On introduit une aiguille très fine — en platine ou acier inoxydable — par l'ouverture du follicule et on fait passer pendant une quarantaine de secondes un courant électrique de faible voltage pour détruire la papille. La tige du poil se détache automatiquement et on peut l'enlever aussitôt. Lorsque l'opération est correctement faite, vous devez éprouver une légère sensation de brûlure dont l'intensité varie selon les femmes. Certaines sont capables de dormir pendant le traitement, d'autres souffrent vraiment. Il n'y a aucune cicatrice et, en principe, la papille en question ne devrait plus produire de poils. Cette méthode prend du temps parce qu'on ne peut traiter qu'un nombre assez réduit de poils à chaque séance. Une autre méthode analogue consiste à cautériser le vaisseau sanguin, grâce au même système électronique, au lieu de détruire la papille ; cela s'appelle la diathermie. L'électrolyse coûte cher, mais pour celles qu'afflige un problème chronique, elle vaut la peine. Elle est surtout valable pour les poils du visage.

Épilation à la cire : C'est l'une des méthodes les plus anciennes — on applique sur la peau une mince couche de cire fondue que l'on laisse refroidir avant de l'arracher d'un coup sec, entraînant ainsi les poils, mais sans détruire les racines. Cependant comme la partie du poil qui se trouve sous la peau est elle aussi arrachée (seule la papille restant intacte), les nouveaux poils n'apparaissent qu'au bout d'un certain temps, parfois plusieurs mois. En outre ils ne repoussent pas droits comme les poils rasés et à la longue l'épilation à la cire retarde et affaiblit la repousse. L'opération peut vous sembler très douloureuse selon l'endroit du corps et votre seuil de tolérance à la douleur. Elle peut se faire en institut ou bien chez vous avec un produit du commerce.

Épilation à la pince : C'est la seule façon commode de se débarrasser des poils isolés du visage ou de la poitrine, et c'est aussi la seule méthode pour rectifier l'alignement des sourcils. Avant d'épiler, frottez la zone avec un coton imbibé d'astringent pour éliminer toute graisse de surface et vous permettre de saisir les poils les plus courts. Il faut répéter l'opération tous les quinze jours, environ. Cette méthode convient aux poils isolés du visage. Mais ne l'utilisez surtout pas si le poil sort d'un grain de beauté ou d'une verrue ; montrez-le d'abord à un dermatologue.

Rasage : C'est la méthode la plus rapide, la plus facile et la moins coûteuse — et quoi qu'on dise, les poils ne repoussent ni plus vite, ni plus épais, ni plus sombres. La seule différence, c'est que le poil qui sort du pore est coupé droit au lieu d'être en biseau, si bien qu'il semble — à l'œil et au toucher — plus rêche. Utilisez un rasoir de sûreté ou électrique. Faites attention aux zones desséchées, tâchez de les éviter et veillez à ne pas entailler ni râcler la peau. Vous aurez plus de chances d'y parvenir en utilisant à chaque fois une lame neuve et propre ; contre la sécheresse, utilisez un savon ou une crème à raser spéciaux qui lubrifient la peau et empêchent l'humidité de s'évaporer. Ne rasez jamais à sec. Vous risquez d'émousser votre lame en l'essuyant ; pour la nettoyer, il vaut mieux desserrer le rasoir, la rincer à l'eau chaude et bien secouer pour faire tomber l'eau. Rasez les jambes de bas en haut, avec de longs mouvements réguliers. La repousse est rapide, car la racine n'est ni enlevée, ni endommagée, mais la vitesse de pousse reste tout à fait normale. C'est une bonnes méthode pour les jambes et les aisselles ; ne rasez jamais le visage.

LE VISAGE

Les Bases

Chiaroscuro

Le Spécialiste

La Curée

Désillusion

Une aventure artistique
apogée tourne à la catastrophe
Illustré par Fish

En 1921, Vogue *écrivait : « Le visage capable d'interpréter une romance sans paroles possède un charme durable, car l'expression est l'essence de la beauté et va bien au-delà de l'épiderme ». Les maquillages voyants étaient « mal vus » et les cosmétiques visaient à « créer la parfaite illusion du teint naturel ». Mais dès la fin de la décade, « un visage rose et blanc de poupée » n'était plus un idéal suffisant et la beauté risquait de « coûter aussi cher à entretenir qu'une Rolls-Royce ». Au cours des années trente, le cinéma devint « le moyen visuel rêvé pour exploiter la mode et la beauté ». Toutes les femmes voulaient avoir la bouche provocante de Joan Crawford, les sourcils épilés de Marlène Dietrich, le teint de bohémienne de Vivien Leigh.* Vogue *déclarait : « Il va vous falloir dépenser sans rechigner, vous habiller avec élégance, avoir l'air de toujours sortir d'une boîte — bref être un vrai plaisir pour les yeux ». Pendant la guerre les cosmétiques disparurent des comptoirs, mais on rassura ces dames : « Les quatre grands cosmétiques dont vous avez besoin ne sont pas passibles de restrictions — ce sont le sommeil, un bon régime, de l'exercice et 20 minutes de sieste après le déjeuner ». Dès 1947, cependant, le new look de Dior suggérait aux femmes une nouvelle attitude envers la beauté et les maquillages « naturels » passaient désormais pour « cucus ». Au cours des années cinquante, on se concentra sur les soins de la peau avec les trois fameuses règles d'or : nettoyer, stimuler, nourrir. L'œil se fit « œil de biche » et le maquillage des yeux supplanta le rouge à lèvres.* Vogue *suggérait « des yeux environnés de mystère grâce à un crayon à sourcils, une ombre foncée et des faux cils en nylon ». Ce fut au cours des années soixante que s'amorça le retour à la nature, ce qui n'empêcha nullement l'industrie cosmétique de continuer à promettre « des miracles » ou d'annoncer « une grande découverte dans la chimie du vernis à ongles », sans parler des « crèmes et préparations révolutionnaires ». Le monde entier copia la mode londonienne des années 1964-1966 et Jean Shrimpton devint l'incarnation de la beauté, tandis qu'Élizabeth Taylor était la dernière des véritables reines de l'écran. A partir de 1970, le visage, comme la mode, fut mis à la carte : il pouvait être fracassant comme celui de Bianca Jagger ; d'un naturel très étudié, comme celui de Twiggy ; ou naturellement beau comme celui de Marisa Berenson. Et on nous lançait cette dernière injonction : « Efforcez-vous d'avoir de la classe ».*

ROYAL VINOLIA
VANISHING CREAM

BEAUTY *on* DUTY
has a
DUTY TO BEAUTY

1918

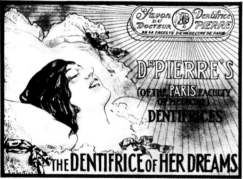

Savon *Dentifrice*
DU
DOCTEUR PIERRE
DE LA FACULTÉ DE MÉDECINE DE PARIS

Dr PIERRE'S
(OF THE PARIS FACULTY
OF MEDICINE)
DENTIFRICES

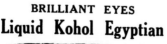

THE DENTIFRICE of HER DREAMS

1919

BRILLIANT EYES
Liquid Kohol Egyptian

An Oriental
preparation
for darken-
ing the eye-
brows and
eyelashes,
promotes
the growth.
Will not
rub off.

Price **2/6** and **5/6** the case.

Prepared by
UNWIN & ALBERT
6 Belgrave Mansions,
LONDON S.W.

1916

Avant une excursion en automobile, l'application d'une couche de crème Malacéine protè-
gera efficacement votre teint contre l'irritation provoquée par le vent et la
grande vitesse. Vous protégez
vos yeux... n'oubliez
pas votre peau.

1920

FISH 1923

« Une femme qui est une beauté n'a ni le besoin — ni d'ailleurs le temps — d'être quoi que ce soit d'autre. Courage, patience et persévérance sont ses vertus, mais la fin justifie les moyens. Si elle réussit dans la carrière qu'elle s'est choisie, elle obtiendra tout ce qui est le plus cher au cœur des femmes : un mari jaloux, des amies envieuses et des arrière-petits-enfants éperdus d'admiration. Et elle donnera en outre du plaisir aux connaisseurs et du travail à toutes sortes de gens charmants et méritants ».

DE MEYER 1932

Garbo   STEICHEN

Jean Harlow

Les anthropologues du futur « mettront à jour un phénomène déroutant. Ils découvriront que les citoyennes d'Hollywood, qui, au début du 20ᵉ siècle, avaient brillé par la variété de leurs physiques, ont toutes commencé à se ressembler aux environs de 1932-33. Les traits communs sont d'abord des cheveux, tirant sur le blond, portés de façon assez désordonnée autour du visage, des sourcils épilés remontant sur la tempe et des cils d'une incroyable longueur. A ceci s'ajoute une lèvre inférieure boudeuse et un aspect émacié qui mènera certainement nos savants à conclure que toutes les actrices de l'époque étaient en proie à quelque épouvantable fléau digestif. Bien évidemment, tout cela est totalement faux. Les photographies reproduites ci-dessous expliquent ce qui s'est passé. Les photos du haut nous montrent ces demoiselles aux plus beaux jours de leur innocence pré-scandinave. Puis vint Garbo. Et vous pouvez admirer en bas les métamorphoses qui s'ensuivirent. »

Marlene Dietrich   Tallulah Bankhead   Anna Sten   Katharine Hepburn

Joan Crawford

Ann Sheridan

Loretta Young

Ava Gardner

Vivien Leigh

Paulette Goddard

Veronica Lake

Hedy Lamarr

C H A R A C T E R

A WOMAN'S LIPS are a key to her character, and to-day lips have a firmer and more resolute line, for they shape words of command, laugh at danger, and with a smile suppress weariness and pain. A little lipstick gives added character to the mouth and added self-confidence to the wearer. It is for this reason that the makers of Gala continue to manufacture this famous lipstick and suggest that its use in moderation is an asset to our wartime morale.

The Liveliest Lipstick in Town Gala

Gala Lipstick, 4/6.   Refills (fit almost any case), 2/6.   Gala Powder, 4/6.   Gala Cream, 3/6.

1943

Be his Pin-up Girl !

If you have the ivory-toned brunette coloring of this Pin-up Girl for Varga, the shade for you is JERGENS NEW "RACHEL". To awaken the true loveliness of your complexion ... to glorify your skin-tones and give you the same glamorous look of Varga's brunette "Pin-up" beauties ...

Start his head a-whirl
... wear the shade meant for YOU in

New Jergens Face Powder

Today, it's the Pin-up Girl who's making men sigh and get thoughts of romance. And that man-captivating "pin-up girl look" is yours ... when you wear Jergens Face Powder. Yes, it's these Alix-styled shades ... blended for Jergens alone ... to bring new beauty to your skin-tones. And ... it's the texture of Jergens Powder, too. *Effected* by an exclusive process. To camouflage tiny lines and skin faults ... to help your complexion have that flawless, young look. Result: a lovelier you. Your face so fragrantly smooth ... inviting invitation to a kiss!

BIG BOUDOIR BOX, $1.00.   TRY-IT SIZES, 25¢, 10¢.

CHOOSE YOUR JERGENS SHADE
... FOR THAT "PIN-UP GIRL LOOK"

1943

PENN 1951

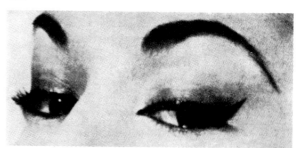

BLUMENFELD 1950

« Pour 1950, Piquet lance à Paris l'œil de biche. Nous pensons qu'il pourrait devenir aussi populaire et aussi révolutionnaire que le rouge à lèvres dans les années vingt. »

« Avec l'été, et la prédominance du noir et blanc, voici un nouveau maquillage contrasté. Les yeux, les lèvres et les ongles — souvent la seule touche de couleur de l'ensemble — sont audacieusement soulignés. Renforcez les sourcils, aiguisez les contours de votre bouche. C'est le moment de vous servir de crayons pour les yeux et les lèvres de votre armada de pinceaux et — c'est le dernier cri cette saison — de vous limer les ongles très en pointe comme ceux du mannequin photographié ici. »

1946

Jean Shrimpton

DAVID BAILEY

Jill Kennington

DONOVA

Twiggy

NORMAN PARKINSON

Françoise Hardy

ROBERTA BOO

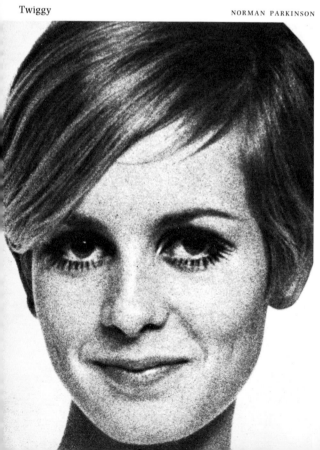

rushka

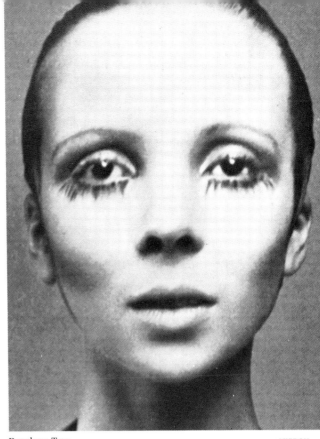

Penelope Tree

ren Graham

Maudie James

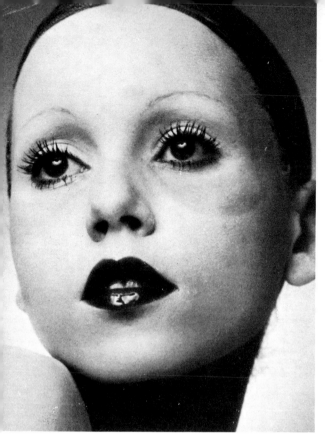

Annie Shaffus

Biba girl

Grace Coddington

Lauren Hutton

isa Berenson   HELMUT NEWTON

Margaux Hemingway   TOSCANI

nca Jagger   DAVID BAILEY

Marie Helvin   DAVID BAILEY

10

CUISINE EN VOGUE

Avant d'aborder la deuxième partie de l'ouvrage consacrée à l'esthétique, Ninette Lyon, collaboratrice de Vogue Paris pendant seize ans et de Vogue New York pendant deux ans, fait le tour des petits plats favoris de quelques personnalités qui ont nourri sa rubrique « Ils sont célèbres, ils sont gourmands ». Des recettes et des idées originales et éclectiques qui, parfois, sacrifient malicieusement aux traîtresses calories.

PETITS DÉJEUNERS

Je petit déjeune, tu petit déjeunes... Un verbe que les Français devraient apprendre à conjuguer disent les nutritionistes. Alors, pour vous inspirer, voici des petits déjeuners de personnalités célèbres et gourmandes d'hier et d'aujourd'hui.

Louis XIV : Potée à l'ail et jurançon, un vin du Béarn.
Elizabeth Taylor : Chocolat chaud au rhum et fruits.
Olivier de Rohan-Chabot : Crêpes bretonnes froides trempées dans du chocolat ou du café, « ce qui ne se fait pas » précise-t-il.
Judith Magre : « Champagne et caviar pressé. L'oscietre, supérieur au beluga est réservé pour la fiesta ; lors de la fauche, des œufs de cabillaud ». Elle a raison, tous les œufs de poisson sont d'une grande richesse alimentaire.
Malaval : Riz complet couvert d'algues cuites et arrosé de thé au jasmin en guise de sauce.

Mademoiselle de Scudéry : Bouillon de vipère.

Catherine Deneuve : 2 pots de baby food carotte-orange. Pour une peau claire, des cheveux brillants, des yeux lumineux.

Michel Cacoyanis : « Glyco » de noix. En Grèce, glyco qui vient de « doux » désigne les confitures. Celle de noix cuites avec le brou est aussi faite en Géorgie et en Arménie ; le jour où on la prépare, les enfants doivent être tranquilles car elle ne supporte pas la moindre trépidation.

Marie Bell : « Etant môme », après une maladie et sur ordre du médecin, des sardines à l'huile sur pain beurré avec un quart champagne. Ravie de boire du champagne, elle n'a jamais été dégoûtée des sardines.

Peter Ustinov : du fromage. Et il ajoute : « Pour maigrir il n'y a pas de régime valable. Seule la modération est efficace. Se restreindre, oublier le goût des choses ».

PETITS DÉJEUNERS VOYAGE

Suisse : Sur pain beurré de fines tranches d'emmenthal et, entre les trous, de la confiture de cerises noires. Sans oublier le birchermuesli. Dans le livre de Bircher-Benner, il est bien précisé : « C'est un mets aux fruits frais, les autres ingrédients ne sont que des compléments ». On n'emploiera donc pas plus de flocons d'avoine qu'il est indiqué : 1 cuil. à soupe rase par personne (8 g) trempée dans 3 cuil. d'eau ; 200 g de pommes râpées au dernier moment ; 1 cuil. de citron ; 1 cuil. à soupe de lait concentré sucré ou 3 cuil. de yoghourt et des noisettes et amandes en poudre.

Allemagne : Filet mignon ou tartare sur toast avec un anchois « on the top ».

Hollande : Fromages de Hollande coupés au rabot, viandes froides, les pains blanc, gris, noir, au pavot, pumpernickel, zwiebacks. Avec le café, un choix de laits : écrémé, entier, concentré, de la crème fluide contenant 30 % de matières grasses minimum et de la crème-café (15 %).

Grande-Bretagne : Kippers ou haddock pochés badigeonnés de margarine, œufs au bacon ou « bangers », des saucisses à la sauge et tomates grillées. De la marmelade d'orange, les confitures étant réservées à l'heure du thé avec les scones.

Irlande : Saumon froid, salade de concombre. Irish eggs : le soir, enduire des œufs frais d'une épaisse couche de beurre salé ; il parfumera le contenu de l'œuf dont la coquille est poreuse. Le matin, les cuire à la coque.

Écosse : Porridge cuit à l'eau salée et servi avec du beurre ou du lait froid mais sans sucre sauf pour les enfants.

Russie : Omelette d'œufs en poudre délayés dans du lait, plats chauds au fromage blanc, saucisson genre mortadelle, fromages à pâte pressée.

Israël : Harengs salés et fumés, fromage blanc à la menthe, margarine, matzos.

Moyen Orient : Fromages de chèvres arrosés d'huile d'olive et de labné. Pour faire une sorte de labné, on peut laisser du yoghourt à température ambiante protégé d'une mousseline, jusqu'à ce qu'il épaississe : le produit sera plus crémeux que du yoghourt égoutté.

Etats-Unis : Jus de fruit, pruneaux, céréales, waffles, sorte de grosses crêpes arrosées de sirop d'érable ou de maïs (corn sirup). Œufs à la coque cassés dans une tasse, œufs sur le plat cuits sur les deux faces ou « sunny side up » soit le jaune côté face.

Mexique : Huevos rancheros ou œufs brouillés à la tomate et au chili, des piments.

Japon : Prunes acides, riz aux algues, poisson, légumes.

Chine : Des soupes aux nouilles ou au vermicelle chinois.

POTAGES

Un potage très vert

La doctoresse Duvenport vécut 111 ans. Son secret : « De la bonne humeur, une respiration profonde et des épinards en quantité ». A sa mémoire et plein de vitamines et de fer :

Pour 4 personnes. Jeter 500 g d'épinards (ou de cresson), lavés et équeutés dans 1 litre d'eau salée en ébullition. Cuire sans couvrir 5 mn (si l'on couvre, les légumes sont moins verts). Réduire le potage en purée et le remettre sur le feu avec 2 cubes de bouillon de volaille. Faire blondir 50 g d'échalotes en fines tranches avec un peu de beurre. Ajouter 300 g de concombre pelé, vidé de ses graines et en bâtonnets, bien mélanger, cuire 5 mn. Mettre ces légumes dans le potage en évitant d'y verser le beurre de cuisson. Epaissir de 2 cuil. à café de fécule délayées dans un peu d'eau froide. Donner plusieurs bouillons.

Deux faiblesses du coiffeur Alexandre

● Un œuf mollet dans un bouillon de volaille concentré.
● Une « real turtle soup » servie dans de petites tortues en porcelaine dont la carapace sert de couvercle.

L'avgolemono d'Iris Clert

Pour 4 personnes. Faire bouillir 1 litre d'eau avec 2 cubes « double volaille ». Battre deux œufs dans un bol, avec le jus d'un gros citron, verser doucement dessus deux louches de bouillon. Puis en prononçant rituellement « Pschitpschitpschit » comme le font les femmes en Grèce pour que les œufs ne se coagulent pas, verser tout dans la casserole en fouettant et retirer aussitôt du feu.

SALADES

Que cela peut être bête une salade mal composée, faite sans amour, assaisonnée sans cœur ! Alors voici des idées originales et délicieuses recueillies ici et là.

● *Avec des petits pois :* mayonnaise et pointe de curry. Dans une sauce au citron : soupçon de sucre. *Parfum d'Orient* pour des feuilles de cresson détachées une à une : dans la vinaigrette, une tombée d'huile de sésame et de la sauce de soja. *Sur les épinards crus :* gousses d'ail poêlées dans leur peau, donc confites, et des lardons. *Dans les concombres :* pointe de sucre, thym, cumin de hollande. *Haricots rouges-oignons doux :* crème fraîche, raifort, gingembre.

● *Premiers rayons de soleil :* fanes de radis, de navets, de raifort et la *sauce de John Cage :* jus d'un citron vert que l'on aura fait rouler sous son pied nu, 2 cuil. à soupe de « dogsup » comme dit Cage, du ketchup aux champignons, sel iodé, poivre noir, 15 cl de crème. *Epinards en branches tièdes :* huile d'olive, citron, macis et pluie de grains d'anis. *Carottes* finement râpées pour que nous absorbions bien les vitamines : jus d'orange et larme de vodka. *Un délice :* tranches d'oranges, oignons doux, olives noires et vinaigrette.

● *La salade de Paul Newman :* cœurs de laitues, concombre, céleri en branche avec les feuilles, endives, oignons doux en quantité égale et grossièrement haché puis mis dans l'eau glacée 10 mn avant de servir. Egoutter, assaisonner d'huile d'olive, vinaigre de vin et ajouter, comme il le fait, ce qui tombe sous la main parmi les flacons d'herbes séchées : origan, thym, estragon, sel à l'ail. « Ce n'est jamais raté » dit sa femme Joanne Woodward.

● *Du Maroc :* tomates-poivrons, vinaigrette et cumin en poudre. Radis râpés et quartiers d'orange, citron, soupçon de sucre, cannelle, fleur d'oranger. Julienne de carottes cuite rapidement, servie froide : huile, citron, cumin, piment doux et piment fort, feuilles de coriandre. Cervelles pochées, émincées sur laitue, vinaigrette tiède, persil ou coriandre et câpres.

● *Pour la salade de bœuf, la « salsa verde » de Giulietta Massina :* 3 œufs durs hachés avec un bouquet de persil, non frisé, une gousse d'ail, 1 filet d'anchois, 6 cuil. d'huile d'olive et 2 cuil. de vinaigre de vin. Eventuellement câpres et cornichons hachés.

La salade diétéchic de Miriam Cendrars

Pour 4 personnes : 120 g de boulgour (parfois étiqueté pilpil de blé) cuit dans de l'eau salée, égoutté, refroidi. 2 poignées de raisins secs gonflés dans de l'eau. 6 cerneaux de noix concassés. 1 petite pomme, 1/2 avocat et 2 branches de céleri en petits dés. 1 échalote, du persil et de la ciboulette hachés. Mélanger. Assaisonner de 3 cuil. à soupe d'huile d'olive, 1 cuil. à soupe de citron, 1 cuil. à café de moutarde. Garnir de cresson, et peut-être de haricots verts, de petites têtes de chou-fleur, mais laisser à la salade son ton chic, beige et vert.

LÉGUMES, VIANDES, POISSONS

Les épinards à la majorquine de Joan Miró

Pour 4 personnes : plonger 1 kg d'épinards dans de l'eau bouillante salée (1 cm à peine si l'on veut garder vitamines et sels minéraux). Quand ils sont tendres, égoutter, presser légèrement puis couper grossièrement aux ciseaux dans la passoire. Faire dorer une gousse d'ail à la poêle dans 2 cl d'huile d'olive, la retirer et mettre 1 petit oignon haché. Quand il est tendre, ajouter les épinards, 50 g de pignons et 1 poignée de raisins secs gonflés dans de l'eau tiède. Mélanger, laisser frire quelques instants puis servir.

Choucroûte et « boudin en légume » de Louise de Vilmorin.

● La choucroûte étant fermentée est excellente pour ce que l'on appelle bucoliquement notre « flore intestinale ». Il en est de même du chou et Caton l'Ancien disait : « Si dans un repas tu désires boire et manger avec appétit, mange auparavant du chou cru ». Pour garder ses propriétés, la choucroûte sera servie sans avoir été lavée, crue, en salade, ou simplement chauffée, sinon cuite mais croquante, éventuellement autour d'une volaille, d'un faisan, même d'un poisson plutôt qu'avec des viandes grasses. Achetée déjà préparée, la réchauffer à la vapeur dans un couscoussier. Elle restera parfumée mais la graisse tombera dans l'eau. Louise de Vilmorin aimait le chou longuement mijoté en cocotte, puis versait dessus un pot de yoghourt.

● A Verrières, le « boudin en légume » figurait souvent au menu, servi dans un légumier, pour accompagner une volaille : retirer la peau du boudin et le cuire longuement à la poêle avec un peu d'huile ou de saindoux en fouettant à la fourchette pour obtenir une purée aérée. Voilà un plat à faire à la vapeur pour qu'il ne soit pas gras. Et le cuire 3/4 d'heure, le couscoussier couvert.

Le « petit pâté cycliste » du Docteur A.-F. Creff

Breton et tenace, le docteur Albert-François Creff s'est d'abord spécialisé dans la diététique sportive. A l'heure actuelle, nutritioniste français éminent, il a son propre service à l'hôpital Saint-Michel et est l'auteur de nombreux ouvrages sur la nutrition destinés au grand public. Ses grands principes : la santé par l'équilibre alimentaire. Ne rien supprimer mais modérer les portions. Diversifier les aliments.

Etablir les menus comme un jeu qui s'appellerait **421**-GPL en calculant pour chacun des trois repas, le petit déjeuner étant très important :

4 parts de *glucides* : 1 crudité, 1 « crudité » légume ou fruit cuit dont les fibres sont plus tendres, 1 farineux et du sucre. Ce dernier peut être omis pour les adultes.

2 parts de *protides* : 1 laitage et au choix 1 œuf, poisson ou viande.

1 part de *lipides* : 1/2 animale, par exemple du beurre cru, et 1/2 végétal (huile).

Le pâté pour une personne : hacher finement 40 g de bœuf et 20 g de foie de veau. Mélanger avec 1 jaune d'œuf, 1/2 cuil. à café de farine, 1 cuil. à café de beurre. Assaisonner modérément. Mettre dans un moule et cuire 12 à 15 mn à four moyen. Laisser refroidir, envelopper d'aluminium pour l'emporter lors d'une randonnée à vélo.

Biscuit de bœuf aux deux échalotes de François-Xavier Lalanne.

Pour 4 personnes : 600 g de steak ; 150 g de lard en lardons ; 8 grosses échalotes ; 2 cuil. à café de nuoc mam. 1 filet de vinaigre de vin ; 2 romaines (ou 2 laitues) ; beurre, sel et poivre. Emincer les échalotes, en mettre les 3/4 dans un bol avec le nuoc mam et le vinaigre et laisser macérer. Couper la viande en dés, la poêler avec un peu de beurre puis la disposer dans un plat à gratin. Faire revenir dans la même poêle les lardons et le restant d'échalote puis les mélanger à la viande. Plonger les salades 1 mn dans de l'eau bouillante salée, égoutter, détacher les feuilles. Couvrir la viande des échalotes au nuoc mam puis des feuilles de romaine. Mettre à four très chaud et baisser immédiatement l'intensité de feu. Cuire 25 mn.

Le poulet au sésame de Lee Miller Penrose

Pour 4 personnes : couper un poulet en quatre, retirer la peau (la peau du poulet est grasse et apporte plus de calories que la chair) et les os de la carcasse. Poêler 80 g de sésame sans matière grasse en secouant la poêle constamment jusqu'à ce que les graines soient brun clair. Les mélanger dans une assiette creuse avec 80 g de chapelure, sel et poivre. Faire fondre 80 g de beurre. Tremper chaque morceau de poulet dans le beurre puis les rouler dans le sésame. Disposer dans un plat à gratin et arroser du restant de beurre fondu. Cuire à four moyen 40 mn.

LA MER ET LES RIVIÈRES

Les huîtres farcies de Jacques Manière

Pour 4 personnes : travailler à la fourchette 50 g de beurre un peu mou, 3 feuilles d'estragon hachées finement avec 3 brins de persil, 1 gousse d'ail écrasée (facultatif) et au choix 1 cuil. à soupe de citron ou de pastis. Mélanger 20 cl de crème, 1 jaune d'œuf et du poivre. Ouvrir 24 huîtres plates de bonne taille, retirer une partie de leur eau. Disposer sur un grand plat ou 4 assiettes allant au four, garnis d'une couche de gros sel. Mettre un peu de beurre préparé sur chaque huître et enfourner à four très chaud jusqu'à ce que le beurre soit fondu. Couvrir alors de crème et faire gratiner rapidement sinon les huîtres se recroquevillent.

Kabab dial Houtte de Madame Jalil Tazi à Casablanca

Les crustacés sont particulièrement énergétiques et si on a besoin d'un coup de fouet, augmenter la proportion de crevettes ou les remplacer par du crabe, du homard coupé en cubes, de la langouste.

Pour 6 personnes : battre à la fourchette dans un saladier, 2 cuil. à café de piment doux (ou de paprika), 1 cuil. à café de poivre. 1 cuil. à café de gingembre râpé, 2 oignons finement hachés avec de la coriandre fraîche, du persil non frisé, 2 feuilles de laurier, du sel et 15 cl d'huile d'olive. Ajouter 500 g de grosses crevettes dont la queue a été décortiquée et 1 kg de poisson (cabillaud, lotte, turbot) en gros cubes. Laisser macérer 3 h à température ambiante puis griller à 20 cm de la braise, 8 à 10 mn. Retourner régulièrement en arrosant de marinade. Servir avec citron, riz créole et une béarnaise tiède. Le goût de l'estragon se marie parfaitement à celui des épices.

Les truites de Joan Crawford

Pour 4 personnes : 4 truites fumées. 2 boîtes de gelée de viande au madère ou 1/2 litre de gelée « home made » éventuellement en sachets. 15 cl de crème épaisse. 2 cuil. à café de jus de citron. 1 cuil. à soupe de raifort râpé. 2 pincées de sucre, sel et poivre.
Retirer la peau des truites, les disposer dans un plat, couvrir de gelée à moitié prise et mettre 1 h dans le réfrigérateur. Mélanger crème, citron, raifort, sucre et assaisonner. Laisser à température ambiante pour que la crème aigrisse. Accompagner les truites de la sauce et, comme Joan

Crawford le fait, de Dom Perignon servi en flûtes d'argent qu'elle avait aussi mises au froid.

DESSERTS

Des plus légers aux plus « bourratifs ».

Le sorbet aux fraises ou au cassis de Jean-Paul Guerlain.

Jean-Paul est le « nez » de l'affaire Guerlain, celui qui crée les parfums, mais il est aussi un cuisinier passionné et, dans ce domaine, encore à la recherche d'arômes subtils.

Pour 4 personnes : Faire bouillir 300 g d'eau et 300 g de sucre pendant 3 mn. Retirer du feu. Ajouter une gousse de vanille fendue et laisser 12 h à température ambiante. Enlever la vanille, mettre 500 à 750 g de fraises ou de cassis équeutés, le jus d'1/4 de citron, 1 pincée de sel. Parfumez la fraise d'une tombée de grand marnier, le cassis d'une goutte de peppermint. Mixer puis passer au tamis et verser dans une sorbetière. Faire tourner dans le congélateur pendant 1 h 1/2.

Les mangues au yoghourt d'André Jocelyn

Pour 4 personnes : couper 2 mangues très mûres en petites tranches. Les mélanger dans un saladier avec 5 yoghourts, 5 feuilles de menthe froissées entre les doigts, 4 à 5 cuil. à soupe de sucre. Laisser au frais 12 h puis décorer de quelques fruits rouges.

La charlotte de Brigitte Bardot

Pour 6 personnes : Tapisser un moule à charlotte de biscuits-cuiller passés dans du rhum coupé d'eau sucrée. Emplir de crème de marron vanillée mélangée par moitié de crème fouettée. Couvrir d'une assiette avec un poids dessus et mettre plusieurs heures au frais.

La purée de pommes aux marrons glacés de Cecil Beaton

Pour 4 personnes : cuire 5 mn à feu vif 50 cl d'eau et 180 à 200 g de sucre fin afin d'obtenir un sirop. Ajouter 750 g de pommes en morceaux. Quand elles sont cuites, les réduire en purée avec 8 marrons glacés. Fouetter la purée jusqu'à ce qu'elle soit lisse. Incorporer encore 6 marrons glacés en morceaux et mettre au frais.

L'ESTHÉTIQUE

1

LE MAQUILLAGE

Le terme produit de maquillage désigne toute préparation utilisée pour nettoyer, traiter, embellir ou modifier votre apparence. Tous ces produits contiennent une infinie variété d'ingrédients tant naturels que synthétiques. Le choix est vaste, mais à l'intérieur d'une même catégorie de produits, les composants restent à peu près les mêmes. Les différences jouent plutôt sur les détails — texture, couleur, parfum, quand ce n'est pas l'addition d'un élément nutritif spécial. Y a-t-il vraiment une grande différence entre les marques coûteuses et bon marché ? Leur action n'est pas très dissemblable ; c'est généralement la façon dont vous utilisez votre produit, plutôt que le produit lui-même qui détermine le résultat. Il est vrai que les produits coûteux sont le fruit de recherches plus poussées ; par ailleurs, plus le prix est élevé, plus le conditionnement est luxueux, plus les couleurs ont de profondeur et de diversité et parfois plus les ingrédients sont raffinés et rares. Mais la véritable différence est psychologique : si vous pensez qu'un certain produit est plus efficace, il le deviendra automatiquement. L'aspect, la texture, l'odeur, l'image de marque d'un cosmétique — tous ces éléments sont d'égale importance.

Il faut savoir choisir les produits qui vous conviennent. Certains sont en harmonie avec votre peau, d'autres non. Il existe en outre plusieurs gammes de produits hypo-allergiques et les fabricants se préoccupent de plus en plus de la pureté de leur préparation. Les cosmétiques qui ne contiennent aucun produit chimique sont généralement plus chers, d'une part parce que les ingrédients naturels sont plus rares et, de l'autre, parce que la préparation risque de s'abîmer plus vite.

LES PRODUITS POUR LA PEAU

LES DÉMAQUILLANTS : Ils contiennent une huile pour dissoudre les éléments gras du maquillage et un émulsifiant pour faciliter leur élimination.

Crèmes : Excellentes pour enlever le maquillage et la poussière, mais elles ont tendance à coller à la peau. Essuyez-les avec un kleenex.

Cold-creams : Elles ressemblent davantage à des pommades et conviennent aussi aux peaux grasses. Enlevez-les au kleenex.

Laits : Contiennent davantage d'eau que de crème, mais leur texture varie. Conviennent à toutes les natures de peau. Enlevez-les au kleenex.

Démaquillants qui se rincent à l'eau : Crèmes légères ou laits que l'on élimine en se rinçant le visage à l'eau. Excellents pour toutes les peaux.

Tampons démaquillants : Epais disques de tissu hydrophile imbibés de lotion démaquillante. Particulièrement indiqués pour certaines zones spéciales comme les yeux et pour les démaquillages partiels.

LES LOTIONS : Elles éliminent toute trace de démaquillant, rafraîchissent et resserrent le grain de la peau, et parfois éliminent les couches de cellules mortes. Elles sont de trois sortes, selon leur teneur en alcool. Apliquez-les avec un coton.

Lotions rafraîchissantes : Substance aromatique dissoute dans de l'eau, avec parfois un peu d'alcool. Apaisent et rafraîchissent la peau.

Toniques : Un peu plus corsés, car ils contiennent davantage d'alcool. Bons pour les peaux sèches et normales.

Astringents : Fortement dosés en alcool. Ils piquent la peau et resserrent momentanément les pores. Bons pour les peaux grasses.

LES PRODUITS HYDRATANTS : Bien mal nommés, puisqu'ils n'apportent absolument pas d'eau, mais favorisent simplement l'hydratation de la peau en enfermant hermétiquement l'eau qu'elle contient sous une pellicule extrêmement mince et invisible d'huile ou de graisse. Ce sont les produits les plus importants pour la peau. Ils existent pour les différents types de peau. Appliquez-les du bout des doigts.

Crèmes : Plus lourdes, elles lubrifient et protègent aussi dans les climats paticulièrement rudes. Excellentes pour les peaux sèches, vieillissantes et pour garder la nuit.

Laits : Plus légers, ils lubrifient néanmoins un peu. Excellents sous le maquillage, car ils aplanissent les irrégularités superficielles et permettent d'étaler le fond de teint de façon plus homogène.

LES PRODUITS NOURRISSANTS : Ils adoucissent, lubrifient, nourrissent, traitent, enrichissent ; on les appelle souvent « crèmes de nuit ». Il faut ranger dans cette catégorie les crèmes pour les yeux et le cou, ainsi que les laits pour les mains et le corps. Ce sont tous des produits très actifs destinés à venir en aide à une peau qui a besoin de gras ou d'eau ou des deux. Ils ont trois fonctions — ils lubrifient, ils hydratent et ils protègent.

Crèmes : Elles contiennent toutes des huiles ou des graisses ou les deux. La principale différence entre les nombreuses marques est une différence de concentration et de proportions de ces deux éléments.

Elles sont très tenaces et forment un écran protecteur derrière lequel la peau est libre d'absorber les molécules grasses ; elles adoucissent la surface et permettent de fixer l'eau. Il faut les appliquer du bout des doigts en massant doucement la peau. Elle ne doivent pas être absorbées, mais au contraire rester visibles à la surface. On accroît leur efficacité en humectant préalablement la peau. Gardez-les au moins une heure. Essuyez avec un kleenex et nettoyez le visage.

Beaucoup de crèmes contiennent un ingrédient supplémentaire pour lequel le fabricant revendique une propriété spéciale, le plus souvent une capacité à renouveler les cellules de la peau. Celle-ci peut en effet absorber certains éléments extérieurs, mais lesquels et dans quelle mesure, c'est là un point qui reste controversé. Parmi les additifs les plus courants, citons :

● Les hormones : Elles comblent le besoin d'œstrogène de la peau pendant et après la ménopause. Le contenu hormonal des crèmes est trop faible pour affecter le système tout entier et la proportion est d'ailleurs limitée par la loi. En France, l'utilisation des hormones est interdite dans les crèmes du commerce ; on peut s'en procurer dans les pharmacies, avec une ordonnance. Ces crèmes améliorent indéniablement dans une certaine mesure l'état de la peau, car elles modifient le métabolisme des cellules qu'elles dilatent, ce qui gonfle et lisse la surface de l'épiderme.

● Les extraits tissulaires : Il peut s'agir de tissus embryonnaires, de placenta ou des ovaires de jeunes animaux. Ils agissent en activant la circulation capillaire et en stimulant le métabolisme. Leur teneur dans les crèmes est limitée, mais ils contribuent à hydrater et à nourrir les peaux vieillissantes et ils soignent les peaux excessivement sèches ou grasses.

● Le collagène : A l'état naturel, c'est un élément important du tissu conjonctif ; la finesse et la souplesse de la peau en dépendent.

Crèmes pour les yeux : Ce sont des crèmes nourrissantes particulièrement concentrées et qui contiennent une proportion élevée d'huile surfine.

Crèmes pour le cou : Elles ne sont pas très différentes des crèmes nourrissantes ordinaires et contiennent simplement un peu plus d'huiles. Appliquez du bout des doigt en massant avec des mouvements ascendants.

Lotions pour le corps : Ces émulsions à l'eau sont en fait des crèmes diluées, mais elles contiennent souvent des arômes supplémentaires et parfois de la lotion rafraîchissante pour donner une impression de fraîcheur. Elles adoucissent, lubrifient, hydratent et protègent.

Lotions pour les mains : Ce sont aussi des émulsion à l'eau plus ou moins fluides. La formule de base est la même que celle des lotions pour le corps, mais la consistance est souvent plus lourde. Certaines crèmes pour les mains sont à base de glycérine gélifiée avec de la gomme adragante. Elles ont de grandes vertus protectrices, outre qu'elles lubrifient et hydratent.

LES CRÈMES SOLAIRES : Elles consistent en un écran chimique incorporé dans une base qui peut être soit un mélange d'alcool et d'eau, soit une lotion, soit une crème, soit une huile, soit une graisse. Toutes ces bases sont assez semblables, encore que les huiles et les graisses résistent mieux à l'eau ; beaucoup de femmes préfèrent les crèmes, parce qu'elles adoucissent la peau. Cependant, pour choisir une crème solaire, le seul critère devrait être l'efficacité avec laquelle elle protège la peau du soleil et de la lumière. Les filtres agissent en empêchant les rayons ultra-violets qui abîment la peau de l'atteindre. La recherche dans ce domaine est extrêmement active et, chaque année, les chercheurs des grands laboratoires proposent des filtres nouveaux encore plus efficaces.

La majorité des produits actuellement sur le marché comportent des filtres destinés à arrêter les U.V.B. considérés comme les « mauvais rayons, ceux qui font rougir ». La concentration du filtre est indiquée par l'indice de protection : plus cet indice est élevé plus le produit est filtrant. Les « écrans totaux » ne laissent passer aucun U.V.B.

Cependant, on considère de plus en plus que les U.V.A., qui provoquent la pigmentation, ne sont pas non plus inoffensifs : ils parviennent jusqu'au derme et peuvent occasionner des lésions profondes. C'est pourquoi les peaux très fragiles ou très abimées doivent aussi s'en protéger. Il existe des « écrans totaux » qui arrêtent non seulement tous les U.V.B. mais aussi une partie des U.V.A. Malheureusement la législation française n'oblige pas encore les fabricants de cosmétiques à indiquer en clair leurs formules. Si bien qu'il est très difficile de s'y reconnaître dans la jungle des produits solaires. La meilleure solution, si vous avez une peau très délicate, est de consulter un dermatologue qui vous indiquera la crème la plus efficace pour votre cas.

Bronzants sans soleil : Ce sont des émulsions contenant un agent chimique qui teinte la peau. Dans l'ensemble, elles sont efficaces, mais certaines peaux ont tendance à virer à l'orange plutôt qu'au brun. La couleur ne dure guère longtemps.

LES PRODUITS DE MAQUILLAGE

LES FONDS DE TEINT : Leur but est de donner meilleur aspect à la couleur et au grain de la peau. Ils forment à la surface de la peau une pellicule qui recouvre les petites imperfections et qui unifie la couleur. Ils sont généralement basés sur des formules d'eau en suspension dans de l'huile. Les proportions varient selon les produits, ce qui explique qu'il y ait tant de consistance et d'effets différents, mais la couleur est toujours très homogène. La gamme des coloris va du blanc plat à l'acajou le plus profond. Certains peuvent être portés sans poudre.

Fonds de teint liquides : Ils forment une mince couche protectrice et sont

Ci-contre : Guy Bourdin, 1974.
Pages suivantes : Norman Parkinson, 197.

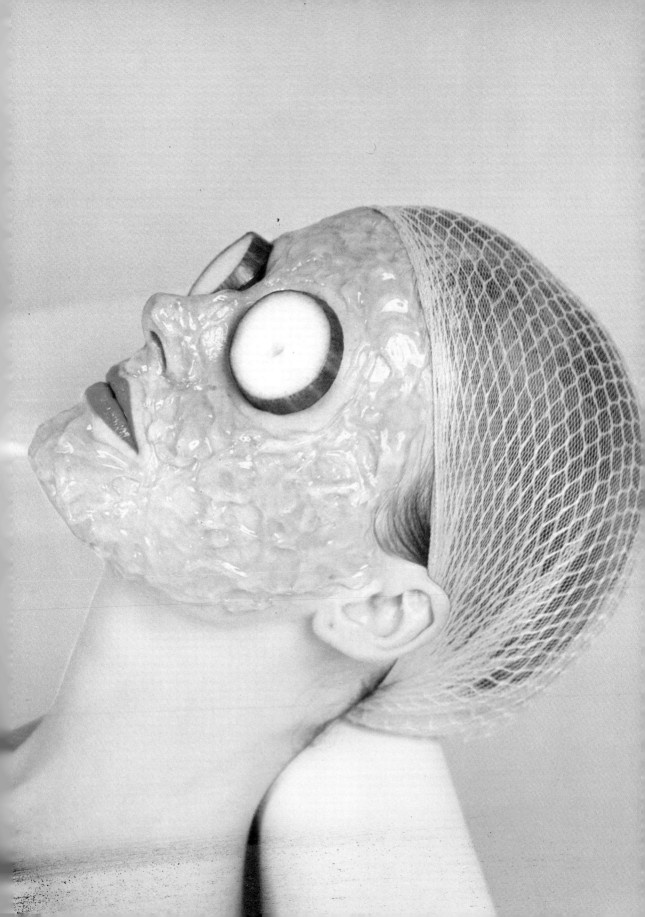

souvent soit des crèmes hydratantes, idéales pour les peaux sèches et normales, soit basés sur des formules sans huile pour les peaux grasses. Ils ne sont pas très couvrants et ne sont donc pas recommandés pour masquer les grosses imperfections. Les appliquer à l'éponge.

Fonds de teint-crèmes : Plus épais et plus lourds, leur consistance peut aller du laiteux au mousseux. Ce sont ceux qui brillent le plus ; ils s'appliquent facilement du bout des doigts ou avec une éponge.

Fonds de teint-poudres : Mélanges de crème et de poudre, souvent difficiles à appliquer, car ils tirent la peau ; une éponge humide facilite les choses. Ils ne sont pas recommandés pour les peaux sèches.

Anti-cernes : Crèmes très denses qui ont la consistance du mastic et sont généralement présentées en bâton. On s'en sert pour masquer les boutons et les cernes. Appliquez en tapotant du bout du doigt.

Fonds de teint en bâton : Formule très épaisse qui colore plus que les autres et cache les boutons, cernes et taches de rousseur. Passez le bâton directement sur la peau et étalez du bout des doigts.

Fonds de teint gel et brillant : Facile à étaler du bout des doigts ; ils forment une pellicule brillante et transparente. Excellents pour intensifier les couleurs et donner de l'éclat.

Pancakes et pains : Formules denses et déshydratées ; elles colorent beaucoup et cachent bien les boutons, mais elles dessèchent et ne sont donc pas recommandées pour les peaux sèches ; excellentes par contre pour les peaux grasses. Appliquez avec une éponge humide.

LES POUDRES : Elles fixent le maquillage et lui donnent un aspect brillant ou mat. Les poudres translucides dites « invisibles » sont préférables, car elles n'altèrent pas la couleur des autres produits. Si vous prenez une poudre colorée, il vaut mieux, en règle générale, choisir une nuance un peu plus claire que celle de votre fond de teint. Libres ou compactes.

LES ROUGES A JOUES : On les appelle aussi des blush. Leur rôle est d'ajouter de la couleur, de la chaleur, de l'ombre ou de la luminosité. Pour les pommettes prenez les roses, les pêches, les fauves. Les roux sombres et les bruns servent à atténuer les traits trop proéminents et à creuser les joues. Quand ils sont en poudre, appliquez-les avec un pinceau.

Crèmes : Hydratent en même temps qu'elles colorent. Étalez du bout des doigts par-dessus le fond de teint et sous la poudre.

Poudres : Appliquez-les au pinceau, après la poudre de riz ; les variétés translucides reflètent davantage la lumière et semblent briller.

Gels : Ce sont des produits transparents qui font briller ; appliquez-les sur le fond de teint, mais ne poudrez pas.

LES OMBRES A PAUPIÈRES : Elles colorent et agrandissent les yeux dont la forme peut être modifiée de façon extraordinaire par un maquillage intelligent. La gamme des coloris est très étendue.

Ombres-crèmes : Elles sont à l'huile, s'étalent d'elles-mêmes et se fondent facilement avec la peau. Il faut les fixer avec de la poudre translucide ou du talc pour qu'elles ne s'accumulent pas dans les plis de la peau. Appliquez du bout des doigts ou au pinceau.

Ombres en bâton : Crèmes plus compactes à base d'huile en suspension dans un support cireux. Cette formule est actuellement en recul.

Ombres liquides : Généralement fournies avec un pinceau ou un applicateur incorporés. Elles tiennent bien une fois qu'elles sont sèches. Elles existent souvent en formule « waterproof », résistante à l'eau.

Ombres en gel : Faciles à appliquer, mais donnent d'habitude davantage un effet de brillant que de profondeur. Appliquez du bout des doigts.

Ombres en poudre : Basées sur le principe de la poudre compacte à laquelle on ajoute un élément hydratant pour qu'elle adhère. Elles tiennent bien mais tirent parfois les peaux sèches. Appliquez au pinceau ou à l'éponge.

Aquarelles : Pancakes que l'on applique avec un pinceau mouillé. Elles tiennent bien et leur mode d'application facilite les effets artistiques.

Crayons : Ils sont plus gras que les crayons à sourcils et s'appliquent donc facilement sans tirer ou irriter la peau. Les « crayons-khôl », très gras, sont faits pour être appliqués à l'intérieur de la ligne des cils, pour un maquillage de style oriental.

POUR LES SOURCILS

Crayons : Ils ont des mines minces et cireuses qui doivent être bien pointues pour obtenir les meilleurs résultats.

Poudres : Ce sont encore des compacts légèrement hydratés. Appliquez-les avec un pinceau taillé en biseau.

LES EYE-LINERS : Ils servent à délimiter le contour des yeux en recouvrant totalement ou partiellement le bord de la paupière.

Liquides : Principe de l'huile en suspension dans l'eau. Il faut les appliquer avec un pinceau fin, sans quoi on risque d'en mettre partout.

Pancakes : Blocs de poudre soluble dans l'eau ; c'est l'un des meilleurs moyens de souligner les yeux. Humectez la poudre et utilisez un pinceau.

Applicateurs : Contiennent un liquide crémeux et un pinceau incorporé. Il faut leur laisser le temps de sécher.

LES MASCARAS : Ils sont généralement basés sur le principe de l'huile en suspension dans l'eau et servent à colorer et épaissir les cils.

Pancakes et pains : L'une des plus anciennes méthodes, mais qui reste encore une des plus efficaces. Appliquez avec une brosse mouillée,

1. *Le teint*

2. *La poudre*

3. *Le rouge
à joues*

4. *Le fard
à sourcils*

5. *L'ombre
à paupières*

6. *L'eye-liner*

Les sourcils

8. *Les lèvres*

lentement et progressivement en laissant aux cils le temps de sécher entre deux couches. Ils tiennent particulièrement bien.

Crèmes : Epaisses, à base d'huile et indélébiles. Elles sont difficiles à appliquer et il vaut mieux utiliser une brosse.

Applicateurs : Contiennent des crèmes que l'on applique soit avec une brosse cylindrique, soit avec un petit bâtonnet cannelé incorporés. Beaucoup contiennent des fibres pour allonger et épaissir les cils.

LES ROUGES A LÈVRES

Bâtons : Suivent le principe des huiles en suspension dans un support cireux ; il faut mélanger de nombreuses couleurs pour obtenir une seule teinte. Les fabricants ajoutent de la lanoline pour adoucir et assouplir. Les rouges à lèvres crémeux et lustrés tiennent moins longtemps, mais ils sont bons pour les lèvres qu'ils empêchent de gercer. Vous pouvez passer le bâton directement, mais il vaut mieux utiliser un pinceau.

Gels et brillants : Base de glycérine ou de vaseline, ils font généralement beaucoup briller mais colorent peu. Les gels incolores s'utilisent souvent par-dessus le rouge à lèvres. Appliquez au pinceau ou du bout des doigts.

Crayons : Ils sont tendres et à base de cire ; on s'en sert pour dessiner le contour des lèvres.

Stylos : Nouvelle présentation, sous forme de portemine long et mince, qui permet à la fois de dessiner et de colorer les lèvres. Pratique pour le sac.

MARCHE A SUIVRE

● Pensez à chacun de vos traits individuellement : regardez-vous dans la glace et oubliez l'impression d'ensemble. Qu'est-ce que vous avez de mieux, de plus attirant, de plus rare ? Songez à la mise en valeur : les yeux, la bouche, les pommettes ? Décidez ce qui vous convient et n'allez surtout pas tomber dans le piège de vouloir tout mettre en valeur.

● Pensez à votre teint : convient-il à votre physique ? Ne seriez-vous pas plus à votre avantage s'il était plus pâle, plus beige, plus soutenu, plus brun, plus noir ? Décidez quel rouge à joues lui conviendra le mieux.

● Pensez changement : on a souvent le tort de garder trop longtemps le même maquillage. Il suffit parfois d'infimes changements pour moderniser un visage sans le dépersonnaliser.

Tout l'art du maquillage moderne consiste à harmoniser toutes les parties composantes pour former un tout homogène. Ce n'est pas très difficile, mais cela demande quand même un certain savoir-faire. Le secret est d'arriver à fondre ensemble tous les éléments disparates — les textures, les nuances, les dégradés, les couleurs, les contours, les traits du visage. Un maquillage épais mais homogène a souvent l'air plus naturel qu'un maquillage léger appliqué n'importe comment. Estompez le plus souvent possible du bout des doigts, mais servez-vous aussi du pinceau. Il est souvent plus facile, plus précis et plus efficace d'appliquer votre maquillage au pinceau et il en existe pour différents usages.

A LA BASE : LES COLORIS

On ne doit foncer ou éclaircir la couleur de sa peau que d'un ton ou deux. Les peaux claires sont avantagées par rapport aux foncées, car il y a beaucoup plus de possibilités pour foncer un teint que pour l'éclaircir. La plupart du temps, la peau détermine aussi les coloris qui conviennent aux pommettes, aux lèvres et parfois même aux yeux.

Le choix et l'harmonisation des coloris sont la base d'un bon maquillage et vous pouvez fort bien mélanger plusieurs teintes différentes avant de les appliquer. Servez-vous de la paume de votre main comme d'une palette et travaillez avec les doigts ou avec un pinceau. Si la texture est un peu trop épaisse, ajoutez une goutte de lotion hydratante ou de tonique (sans alcool). Pour le fond de teint, il vaut mieux vous en tenir à la couleur la plus proche de votre couleur de peau. Plus la peau est sombre, plus le fond de teint doit être transparent.

Teint pâle : Il lui faut de la délicatesse ; une mince couche d'un ivoire crémeux ; un rouge à joues rose ou ambré ; un rouge à lèvres pastel.

Teint laiteux : Souvent celui des peaux orientales. Il faut un fond de teint beige ou doré et des tons pêches ou roses pour les joues et les lèvres.

Teint beige : Une peau assez neutre qui s'adapte à de nombreux coloris : beiges, dorés ou bronzés ; pour équilibrer choisissez des tons corail, rose rouge, rose vif ou fauve.

Teint olivâtre : Il faut des teintes dorées avec un soupçon de rose ; pour les joues et les lèvres, du corail chaud, du rose profond ou du fauve.

Teint basané : Généralement, plus la peau est foncée, moins elle a besoin de fond de teint ; le meilleur résultat est souvent obtenu avec un gel qui fait simplement briller. Fonds de teint d'un brun frais ou terreux ; pour les joues et les lèvres les ambres, les cannelles et les pourpres.

Teint noir : Les gels donnent de l'éclat et les bâtons de crème solaire sont excellents pour les peaux les plus sombres. On peut souligner les joues avec des teintes ambrées ou violacées qui conviennent aussi aux lèvres.

LE FOND DE TEINT

Utilisez-le avec parcimonie : il vaut souvent mieux en mettre deux fines couches plutôt qu'une épaisse tartine. Assouplissez d'abord les crèmes, les liquides ou les gels dans le creux de votre main pour que l'application soit plus lisse et plus fine. Mettez-en une touche sur le nez, une sur chaque joue, sur le menton et sur le front et puis étalez soigneusement du bout des doigts — en remontant de la pointe du menton vers l'extérieur, en lissant les joues vers les tempes et les mâchoires, le front vers les tempes, en descendant le long du nez jusque sous le bout et en passant très légèrement autour des yeux et sur les paupières. Étalez le fond de teint jusque sous le menton en vous assurant qu'il n'y a pas de ligne de démarcation. Il faut appliquer les pancakes et en général lisser tous les fonds de teint avec une éponge humide pour qu'ils paraissent plus unis.

CORRIGER

Il est tout à fait possible de dissimuler les imperfections et les cernes et de corriger les plans du visage et la taille des traits en fonçant ou en éclaircissant certaines zones.

Les imperfections : Utilisez un produit opaque pour couvrir. Si l'imperfection ne forme pas un trop grand contraste avec la peau — par exemple des vaisseaux éclatés — prenez un ton assorti au fond de teint. Pour masquer une cicatrice rougeâtre ou une envie, prenez un ton plus clair. Pour recouvrir une zone plus claire, cicatrice blanche ou tâche dépigmentée, prenez un ton plus foncé. Appliquez le produit sur l'endroit exact, étalez doucement et estompez les bords pour les fondre avec le fond de teint.

Les ombres : Ce sont souvent des cernes sous les yeux, que l'on peut camoufler avec un anti-cernes très clair. Il vaut mieux utiliser un fond de teint ultra-pâle ou un crayon blanc épais que l'on estompe du bout des doigts. La zone éclaircie doit se fondre avec le maquillage.

Les contours : Il s'agit de souligner le meilleur et de gommer le pire par un jeu d'ombres et de lumière mêlé de rouge. A partir des yeux et en descendant, la grande règle est de mettre d'abord du blanc, du rouge au centre (voir le maquillage des joues) et du beige-brun en dessous. Il est facile de rater car on a toujours tendance à en mettre trop. Concentrez-vous sur les points à mettre en valeur, le reste s'effacera de lui-même. Prenez un fond de teint blanc ou un crayon mou et gras. Soulignez l'arête du nez, le haut des pommettes (en biais du dessous de l'œil jusqu'à la tempe), mettez-en une touche autour des narines et une au milieu de la lèvre inférieure. Estompez. Avec les ombres, soyez très prudente. Choisissez-les un ton seulement plus foncé que votre fond de teint : amincissez un nez trop épaté en mettant de l'ombre le long des côtés, depuis les sourcils jusqu'aux narines ; atténuez une mâchoire ou un menton proéminent en fonçant le bord extérieur. Estompez.

LES JOUES

C'est une zone assez étendue, et il est plus facile de délimiter deux niveaux — la pommette et le creux. La pommette est une petite zone ovale en haut de la joue, qui part en biais vers l'extérieur juste au-dessous de l'œil ; le creux est ovale lui aussi mais plus étendu ; il commence à la hauteur des narines et remonte vers la tempe. Il faut éclaircir la pommette pour donner de l'éclat dans la journée et de la luminosité le soir. Le creux doit être modelé pour accentuer les contours du visage, on utilise un ton mat pour donner du relief. La démarcation des deux zones doit évidemment être invisible. N'oubliez pas que la couleur de la pommette doit être estompée pour se fondre avec l'anti-cernes appliqué juste sous l'œil.

Crèmes et gels : Ils sont préférables pour la pommette car ils reflètent davantage la lumière. Mettez-en un peu sur votre paume, mélangez avec une quantité égale de fond de teint et appliquez sur la pommette en remontant vers la tempe. Attention aux traînées, la couleur doit se fondre parfaitement avec le reste du maquillage. Ne descendez pas au-dessous de la narine, estompez sur le côté jusque dans les cheveux. Pour le soir, employez des teintes lumineuses ou irisées.

Poudres : Excellentes pour sculpter les creux, mais pas toujours pour la pommette. Creusez vos joues pour délimiter leur forme naturelle et appliquez-y la poudre au pinceau. Si vous utilisez un rouge en crème, il est conseillé de le compléter par de la poudre tout à fait en fin de maquillage.

LA POUDRE DE RIZ

Elle fixe le maquillage, lui donne un aspect « fini » et le fait tenir. Les poudres translucides (on peut aussi utiliser les talcs pour bébés) sont préférables, car les poudres teintées risquent de « tourner ».

L'« outil » pour application est une affaire de goût personnel : houppettes en cygne ou en velours, coton, éponge ou brosse. Prenez une généreuse quantité de poudre, en commençant par le menton, poudrez vers le haut en procédant par pressions et torsions très légères. Couvrez tout le visage y compris les paupières. Puis avec l'autre côté de la houppette, repoudrez le front d'une tempe à l'autre, les joues et le nez en descendant, le menton d'une mâchoire à l'autre. Brossez soigneusement l'excès de poudre.

LES YEUX

Les yeux donnent au visage beaucoup de sa personnalité et bien des femmes préfèrent mettre l'accent sur eux. Le but est évidemment de masquer leurs défauts et de souligner leurs qualités à coups d'ombre à paupières, d'anti-cernes, d'eye-liner, de mascara et de faux cils. A vous de choisir ce que vous préférez et en quelle quantité.

Premier degré : L'œil naturel. Posez sur toute la paupière une ombre que vous estomperez progressivement vers le sourcil. Mettez-en aussi un soupçon juste sous les cils inférieurs. Ajoutez un rien d'eye-liner et du mascara bien brossé.

Deuxième degré : L'œil souligné. Vous lui donnerez davantage de relief en intensifiant la couleur de l'ombre à paupières à l'aide d'un ton plus soutenu posé au creux de l'orbite, en suivant son contour naturel. La zone située sous le sourcil doit être éclaircie. Cernez l'œil d'un trait d'eye-liner assez flou. Mettez du mascara et quelques faux cils.

Troisième degré : L'œil du soir. Il doit briller aux lumières artificielles. L'ombre sera de couleur plus vive et plus soutenue. Soulignez le creux de l'orbite d'une ligne ferme appelée « banane ». Posez une crème lumineuse nacrée sous le sourcil.

Proportions du sourcil

LES SOURCILS : Ils donnent de l'expression au visage et contribuent à l'équilibrer. Il faut les nettoyer et préciser leur forme, mais efforcez-vous de ne pas modifier leur tracé naturel. Certains de leurs poils ont mauvais caractère et refusent de repousser une fois arrachés. Le sourcil idéal commence au-dessus du coin intérieur de l'œil et remonte pour atteindre le sommet de sa courbe juste au-dessus de l'iris. La courbe est douce et ne devrait pas finir plus bas qu'elle n'a commencé. L'extrémité extérieure doit se terminer dans le prolongement de la diagonale reliant la narine au coin extérieur de l'œil.

Coiffez vos sourcils avec une brosse, d'abord vers le haut, puis lissez vers la tempe ; arrachez à la pince à épiler les poils qui dépassent de l'alignement ; allez-y d'un coup sec en les prenant toujours par en dessous. Soulignez le tracé du sourcil au crayon ou à la poudre. Votre crayon doit toujours être pointu ; procédez par petits traits en diagonale. L'applicateur des fards en poudre est spécialement taillé en biseau. Donnez des petits coups légers. La couleur fonce sur le sourcil, donc choisissez un ton plus clair que le vôtre. Le brun foncé est préférable au noir.

L'OMBRE A PAUPIÈRES : Elle donne à l'œil du relief et du brillant. N'oubliez pas l'effet des couleurs sur le relief : les teintes profondes atténuent les volumes, les couleurs vives et pâles les accusent. Si vous ne pouvez pas résister aux verts ou aux bleus, prenez-les pâles, presque gris ou teintés de blanc. Utilisez la texture qui vous plaît, mais veillez à estomper, estomper, estomper au maximum : les effets de rayures sont hideux. Recouvrez toute la paupière et estompez vers le haut et l'extérieur. Dessinez le creux de l'orbite au crayon gras et étalez du bout du doigt en estompant. Relevez le sourcil et éclairez l'œil entier en appliquant une couleur pâle juste au-dessous du sourcil, à l'extérieur ou à l'intérieur selon la forme de votre œil. Pour cela les blancs, les crèmes et les roses sont imbattables, ou bien un gel translucide. Pour le soir, n'hésitez pas à prendre des teintes sombres plus profondes, des teintes plus pâles et irisées et à souligner davantage le creux de l'orbite. Voici la marche à suivre pour un bon maquillage correctif des yeux :

Enfoncés

Enfoncés : On les fait ressortir en mettant sur la paupière une couleur pâle que l'on étale jusqu'au-dessus du creux de l'orbite. Sur l'arcade sourci-

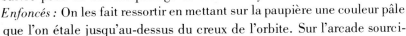

lière, mettez un peu de brun, de mauve ou de gris ; une ombre claire juste sous le sourcil, avec une touche de même couleur au milieu de la paupière. Redessinez l'orbite d'un trait flou au-dessus du creux naturel. Une ligne très fine d'eye-liner clair sous les cils du haut.

Exorbités : Il faut atténuer la paupière en la couvrant d'une ombre mate et foncée qui se fondra avec le bas de l'arcade sourcilière et viendra mourir juste sous le coin externe de l'œil. Sous le sourcil, une teinte chair ou rosée. Dessinez un trait noir au creux de l'orbite, et estompez-le. L'eye-liner aide à diminuer la paupière ; mettez l'accent sur les cils du haut, en les recourbant avant d'appliquer plusieurs couches de mascara.

Petits : Pour leur donner davantage d'importance, il faut éclairer la paupière et effacer le contour de l'œil. Commencez par appliquer une ombre foncée tout autour de l'œil, sauf au-dessus du coin interne. N'hésitez pas à mettre beaucoup d'ombre sur les côtés mais, en dessous, la ligne doit rester très fine. Dans le coin interne, il faut poser un ton pâle que vous prolongerez sur la paupière vers l'extérieur. Beaucoup de cils — les faux font de l'effet. Une ombre brillante sous le sourcil.

Ronds : Une ombre estompée agrandit la paupière, mais elle doit rester assez claire. Couvrez toute la paupière d'une couleur pâle puis, avec un ton plus soutenu de la même gamme, dessinez le creux de l'orbite, en restant parallèle à la ligne des sourcils dans les coins. Soulignez le pourtour de l'œil en prolongeant les lignes du haut et du bas, rajoutez des faux cils à partir du milieu de l'œil vers l'extérieur. Allongez et foncez le creux de l'orbite.

Paupières lourdes : Ici, il faut s'efforcer d'effacer la paupière et de mettre l'accent sur l'œil lui-même. Prenez un ton moyen dans une gamme de couleurs mates : faites un triangle en commençant au coin intérieur, en remontant sous le sourcil et en redescendant vers le coin extérieur. Un soupçon de brillant au centre de la paupière. Soulignez le creux d'un trait qui doit être plus foncé et plus flou vers l'extérieur de la paupière. Mascara en haut seulement.

Trop rapprochés : Il faut mettre l'accent sur le coin extérieur de l'œil. Épilez bien entre les sourcils ; mettez de l'anti-cernes entre le coin intérieur de l'œil et l'arête du nez. N'appliquez l'ombre qu'à partir du

Exorbités

Petits

Ronds

centre de l'œil et estompez-la vers l'extérieur. Soulignez le creux de l'orbite à partir du même endroit et prolongez vers l'extérieur. Appliquez l'eye-liner à 1 cm du coin intérieur et prolongez-le vers l'extérieur. Rajoutez des faux-cils dans le coin extérieur.

Trop écartés : Pour rapprocher les yeux, mettez une ombre foncée entre l'œil et l'arête du nez, en remontant vers le sourcil ; faites redescendre la courbe pour qu'elle vienne mourir au coin extérieur. Beaucoup de brillant sur l'extérieur de l'arcade sourcilière. Soulignez le creux de l'orbite près du nez et tracez une ligne d'eye-liner assez épaisse, mais estompée pour éviter un maquillage trop dur. Ajoutez des faux cils et appliquez du mascara vers le centre de l'œil.

Tombants : Il faut relever les coins extérieurs ; le résultat sera plus efficace et moins voyant si vous le faites avec de l'ombre et un soupçon d'eye-liner. Étalez l'ombre vers l'extérieur, en remontant presque jusqu'au sourcil. Dessinez une fausse orbite relevée vers l'extérieur et estompez le trait. Appliquez des petits traits fins d'eye-liner en remontant depuis le centre des cils du haut. Mettez une ombre pâle très estompée au coin extérieur. Recourbez les cils et mettez du mascara.

L'EYE-LINER : Il permet de souligner les contours et il agrandit l'œil, mais la ligne doit toujours rester fine. L'eye-liner noir est réservé aux brunes de cheveux et de peau ; sinon le brun suffit. Pour les peaux claires, le brun pâle et les tons mauves ou gris sont préférables. Le soir, un eye-liner assorti à l'ombre à paupières fait merveille.

Appliquez-le toujours au pinceau ultra-fin. Regardez vers le bas et, en tirant d'un doigt sur la paupière, tracez un trait fin le long des cils du haut ; arrêtez-vous au coin extérieur sans prolonger au-delà. La plupart des femmes devraient se contenter de ce seul trait, mais si vraiment le contour de votre œil laisse à désirer, rajoutez sous l'œil quelques points ou quelques fines lignes en biais. Parfois une ligne sous les cils du haut est préférable. Il est souvent plus joli d'étaler un peu l'eye-liner avec le doigt pour qu'il se fonde avec les cils et l'ombre à paupières. Avec les eye-liners liquides ou en pancake, les lignes sont généralement très nettes. Le crayon est plus subtil. Le crayon-khôl permet de souligner la ligne intérieure des cils, ce qui donne un regard mystérieux.

Paupières lourdes   *Trop rapprochés*   *Trop écartés*   *Tombants*

LE MASCARA : Les cils doivent ressortir, mais il vaut mieux qu'ils soient longs et duveteux plutôt qu'épais et raides. Les cils naturels sont rarement assez longs ou assez sombres pour bien encadrer l'œil. Le mascara peut être très foncé, vous pouvez utiliser du noir, même si vous avez les cheveux châtains. Prenez toujours un ton beaucoup plus foncé que celui de vos cheveux dans la game des bruns.

Brossez et poudrez légèrement les cils pour fournir au mascara un support bien dru. Il vaut mieux les recourber auparavant pour obtenir un effet plus duveteux. Appliquez le mascara par couches successives ; plusieurs couches fines sont plus jolies qu'une seule couche épaisse. Commencez au bout des cils et redescendez vers la base. Brossez les cils du haut en descendant puis en remontant. Ainsi les deux côtés des cils seront enduits et les cils seront poussés vers le haut. Pour les cils du bas, brossez d'abord par en dessus puis par en dessous. Laissez sécher chaque couche avant d'en appliquer une nouvelle. Selon l'épaisseur désirée, il faudra recommencer plusieurs fois. Il est important de bien séparer les cils ; s'ils se collent ensemble, séparez-les avec un peigne fin bien propre.

LES FAUX-CILS : Ils font beaucoup d'effet et paraissent souvent plus naturels que d'épaisses couches de mascara. Ils peuvent considérablement modifier un visage et le rajeunir. Pour la couleur, suivez les règles valables pour le mascara. Le but est de faire paraître vos propres cils plus longs et plus fournis, sans que l'on voit l'artifice ; n'en mettez qu'à la paupière supérieure. Il y a trois possibilités :

Une bande de faux-cils : Vérifiez la longueur, les cils doivent commencer un tout petit peu en-deçà du coin interne et ne pas dépasser le coin externe. Coupez la bande au rasoir si elle est trop longue. S'ils sont neufs, faites tremper les cils trois à quatre minutes dans de l'eau chaude pour enlever l'apprêt qui les raidit.

Recourbez légèrement la base pour qu'elle s'adapte bien à votre paupière. Avec un bâtonnet de buis, appliquez une couche de colle spéciale le long de la bande. Laissez sécher quelques secondes, approchez le plus possible la bande de vos propres cils et avec le bâtonnet ou une lime en carton, pressez-la vers le bas doucement jusqu'à ce que les deux lignes se rejoignent.

A l'eye-liner, masquez les trous et cachez la colle. Appliquez un tout petit peu de mascara pour amalgamer les vrais et les faux cils. Pour enlever, décoller doucement la bande en commençant au coin extérieur. Enlevez la colle du bout des ongles. Vous pouvez laver les faux cils à l'eau tiède ou dans un liquide spécial. Séchez-les en les enroulant dans un kleenex autour d'un crayon.

Des morceaux de bande : Au rasoir coupez la bande à la taille désirée.

Enroulez-la autour d'un doigt pour qu'elle suive la courbe de votre œil, lorsque vous l'appliquez. Procédez comme pour la bande entière.

Cil par cil : Cette méthode exige beaucoup de patience. Les cils ne sont pas rattachés à la peau mais à vos propres cils, dont ils doublent l'épaisseur. Il faut compter au moins une demi-heure pour les deux yeux. Choisissez quelques cils sur une bande de faux-cils en les prenant plus courts pour l'intérieur de l'œil. En commençant à l'intérieur, avec une pince à épiler, prenez un cil, plongez-le dans la colle spéciale et en vous servant de sa base comme d'une brosse, enduisez un de vos cils de colle sur toute sa longueur, puis pressez les deux cils ensemble base contre base ; maintenez une seconde. Ces faux cils devraient tenir une semaine, mais ne vous maquillez pas les yeux avec des produits gras. Le mascara n'est ni nécessaire, ni recommandé, car on ne peut pas l'enlever sans enlever les faux-cils en même temps. Les ôter avec un démaquillant gras.

LES LÈVRES

Il leur faut du brillant, de la couleur et un contour soigneusement tracé. Apprenez à délimiter vos lèvres au crayon ou au pinceau avec une teinte plus foncée ou plus claire que celle du rouge à lèvres. L'effet sera plus net et plus propre qu'avec un simple bâton de rouge à lèvres. Pour avoir la main bien ferme, appuyez votre coude sur la table. Délimitez d'abord la lèvre inférieure du centre au coin droit, puis du centre au coin gauche. Prolongez légèrement aux commissures pour faire remonter la bouche. Dessinez la lèvre supérieure, elle aussi du centre aux coins. Appliquez le rouge au pinceau ou directement avec le bâton en veillant à ne pas baver sur le contour. Si vous voulez une bouche vraiment éclatante, passez un brillant à lèvres par-dessus le rouge.

Il n'est pas facile de corriger la forme de sa bouche et les tricheries sont souvent beaucoup trop visibles, surtout quand le rouge commence à disparaître. N'essayez jamais de redessiner la bouche entière et choisissez des teintes neutres. Voici quelques corrections très subtiles :

Trop grande : Tracez le contour juste en-deçà du contour naturel, avec une teinte claire, et remplissez d'un ton plus soutenu mais néanmoins plutôt clair.

Trop charnue : Évitez les rouges vifs, brillants, épais ; restez toujours en-deçà du contour naturel. Contour et intérieur doivent être presque de la même couleur.

Trop mince : Dans une teinte claire, tracez le contour juste au-delà du contour naturel en vous arrêtant un peu avant les commissures. Remplissez avec une teinte plus soutenue.

Irrégulière : Lorsque les lèvres sont d'épaisseurs différentes, utilisez deux tons distincts, le plus sombre pour la lèvre la plus épaisse.

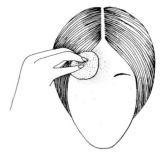

CHANGEZ DE TÊTE EN 10 MINUTES

- *Un matériel de première nécessité.*
- *Une technique de professionnelle.*
- *Un minimum de temps.*

Le succès dépend de la technique et celle-ci ne se perfectionne qu'avec la pratique. Il est crucial de faire les opération dans un certain ordre. Ne mettez l'accent que sur un seul point — les yeux, la bouche, les joues — et pour le reste, tenez-vous en aux couleurs neutres. Les professionnels travaillent sur un visage propre bien hydraté, avec une gamme très simple de cosmétiques.

Matériel : pince à épiler, fond de teint coloré, anti-cernes, ombre à joues, rouge à joues, poudre translucide ou talc, ombre à paupières, crayon pour les yeux, eye-liner, retrousse-cils, mascara, crayon à sourcils, blush en poudre, crayon pour la bouche, rouge à lèvres, brillant pour les lèvres ou vaseline.

1. Vérifiez d'abord si vos sourcils ont besoin d'être épilés. Arquez-les en arrachant les poils du dessous. La courbe des sourcils équilibre le visage entier ; vous pourrez les prolonger et les colorer plus tard.

2. Appliquez le fond de teint sur tout le visage, en étalant soigneusement ; estompez pour éviter les démarcations. Votre paume vous servira de palette pour obtenir une consistance homogène. Lissez avec une éponge.

3. Mettez de l'anti-cernes pour éclaircir le dessous des yeux, le tour des narines, le dessous de la lèvre inférieure. Mettez-en aussi sur les régions plates et surélevées du visage : l'arête du nez, le bord supérieur des pommettes. Estompez.

4. Effacez vos défauts avec une ombre foncée, mais allez-y très doucement, car si vous chargez, vous risquez plutôt de les accentuer. Les ailes du nez et les mâchoires trop carrées peuvent être atténuées. Bien estomper.

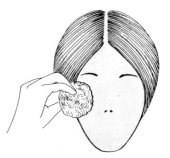

5. Colorez les joues avec un rouge-crème appliqué en diagonale vers la tempe, tout en haut du creux de la joue. Estompez pour éviter toute démarcation.

6. Poudrez légèrement avec une poudre translucide. Appliquez très délicatement par nombreux petits mouvements circulaires, en pressant légèrement pour fixer la poudre. Brossez pour que la couche soit la plus légère possible.

7. Ombrez les yeux, selon la méthode qui convient à votre forme d'œil. Mettez d'abord l'ombre sur toute la paupière, puis estompez. Regardez vers le bas pour éviter les bavures. S'il s'agit d'une crème, fixez avec de la poudre.

8. Soulignez le creux de l'orbite pour donner du relief. Dessinez une « banane » avec un gros crayon plus sombre que vos yeux. Estompez du bout des doigts ou avec un coton-tige. Le soir faites un trait plus sombre et plus net.

9. Dessinez le contour des yeux. Evitez les lignes dures, le flou est plus flatteur. Servez-vous de l'eye-liner comme d'une ombre ; appliquez-le par petites touches plus foncées et plus épaisses vers le coin extérieur.

10. Recourbez les cils avec un appareil spécial. Cela agrandit l'œil et les cils semblent plus fournis ; cela facilite en outre l'application du mascara. Poudrez légèrement.

11. Appliquez le mascara en commençant au bout des cils. Faites d'abord les cils du haut, en les brossant par en dessus ; laissez sécher, puis brossez par en dessous. Ensuite les cils du bas en dessous, puis en dessus.

12. Dessinez les sourcils en les brossant pour éliminer toute trace de poudre. Tracez au crayon de petites lignes en diagonale qui imitent les poils. Prolongez légèrement au bout. Brossez pour estomper et adoucir les traits.

13. Posez le blush en poudre sur les pommettes. Rentrez les joues et passez le pinceau très légèrement en haut du creux en remontant. Ici, le choix de la couleur détermine s'il s'agit d'un maquillage de jour ou du soir.

14. Dessinez le contour des lèvres avec un crayon pour en délimiter la forme, que ce soit ou non leur forme naturelle ; la couleur doit être légèrement plus sombre que celle du rouge à lèvres. Dessinez d'abord la ligne du bas.

15. Terminez avec le rouge et le brillant à lèvres, en remplissant d'abord l'intérieur du contour au bâton ou au pinceau. Tamponnez avec un kleenex. Mettez-en une seconde couche légère et appliquez du brillant à lèvres.

2

LA COIFFURE

Avant de prendre la moindre décision quant à votre coiffure ou à votre couleur de cheveux, essayez d'établir quel est votre type de cheveu. Il y a trois facteurs à considérer : l'épaisseur, la quantité et la qualité.

L'ÉPAISSEUR - FINS OU GROS : Le cheveu fin est de petit diamètre, plutôt faible, mou et sans corps. La chevelure est généralement peu fournie et avantagée par une coupe au carré qui ne doit jamais descendre beaucoup plus bas que la mâchoire. Votre style de coiffure dépendra de votre degré de frisure. C'est un cheveu très répandu chez les anglo-saxonnes et les nordiques.

Les gros cheveux sont drus, généralement résistants et parfois rêches. Il leur arrive d'être difficiles à discipliner et le style de la coiffure dépend de l'épaisseur de la masse et de sa frisure. Les femmes des pays chauds — méditerranéens, africains, orientaux — ont souvent ce type de cheveux. Ils réagissent plutôt bien à une coupe assez longue, à moins qu'ils ne soient rêches et très frisés. Lorsqu'ils sont raides ou ondulés, une coupe trop courte les fait se dresser dans toutes les directions.

Les cheveux normaux sont à mi-chemin entre ces deux extrêmes et s'ils sont d'une épaisseur moyenne, ils s'adaptent pratiquement à tous les styles de coiffure.

LA QUANTITÉ - FOURNIS OU PAUVRES : Si vous avez les cheveux fournis, cela veut dire que vous en avez beaucoup. S'ils sont gros, cela se voit tout de suite, mais les cheveux fins sont parfois trompeurs. Les cheveux épais et raides sont parfois merveilleux coupés au carré, mais d'habitude il vaut mieux faire une coupe dégradée pour réduire la masse et lui donner une forme. Si les cheveux sont fournis et bouclés, ne les coupez pas trop courts — à moins qu'il ne s'agisse de cheveux crépus coupés ras parce qu'ils sont trop difficiles à discipliner.

Les cheveux pauvres sont généralement plus à leur avantage si on les coiffe mi-longs et tous de la même longueur pour donner une illusion de masse. Les boucles font souvent paraître les cheveux plus fournis.

LA QUALITÉ - FRISÉS, ONDULÉS OU RAIDES : Plus vous tirerez parti des qualités naturelles de vos cheveux, plus ils seront faciles à entretenir. Pour les cheveux frisés, coupés en dégradé, toutes les longueurs sont acceptables, mais s'ils sont très fournis ne les laissez pas descendre plus bas que l'épaule.

Les cheveux ondulés reprennent d'habitude très vite leur pli naturel lorsqu'on a voulu les contraindre. Ils peuvent être coupés au carré ou en dégradé, mais en tout cas il vaut mieux les garder mi-longs. Les cheveux légèrement ondulés ont généralement un pli bien particulier qu'il est important de respecter quand on les coiffe. Lorsque les cheveux sont mouillés, ils prennent généralement d'eux-mêmes le pli qui leur convient et il est conseillé de s'en inspirer.

On peut arriver à faire rebiquer la pointe des cheveux raides vers l'intérieur ou l'extérieur, et on peut aussi les onduler ou les friser artificiellement. Lorsque les cheveux raides sont fins, une coupe au carré leur donnera du corps et du poids ; les longueurs peuvent aller du court au mi-long.

Les cheveux raides bien fournis sont souvent très beaux longs et ils ont de jolis mouvements mi-longs, mais ils peuvent être difficiles à coiffer quand ils sont courts.

CHANGER LA QUALITÉ

On ne peut changer ni l'épaisseur, ni la quantité des cheveux mais on peut changer leur qualité grâce à une combinaison de produits chimiques et de chaleur. Plus le changement est radical, plus le procédé est sévère pour le cheveu et plus il faut prendre de précautions.

PERMANENTE SOUPLE : Elle permet d'obtenir une ondulation souple de 2 à 5 cm de profondeur. Elle ne frise pas le cheveu et ne transforme pas radicalement sa forme. Elle se fait avec de gros rouleaux.

PERMANENTE : Il s'agit d'une ondulation plus serrée. Elle se fait sur des petits bigoudis durs, en forme d'os, et les boucles sont d'environ 1,2 à 3,5 mm. Le but n'est pas de produire des rangées d'anglaises rigides, mais de fournir une base valable pour certaines coiffures. Elles conviennent particulièrement bien aux cheveux fins et raides auxquels elles donnent beaucoup de volume.

DÉFRISAGE : C'est le contraire d'une permanente. La méthode chimique est de loin la plus efficace, mais on emploie parfois des brillantines et des gominas pour lisser temporairement la chevelure. Les gros cheveux sont les plus faciles à défriser. Il n'est pas obligatoire de défriser la tête entière ; on peut isoler les zones difficiles tout le long des tempes et de la ligne d'implantation. Le défrisage enlève du poids au cheveu. Il ne faut pas le faire plus d'une fois par an, de préférence au début de l'été, puisque les cheveux frisés sont particulièrement affectés par la chaleur et l'humidité. Ensuite, il faut protéger la chevelure du soleil et de l'eau de mer et ne pas oublier qu'elle peut mal réagir au chlore des piscines. Cette opération, beaucoup plus complexe et difficile que la permanente, doit être faite par un spécialiste.

Les cheveux sont lavés, séchés à la serviette et peignés ; on applique alors au pinceau ou à la main la lotion défrisante (préparée 15 minutes à l'avance) en imprégnant tout le cuir chevelu et en passant ensuite le peigne pour l'allonger de la racine aux pointes. On enveloppe le crâne dans du plastique pendant 20 minutes pour ramollir les cheveux qu'il faut alors — et c'est la partie la plus importante et la plus ardue — peigner sans arrêt de 10 à 20 minutes en détendant ou en modifiant la frisure naturelle. Après quoi, on rince les cheveux, on les éponge à la serviette et on les peigne ; puis on applique un neutralisant que l'on fait pénétrer dans toute la chevelure avec le peigne et qu'on laisse 5 minutes pour stabiliser le traitement avant de rincer une nouvelle fois la tête. Le tout prend environ 2 heures. Les cheveux décolorés, teintés ou rincés ne réagiront pas aussi bien que les cheveux naturels.

CHANGER LA COULEUR

La teinture capillaire est sans doute le traitement cosmétique qui donne le plus grand effet de naturel — si elle est bien faite et s'harmonise avec votre couleur de peau. En règle générale, il ne faut pas changer trop radicalement votre couleur naturelle ; l'éclaircir d'un ou deux tons est suffisant. Il est rarement conseillé de la foncer. Peu de femmes supportent les changements vraiment violents. Les teinturiers professionnels préfèrent mélanger au moins trois teintes, ce qui donne aux cheveux trois ou quatre reflets différents dont l'effet paraît beaucoup plus naturel qu'une masse totalement unie — car les cheveux naturels sont toujours une combinaison de plusieurs tons. Lorsque vous choisissez une couleur, il faut considérer la couleur de votre peau et celle de vos yeux. Faites des essais avec des postiches ou des perruques. Il existe des teintes froides, cendrées, et des teintes chaudes avec des reflets mordorés et roux. Si vous avez le teint pâle, choisissez plûtot une teinte chaude, mais si votre peau est au contraire colorée ou que vous vouliez atténuer une couleur naturelle trop rouge ou trop criarde, essayez une teinte froide. Enfin, si vous vous faites teindre par un professionnel, sachez expliquer ce dont vous avez envie et ne jugez pas immédiatement votre nouvelle couleur. Il faut plusieurs jours pour que les huiles naturelles réimprègnent le cheveu et elles peuvent considérablement modifier le résultat final.

La plupart des femmes peuvent faire seules un shampooing colorant ou un rinçage. Il n'est pas non plus très difficile d'éclaircir légèrement les cheveux, mais les changements plus radicaux doivent être faits dans un salon de coiffure. Au cours d'une décoloration approfondie, des tons cachés remontent parfois à la surface — par exemple certaines chevelures brunes comportent beaucoup de roux — et il faut des produits spéciaux pour atténuer ces nuances excessivement cuivrées. Si la teinture est bien faite, elle n'abîme pas les cheveux, mais il ne faut pas oublier d'appliquer un traitement nourrissant en surface après le shampooing. La teinture donne souvent du corps aux cheveux fins. Il y a trois grandes catégories de teintures capillaires : les shampooings colorants, les rinçages semi-permanents et les teintures.

LES SHAMPOOINGS COLORANTS : Ce sont les plus éphémères de tous, puisqu'ils ne durent que le temps d'un shampooing. Ils ne contiennent aucun agent décolorant et n'éclaircissent donc pas le cheveu. Ils ne contiennent pas non plus d'agent de pénétration, puisqu'ils enduisent simplement l'extérieur du cheveu. Les changements qu'ils entraînent sont donc extrêmement subtils ; ils servent plutôt à souligner une nuance qui existe déjà dans vos cheveux. Sur des cheveux châtain clair à châtain moyen, un shampooing colorant peut rehausser, assombrir, atténuer la rousseur ou au contraire la souligner. Ils sont aussi excellents pour adoucir les reflets criards des cheveux trop décolorés. Les shampooings colorants sont moins efficaces pour les cheveux sombres, mais ils peuvent quand même les faire briller, les foncer ou leur donner des reflets. Ils ne couvrent pas les cheveux gris, mais ils aident à les fondre dans la masse de la chevelure en leur donnant une nuance un peu plus chaude. Ils contiennent souvent des produits traitants qui permettent aux mises en plis de mieux tenir. Ils sont généralement hypo-allergiques et, à l'encontre de toutes les autres teintures, ils ne nécessitent pas de test préalable.

LES RINÇAGES SEMI-PERMANENTS : Ils suivent le même principe que les précédents mais agissent plus intensément. Ils durent aussi plus longtemps, l'espace de quatre à cinq shampooings. Ils ne contiennent aucun agent décolorant et ne peuvent donc éclaircir la couleur des cheveux. Ils contiennent par contre un agent de pénétration très doux si bien que la tige du cheveu est non seulement enrobée, mais aussi légèrement teintée par la couleur. Ils modifient considérablement la teinte naturelle tout en restant dans le même ton — ils s'estompent progressivement sans laisser de démarcation entre la partie teintée et la nouvelle partie du cheveu. A chaque shampooing, un peu de la couleur disparaît et elle finit par partir complètement. Il suffit alors de recommencer. Ces rinçages peuvent transformer un blond sale en blond doré, donner à des cheveux châtains un reflet noir ou roux, et foncer la couleur de tous les cheveux. Comme les shampooings colorants, ils contiennent souvent des éléments nourrissants. Certains donnent au cheveu un aspect figé et peu naturel, mais seulement pour l'œil d'un professionnel et lui seul saura y remédier.

LES TEINTURES : Elles durent aussi longtemps que le cheveu, mais l'exposition au soleil et la pollution peuvent altérer leur couleur. Elles contiennent des agents décolorants et des agents de pénétration et peuvent donc éclaircir le cheveu en reproduisant le procédé naturel de la distribution du pigment. Elles modifient en outre la structure du cheveu, puisque le décolorant fait non seulement disparaître la couleur, mais rend la tige plus poreuse, et par conséquent plus sensible aux nouvelles adjonctions. Tous les changements de couleur sont possibles — éclaircir, foncer, éliminer les cheveux gris. Les éclaircissements partiels font souvent beaucoup d'effet.

Pour les changements assez modérés, passer du châtain moyen au blond moyen par exemple, utilisez une teinture-shampooing ou crème. Les shampooings nettoient en teignant. Quoique plus commodes à utiliser que les crèmes, ils sont beaucoup moins efficaces. Les crèmes s'appliquent sur les cheveux secs, au pinceau ou au tampon, mèche par mèche. Pour ces deux méthodes, il faut mélanger deux préparations : la couleur proprement dite, que l'on appelle une teinture par oxydation, et le décolorant (d'habitude de l'eau oxygénée à 20 volumes), que l'on appelle un révélateur parce que c'est lui qui permet à la couleur de teinter vos cheveux ; la réaction chimique se passe à l'intérieur de la tige du cheveu.

Pour éclaircir considérablement votre couleur naturelle — passer du châtain foncé au blond clair —, il faut appliquer séparément le décolorant et la teinture. Là encore, faites appel à un spécialiste. Les cheveux sont d'abord entièrement décolorés, ce qui peut demander une heure. Ensuite ils sont recolorés — en doré, fauve, roux, ou tout ce qui vous plaira. Si vous voulez une teinture platine, il faut appliquer après la décoloration un produit qui cendrera vos cheveux et éliminera les reflets cuivrés. Plus la couleur d'arrivée est loin de celle de départ, plus l'opération sera longue. Pour passer du noir au blond — ce qui n'est pas recommandé —, il faudrait sans doute compter deux séances avec une journée de repos entre les deux. La décoloration abîme les cheveux et il faut constamment les nourrir pour lutter contre la sécheresse et les cheveux cassants.

Il est évidemment beaucoup plus simple de foncer les cheveux et cela les abîme moins puisqu'il est inutile de les décolorer.

Il faut refaire les teintures toutes les trois à quatre semaines pour colorer les parties nouvellement poussées. On ne traite alors que la racine et juste avant de laver, on allonge la préparation jusqu'aux pointes pour avoir une teinte uniforme.

LES TEINTURES PARTIELLES : Elles sont elles aussi permanentes, mais on peut les laisser disparaître d'elles-mêmes à mesure que le cheveu repousse, sans avoir besoin de les retoucher souvent. Il s'agit généralement d'éclaircir des mèches à différents endroits pour produire un mélange de mèches claires et foncées, qui semble dû aux effets du soleil.

Les mèches : On éclaircit de très fines mèches, en commençant à environ 2,5 cm de la raie médiane. On peut en faire sur toute la tête ou juste autour du visage. On recouvre le crâne d'un bonnet de caoutchouc perforé par les trous duquel on tire plus ou moins de mèches à l'aide d'un crochet. Ces mèches sont alors décolorées, puis teintes.

Les « coups de soleil » : On éclaircit quelques mèches sur le dessus de la chevelure, en suivant les lignes de la coupe. On applique généralement le décolorant au pinceau, puis on reteinte avec un rinçage l'ensemble de la chevelure.

Le « coup d'éclat » : On éclaircit juste deux mèches pour encadrer le visage. C'est évidemment très délicat à faire.

Le balayage de couleur : Il s'agit de foncer des mèches dans une chevelure éclaircie artificiellement pour la rapprocher de sa couleur naturelle, sans opérer de transformation radicale. La méthode est la même que pour les mèches.

Le nuançage : On mélange ensemble trois teintes différentes devant et sur les côtés. On commence par décolorer de très fines mèches de cheveux ; après le shampooing, on mélange un peu de cheveux naturels aux cheveux décolorés et on fait un rinçage uniquement sur cette partie de la chevelure. Ainsi, à partir de cheveux châtains, par exemple, vous obtiendrez un mélange de châtain, miel et caramel.

LES TEINTURES A FAIRE CHEZ SOI : Les shampooings colorants et les rinçages semi-permanents ne posent, nous l'avons vu, aucun problème insurmontable : avec de l'entraînement, vous pouvez aussi venir à bout des teintures qu'il faut appliquer mèche par mèche. Mais il vaut mieux laisser la décoloration suivie d'une teinture aux spécialistes. Avant de commencer, vérifiez certains points :

● Les échantillons que l'on vous propose pour établir votre choix montrent l'effet de la teinture sur des cheveux incolores. Le résultat est susceptible de varier selon la couleur de vos cheveux. Avant d'acheter, assurez-vous que le produit convient bien à votre nature de cheveux.

● Dans les deux semaines qui précèdent une teinture, ne faites ni permanente, ni défrisage.

● Lisez attentivement le mode d'emploi, respectez scrupuleusement les temps indiqués ; car quelques minutes en plus ou en moins peuvent tout gâcher. Utilisez les produits dès que vous les avez mélangés.

● Avant d'appliquer la teinture sur toute la tête, il faut absolument faire deux tests très simples :

Sur la peau : Pour des raisons d'allergie. Les coiffeurs le font généralement derrière l'oreille, mais si vous avez peur de mal voir le résultat, vous pouvez le faire au creux de l'aisselle. Préparez une très petite quantité de produit, nettoyez la peau ; appliquez la teinture avec un tampon ; laissez 24 heures, en prenant soin de ne pas frotter ni laver l'endroit. S'il n'y a aucune réaction, vous pouvez y aller. Si vous discernez la moindre irritation, renoncez à ce produit.

Sur une mèche de cheveux : Pour vérifier la couleur. Coupez deux ou trois douzaines de cheveux près du cuir chevelu, et avec le reste du produit utilisé pour votre premier test, suivez le mode d'emploi de la teinture. La couleur de cette mèche correspond à la couleur définitive. Examinez le résultat sous une lumière forte.

LES TEINTURES VÉGÉTALES NATURELLES :

Le henné : Est 100 % végétal, sans le moindre produit chimique, c'est un produit non toxique que l'on peut aussi utiliser pour les poils pubiens. Il n'affecte pas la structure moléculaire des cheveux, puisqu'il ne fait qu'enrober la tige. Il donne généralement du corps à la chevelure. Le henné étant légèrement astringent, il est conseillé d'enduire le cuir chevelu d'huile avant de l'appliquer. La couleur dure plusieurs mois.

Il faut manier le henné avec précaution. La couleur est très difficile à stabiliser, sauf si vous êtes vraiment expérimentée. L'intensité du ton varie selon l'état de vos cheveux et bien des néophytes se sont retrouvées avec d'étranges chevelures. Le test de la mèche est absolument nécessaire. La marche à suivre est longue et fastidieuse, mais vous pouvez obtenir un auburn somptueux, un bel acajou ou de très jolis roux. Vous pourrez aussi arriver aux tons châtains en mélangeant le henné à d'autres teintures végétales. Par exemple, un quart de henné et trois quarts de camomille donneront de chauds reflets marrons à un brun terne. Et si vous les mélangez par moitié, vous aurez du roux.

Il faut laver les cheveux avant l'application. Portez des gants de caoutchouc car le henné teint les doigts et les ongles. Mélangez deux tasses de henné en poudre à une tasse d'eau chaude pour obtenir une pâte épaisse; ajoutez une cuillerée à soupe de vinaigre pour activer la teinture. Laissez reposer une heure. Mettez le mélange au bain-marie et remuez jusqu'à ce qu'il soit très chaud; laissez-le encore une demi-heure, puis appliquez-le au pinceau, mèche par mèche. Enveloppez-vous la tête dans une serviette que vous garderez trois heures pour un châtain et plus longtemps pour un roux, en vérifiant périodiquement la couleur jusqu'à ce que vous ayez atteint le ton voulu. Lavez les cheveux et rincez-les jusqu'à ce que l'eau soit claire, sans cesser de peigner. Ceci est le mode d'emploi pour le véritable henné mais on trouve dans le commerce des hennés traités, dont l'application est plus facile et les résultats moins aléatoires.

La sauge : Peut redonner un ton brun aux cheveux gris. Faites une infusion très concentrée, si possible avec du thé très fort. Faites bouillir une demi-heure et laissez infuser plusieurs heures. Tous les jours appliquez un peu de ce liquide avec un coton, jusqu'à ce que les cheveux aient pris la teinte désirée.

Le safran et les soucis : Donnent des reflets roux. Utilisez une infusion concentrée comme eau de rinçage que vous repasserez à plusieurs reprises dans les cheveux.

LA COIFFURE

A l'heure actuelle, les coiffures sont davantage axées sur l'individualité que sur la mode. On cherche avant tout à créer une impression de naturel et de bonne santé du cheveu. Ce qui compte, c'est la façon dont le cheveu s'envole et bouge.

A la base de toute la coiffure moderne, il y a la coupe : lorsqu'elle est parfaite, il est aisé de coiffer la chevelure à sa guise. Votre coiffure peut changer la forme de votre visage en mettant l'accent sur vos qualités et en gommant vos défauts. C'est pourquoi l'épaisseur de la chevelure est si importante. Arrangez vos cheveux un peu dans tous les sens pour voir ce qui convient le mieux à votre visage. Dégagez tout ce que vous avez de joli — yeux, front, oreilles, menton, gorge. Lorsqu'au contraire les traits en question laissent à désirer, couvrez-les de cheveux — un front trop bas ou trop haut, des joues trop pleines, une mâchoire proéminente. Compensez un nez trop fort ou un menton fuyant en arrangeant vos cheveux de façon à attirer le regard ailleurs.

Visage rond

Visage long

Mâchoire carrée

Visage rond : Mettez l'accent sur le haut du visage ou bien couvrez les joues ; en général, les coupes courtes sont préférables.

Visage long : Elargissez les côtés en gonflant les cheveux par des ondulations et des boucles ; les coiffures mi-longues sont plus flatteuses, surtout si elles s'épaississent à partir de l'oreille.

Mâchoire carrée : Recouvrez le maxillaire, on peut couper les cheveux raides de façon à ce qu'ils tombent sur les joues ; les cheveux ondulés aident à rompre la ligne. Dégagez le front.

Visage en cœur : Il faut donner du volume là où les joues sont le plus pleines ; avec une bonne coupe vous pouvez y arriver même si vous avez les cheveux raides.

Visage en cœur

Front bas

Petite figure

Figure large

Nez trop fort

Menton fuyant

Front bas : Ou front qui se rétrécit vers la ligne d'implantation. Le plus simple est de le recouvrir d'une frange épaisse qui doit descendre presque jusqu'aux yeux et commencer très haut ; pour le reste, toutes les longueurs conviennent.

Petite figure : Si les traits le permettent, dégagez entièrement le visage en donnant de la hauteur et de la largeur.

Figure large : Laissez les cheveux retomber sur le visage en recouvrant partiellement les joues et, si possible, le front en biais.

Nez trop fort : Compensez en attirant le regard vers l'autre côté de la tête ; mettez l'accent sur le sommet du crâne en donnant de l'épaisseur aux cheveux courts et en relevant les cheveux longs.

Menton fuyant : Il faut avoir les cheveux assez longs pour pouvoir étoffer les côtés du visage.

LA COUPE

Quelle que soit la longueur des cheveux, il faut les couper toutes les six semaines environ, plus souvent si vous les avez très courts. Ne laissez jamais pousser les cheveux sans les couper du tout : cela encourage les bouts fourchus.

Il faut couper après le shampoing, sur cheveux mouillés. La plus grande précision est nécessaire. On divise horizontalement la chevelure en mèches d'1 cm d'épaisseur que l'on épingle sur le dessus de la tête. On commence par couper sur la nuque, en redescendant les cheveux mèche par mèche. Les coupes modernes se font généralement aux ciseaux et au carré, ce qui veut dire que les cheveux sont tous de la même longueur. Cela empêche les bouts de fourcher et donne à la chevelure un aspect à la fois très net et très libre.

Les coupes au carré conviennent particulièrement aux cheveux pauvres et fins qui ont besoin d'épaisseur et aux cheveux longs et raides. On peut couper certaines parties plus courtes, mais tous les cheveux d'une même section doivent être de la même longueur. Si l'on veut rouler les cheveux vers l'intérieur, on coupe généralement ceux du dessus plus courts ; si l'on veut qu'ils rebiquent vers l'extérieur, on fait le contraire.

Lorsqu'on coupe les cheveux à plusieurs longueurs différentes sur toute la tête, c'est une coupe dégradée. C'est excellent pour les cheveux épais et cela favorise les ondulations et les boucles. On partage là aussi les cheveux en mèches que l'on coupe plus ou moins courtes selon la coiffure désirée.

Ces deux coupes de base peuvent s'employer individuellement ou combinées pour créer une infinité de coiffures. Vous en trouverez de nombreux exemples dans les pages suivantes : tout d'abord les coupes courtes puis les cheveux mi-longs et longs.

228

COURTS

Les coupes modernes sont généralement courtes ; les meilleures sont celles qui vous permettent de vous coiffer toute seule, mais la coupe elle-même doit être faite par un expert. En effet, tout dépend de la forme : même courts, des cheveux bien coupés peuvent paraître très fournis. Il vaut mieux porter les cheveux bouclés assez courts, ainsi que les cheveux pauvres. Il est bien sûr plus facile de changer de coiffure avec des cheveux courts : c'est l'un de leurs grands avantages.

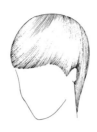

1. Coupe emboîtante retombant sur le front ; excellente pour les cheveux raides, fins ou épais.

2. Coiffure en arrière à la garçonne avec raie sur le côté. Il faut une certaine épaisseur de cheveux.

3. La coupe classique avec une frange qui doit descendre presque jusqu'au yeux ; uniquement pour les cheveux raides, fournis ou pauvres.

4. Coupe géométrique en biais, avec raie sur le côté ; convient surtout aux cheveux raides et drus.

5. Coupe au carré et cheveux frisés au fer pour donner un effet de dégradé. Une certaine épaisseur est indispensable.

6. Coupe dégradée sur cheveux ondulés ; excellente pour les cheveux pauvres car elle donne une impression de volume.

7. Pour les cheveux ondulés et très épais ; ils sont coupés de façon à donner une impression d'ampleur maximale sur les côtés.

8. Coupe au carré et raie sur le côté ; les cheveux doivent être drus et assez ondulés.

9. Pour cheveux un peu ondulés seulement ; coupe au carré pour gonfler les côtés.

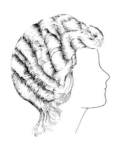

10. Cheveux ondulés ou bouclés avec coupe étagée pour créer une succession de vagues du front à la nuque.

11. Pour les cheveux frisés ou très bouclés ; tous les cheveux sont à la même longueur et brossés à rebrousse-poil.

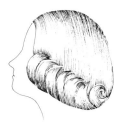

12. La seule façon de coiffer les cheveux très frisés : la coupe afro, avec sa masse de petites boucles serrées sur toute la tête.

13. Coiffure à la page qui descend juste au-dessous des oreilles ; pour les gros cheveux raides et fournis.

14. Coupe classique rebiquant vers l'extérieur ; l'effet sera plus joli si les cheveux reviennent sur la joue ; pour cheveux raides ou ondulés, tant fins que gros.

15. Cette coiffure convient aux cheveux ondulés ou raides : les cheveux coupés très courts au carré sont brossés vers le haut et vers l'arrière.

MI-LONGS

C'est généralement la longueur la plus flatteuse mais elle ne fera l'effet escompté et ne tiendra que si la coupe convient à votre type de cheveu. Sachez que c'est à cette longueur que le cheveu reprendra le plus vite son pli naturel, donc il est préférable de suivre celui-ci ; il n'est pas conseillé de le contrarier de façon systématique. Coupez et coiffez-vous selon la nature et le pli de vos cheveux.

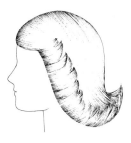

1. Coupe au carré pour cheveux raides ou légèrement ondulés, quelle que soit leur épaisseur.

2. Cette coiffure exige une certaine épaisseur et un minimum d'ondulation. Coupe au carré, taillée en courbe.

3. Excellent pour les cheveux raides, gros ou fournis ; coupe au carré droite, roulée vers l'intérieur et vers l'arrière.

4. Les cheveux doivent être épais et raides. Ce sont les cheveux du dessous en coupe étagée qui donnent du volume.

5. Convient bien aux cheveux à peine ondulés ou raides, mais ils doivent être épais pour donner assez de largeur.

6. Pour cheveux raides uniquement, fournis ou fins, car les cheveux sont roulés vers l'intérieur pour gonfler les extrémités.

7. Cette coiffure classique convient à tous les cheveux, raides ou ondulés, fins ou gros.

8. Coupe dégradée pour cheveux ondulés ou bouclés ; raie au milieu que l'on peut facilement décaler à droite ou à gauche.

9. Coupe au carré droite et cheveux du dessus tirés en arrière ; convient à toutes les épaisseurs de cheveux, qu'ils soient raides ou ondulés.

10. Cheveux légèrement ondulés, coupés en dégradé depuis les oreilles. Le dessus reste lisse. L'épaisseur n'est pas indispensable.

11. Coiffure à la page réservée aux cheveux raides et si possible ayant du volume ; coupe au carré taillée en rond.

12. Pour cheveux fournis et ondulés seulement ; coupe au carré droite. La raie se change facilement de côté.

LONGS

Ce sont souvent les plus faciles à discipliner et ce sont eux qui offrent la gamme de coiffures la plus étendue. Le tout est de savoir s'en servir : divisez-les en grosses mèches ; attachez la masse principale avec des épingles ou des élastiques spéciaux et arrangez les mèches d'appoint pour produire toutes sortes d'effets différents. Quelle que soit leur épaisseur, les cheveux peuvent être arrangés de façon intéressante.

1. Les cheveux rêches et crépus sont à leur avantage nattés en fines tresses retroussées que l'on peut garder jusqu'au shampooing suivant.

2. Pour cheveux raides, seulement, avec ou sans postiche ; centrer la natte depuis le sommet du crâne.

3. Un petit air Renaissance pour cette série de nattes, vraies ou fausses, enroulées autour de la tête.

4. Une fausse natte épinglée en demi-cercle sert de support pour rattacher des coques de cheveux.

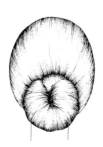

5. Le chignon classique ; les cheveux sont tirés dans un élastique, crêpés et enroulés sur eux-mêmes.

6. Les cheveux sont attachés en deux couettes sur la nuque, crêpés et enroulés sur eux-mêmes.

7. Atmosphère 1900. Les cheveux doivent rester très souples ; ils sont roulés en chignon au sommet du crâne, avec quelques boucles folles sur les joues.

8. Des cheveux ondulés ou bouclés sont bien tirés dans un élastique. Les boucles s'épanouissent librement.

9. Queue de cheval toute simple ; l'élastique est caché sous une natte très fine et le reste est bouclé.

10. Cheveux attachés sur la nuque avec un élastique et divisés en trois sections roulées en boucles géantes.

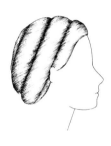

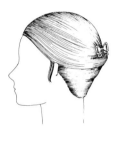

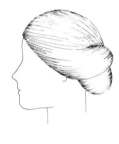

11. Cheveux raides ou ondulés, séparés en mèches que l'on épingle en couronnes parallèles ; l'effet sera plus net si vous nouez des rubans autour de votre tête.

12. Le chignon « banane » classique, adouci par des boucles sur les joues ; pour les cheveux raides ou légèrement ondulés.

13. Cheveux ondulés attachés très souplement, en drapant les mèches de côté pour cacher l'élastique.

14. Très simple, mais ne convient qu'aux cheveux fins et raides ; deux grandes mèches sur les côtés et une sur la nuque forment de gros rouleaux.

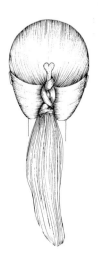

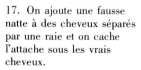

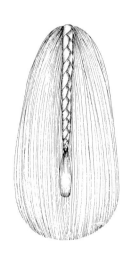

15. La mèche centrale est tirée en catogan et repliée sur elle-même et l'élastique est caché sous les mèches de côté.

16. On ne peut rouler ainsi que les cheveux épais et raides, les mèches de côté s'entrecroisant sur la nuque.

17. On ajoute une fausse natte à des cheveux séparés par une raie et on cache l'attache sous les vrais cheveux.

LA MISE EN PLIS

Il y a deux façons de transformer votre coupe mouillée en une coiffure vivante et facile à entretenir — en mettant les cheveux en plis sur des rouleaux ou en les séchant au séchoir à main. Les cheveux frisés, ondulés ou épais sont souvent plus disciplinés lorsqu'ils ont été mis en plis.

1. Si vous ne voulez pas de raie, roulez les cheveux du dessus vers l'arrière à partir du front. D'habitude six rouleaux suffisent du front à la nuque ; il faut deux rangées de rouleaux roulés vers l'intérieur de chaque côté, six boucles maintenues par des pinces sur la nuque et deux autres sur chaque oreille. Si vos cheveux sont longs, remplacez les pinces par de petits rouleaux. Vous pouvez éventuellement prendre une frange dans les rouleaux du dessus, elle sera bien gonflée étant brossée en avant.

2. Pour faire une raie sur le côté, il faut trois rouleaux en biais roulés vers l'intérieur sur le dessus de la tête. Sur les côtés et derrière, roulez aussi vers l'intérieur. Sur la nuque et près des oreilles, des pinces.

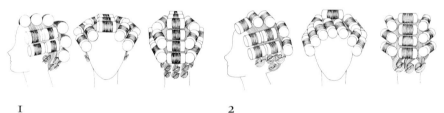

I   2

3. Si vous voulez une frange plate et raide, peignez-la mouillée et maintenez-la en place avec des kleenex ou un morceau de coton attachés avec des pinces ou bien avec du papier collant spécial. Mise en plis n° 1.

4. Pour lisser au maximum les cheveux longs : la « mexicaine ». Servez-vous de votre tête comme d'un rouleau géant. Mettez deux gros rouleaux sur le sommet du crâne, roulés vers l'intérieur, et enroulez le reste des cheveux tout autour de la tête en les maintenant avec des pinces. Lorsqu'ils sont presque secs, défaites-les et enroulez-les dans l'autre sens. Séchez complètement.

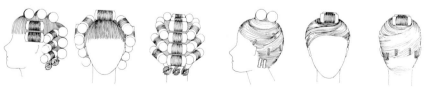

3   4

QUELQUES GRANDES RÈGLES. Les lotions pour la mise en plis rendent les cheveux plus disciplinés et plus maniables.

● Les rouleaux garnis de brosses abîment les cheveux.

● Enroulez les pointes de vos cheveux dans du papier de soie, elles seront plus lisses.

● Assurez-vous que les cheveux sont bien lisses et bien tendus sur le rouleau, mais pas tirés ; au départ, ramenez-les légèrement dans le sens contraire de celui où vous comptez les rouler pour les détendre.

● Pour une bonne mise en plis, partagez la chevelure en mèches assez fines de 4 à 5 cm de large.

● Plus les rouleaux seront gros, plus le résultat sera lâche, et vice versa. Les coiffeurs utilisent des rouleaux entre 2 et 5 cm de diamètre.

● Plus les cheveux sont gros ou frisés, plus le rouleau doit être large.

LE BROSSAGE : Avant d'enlever les rouleaux, laissez refroidir les cheveux. Enlevez d'abord les rouleaux du bas. Lorsque vous brossez les cheveux, brossez toujours droit vers l'arrière pour bien répartir l'ondulation. Donnez le coup de peigne final en crêpant au minimum ; pour les effets spéciaux, utilisez un séchoir à main et une brosse ou bien un fer à friser.

LE SÉCHAGE A LA MAIN OU BRUSHING : Pour pouvoir se passer de mise en plis, il faut une coupe impeccable. Si vos cheveux sont raides ; vous gagnerez du temps en les séchant d'abord à la serviette ; s'ils sont frisés et que vous vouliez les lisser le plus possible, commencez à les sécher trempés. Un point très important : ne tirez jamais fort sur le cheveu pour essayer de le défriser ; cela peut lui être fatal et causer de graves chutes de cheveux. N'approchez pas le séchoir du cuir chevelu au point de vous brûler ou presque.

Vous pouvez donner une forme avec une brosse ronde et un séchoir à main. Certains séchoirs possèdent même une brosse incorporée. Voici la marche à suivre :

● Partagez la chevelure en quatre grosses mèches — une dessus, une derrière et une de chaque côté. Maintenez-les avec des pinces.

● Commencez le brushing au bas de la nuque ; placez la brosse sous la racine des cheveux et envoyez l'air chaud dessus.

● Séchez d'abord la racine, puis le milieu, enfin la pointe. Séchez ainsi tout le derrière de la tête en remontant de la nuque au sommet.

● Pour donner un peu plus de gonflant, séchez les cheveux dans le sens opposé à celui que vous voulez éventuellement leur donner jusqu'à ce qu'ils soient presque secs. Vous ne changerez de sens que pour les toutes dernières minutes.

● Si vous voulez rouler les cheveux vers l'intérieur, enroulez-les autour de la brosse et envoyez l'air chaud dessus pendant une minute ; gardez la

brosse en place jusqu'à ce qu'ils aient refroidi. Pour les faire rebiquer vers l'extérieur, enroulez-les en sens contraire.

● Si votre coupe est dégradée, brossez tous les cheveux en avant pour les sécher, afin de bien les gonfler ; lorsqu'ils sont presque secs, brossez-les et séchez-les dans le bon sens.

● Il faut tirer sur les cheveux courts et frisés en les séchant.

● Si vous avez une frange, brossez-la d'abord en arrière, jusqu'à ce qu'elle soit presque sèche, puis ramenez-la en avant enroulée autour de la brosse, achevez de la sécher et n'enlevez la brosse que quand elle a refroidi. Si vous portez votre frange raide, aplatissez-la avec la brosse.

LES ROULEAUX CHAUFFANTS : On les emploie sur cheveux secs pour redonner une forme entre deux mises en plis. Ils sont rapides et très efficaces ; mais il ne faut pas s'en servir tous les jours car ils ont tendance à dessécher les cheveux, même s'ils ont un humidificateur incorporé. On peut en mettre sur toute la tête ou à certains endroits seulement pour boucler, onduler ou lisser selon la taille des rouleaux.

● En général, les rouleaux chauffants formeront des boucles deux fois plus grosses que les rouleaux ordinaires de même taille.

● Les gros rouleaux forment des ondulations souples et naturelles, les moyens des ondulations plus serrées et les petits des boucles.

● Si vous protégez les pointes avec du papier, la mise en plis sera plus lisse.

● Les rouleaux restent chauds pendant environ 15 minutes après qu'on les ait retirés de l'élément chauffant.

● Lorsque vous mettez les rouleaux, commencez au sommet de la tête vers la nuque et inversez cet ordre pour les enlever. Laissez refroidir les cheveux avant de les brosser.

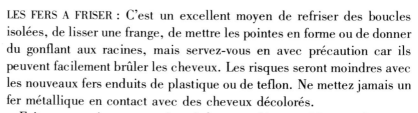

LES FERS A FRISER : C'est un excellent moyen de refriser des boucles isolées, de lisser une frange, de mettre les pointes en forme ou de donner du gonflant aux racines, mais servez-vous en avec précaution car ils peuvent facilement brûler les cheveux. Les risques seront moindres avec les nouveaux fers enduits de plastique ou de teflon. Ne mettez jamais un fer métallique en contact avec des cheveux décolorés.

● Faites un essai sur une petite mèche, sans dépasser 20 secondes, pour voir comment vos cheveux supportent la chaleur et à quelle vitesse ils frisent. Vous avez intérêt à plonger brièvement le fer dans une lotion pour la mise en plis, car cela protège le cheveu. Enroulez les cheveux dans le même sens que s'il s'agissait d'un rouleau. Une fois que vous avez chauffé la boucle, maintenez-la en forme avec une épingle jusqu'à ce qu'elle soit froide.

● Le « curler » est une sorte de fer à friser, hérissé de picots. L'usage est intermédiaire entre le fer à friser et la brosse chauffante. On l'utilise sur cheveux secs, soit pour boucler, soit pour reprendre un mauvais pli. Très pratique pour les retouches.

LES PERRUQUES

Une perruque peut soit reproduire votre coiffure habituelle, soit vous transformer du tout au tout. Le principal est qu'elle ait l'air naturel et que les cheveux bougent souplement.

● Pour votre première perruque, choisissez une coiffure et une couleur qui se rapprochent des vôtres. Veillez à ce qu'elle soit facile à mettre.

● Vous pouvez toujours la faire couper par un coiffeur et il n'est pas absolument nécessaire de vous acheter une perruque en vrais cheveux ; certaines fibres synthétiques sont très bien imitées. Vérifiez néanmoins la couleur à la lumière du jour et contrôlez aussi l'élasticité.

● Lorsque vous choisissez une perruque, prenez tout votre temps. Il est essentiel qu'elle vous aille parfaitement — si elle est trop serrée, elle aura tendance à remonter ; si elle est trop grande, elle ne restera pas en place. Une perruque bien adaptée à votre tête ne doit pas avoir besoin d'être attachée à vos cheveux. Si vous préférez avoir le visage dégagé, vous pouvez laisser dépasser tout autour du visage un peu de vos propres cheveux, à condition bien sûr que les couleurs soient parfaitement harmonisées. Si les couleurs sont différentes, il faut prendre une coiffure à frange qui cache la ligne d'implantation. Coiffez vos perruques avec une brosse métallique : vous arracherez moins de cheveux qu'avec un peigne. Avant de mettre votre perruque, il faut soigneusement tirer et maintenir vos propres cheveux ; s'ils sont longs, enroulez-les autour de la tête en les enfermant au besoin dans un filet ou une résille.

● Il vaut mieux confier une perruque en vrais cheveux à un coiffeur pour le shampooing et la mise en plis, mais vous pouvez entretenir vous-même une perruque en fibre synthétique.

● Lavez-la tous les mois avec un shampooing doux. Suivez les instructions du fabricant.

● Faites-la sécher sur un support spécial, en forme de tête. Si vous voulez la boucler, mettez-lui des rouleaux et séchez-la au séchoir. Respectez la coiffure d'origine, n'essayez pas d'en changer le style.

LES POSTICHES : Ils aident à donner du relief et du volume à une coiffure et sont particulièrement utiles pour les chignons originaux. Leur couleur doit être parfaitement assortie à la vôtre ; vérifiez toujours à la lumière du jour. Les postiches synthétiques font autant d'effet que ceux en vrais cheveux et sont beaucoup moins chers. Lavez-les, mettez-les en plis sur une « tête » et séchez-les exactement comme une perruque.

3

LE BAIN

Le bain est le seul moyen de rester fraîche et impeccable ; lui seul nettoie la peau à fond en même temps qu'il la rafraîchit et la stimule. C'est la première étape de tout soin de beauté et, sans lui, tous les produits et les parfums du monde sont inutiles. Si vous voulez simplement rester propre, vous avez juste besoin d'eau, de savon et d'une serviette. Mais le bain, c'est quand même autre chose.

Le bain est une thérapie. Il peut détendre, apaiser, stimuler, faire bouger et parfumer votre corps et, bien sûr, le nettoyer. Le bain est peut-être le seul acte du train-train quotidien susceptible de donner une sensation de grand luxe. Pour devenir un plaisir, il doit satisfaire les sens du toucher, de la vue et de l'odorat. Il doit être pour vous un véritable exercice de relaxation et de tranquillité.

Il y a bien sûr des moments où l'essentiel est d'aller vite. Dans ces cas-là, un petit bain rapide ou, mieux encore, une douche doivent vous suffire. La douche matinale réveille et revigore et c'est l'affaire d'un instant. Faites couler l'eau le plus fort possible pour stimuler la circulation et vous fouetter le sang. Voilà qui va vous mettre en train, vous rafraîchir, vous nettoyer... mais cela n'a rien à voir avec un bain.

Pour beaucoup de gens, un bain luxueux ou une salle de bains luxueuse restent quelque chose d'extravagant — qui déclenche presque un sentiment de culpabilité. D'ailleurs, les salles de bains ne reflètent-elles pas cet état d'esprit ? Ce sont généralement les pièces les plus petites et les plus tristes de la maison. Les choses sont heureusement en train de changer et, désormais, nous semblons avoir compris qu'une salle de bains spacieuse et confortable est un investissement de bien-être.

Transformez donc votre salle de bains. Comment la rendre plus confortable ? Aujourd'hui où les tapis et les revêtements muraux sont lavables, les métaux traités, il n'est plus nécessaire de se cantonner aux sempiternels mélanges de carrelage et de chrome. Essayez les moquettes en nylon ou en coton et les papiers imperméables. Remplacez les vilaines armoires à pharmacie par d'attrayants placards et étagères. Mettez beaucoup de miroirs encadrés — et pas seulement un miroir, le plus fonctionnel possible, au-dessus du lavabo. Accrochez aux murs des estampes et des tableaux. Installez de jolies lampes. Recouvrez les chaises, les tabourets, les paniers à linge. Ajoutez quelques plantes vertes, une petite table avec des livres. Bien souvent, les salles de bains les plus agréables sont d'ex-chambres à coucher, d'ex-entrées ou d'ex-terrasses ; elles sont spacieuses, claires, avec de grandes fenêtres et de jolies vues. Ce sont les endroits rêvés pour se pomponner, se détendre, méditer. Ce chapitre vous aidera à tirer le meilleur parti de votre bain.

LA BAIGNOIRE

Elle doit être profonde et assez longue pour allonger les jambes, mais pas si longue que vous ne puissiez pas, comme c'est parfois le cas, en toucher le bout avec les orteils. Deux bonnes idées : un tapis antidérapant et un confortable coussin en mousse ou une serviette pliée pour appuyer votre tête.

LE MATÉRIEL

Tous les ustensiles nécessaires soit pour nettoyer, soit pour frotter.

Loofah : C'est une sorte de courge séchée, très rugueuse, qui s'amollit et gonfle quand on la mouille. Elle est excellente pour faire tomber les peaux mortes ; elle picote agréablement la peau. Les loofahs naturels mesurent environ 30 à 40 cm de long et doivent pouvoir atteindre toutes les parties du corps, surtout le dos.

Ceinture de crin : Elle est d'habitude en chanvre mélangé à du crin de cheval. C'est une longue bande avec une poignée à chaque extrémité ; plus douce que le loofah, elle a le même effet.

Éponge : C'est une masse poreuse et élastique de fibres entrelacées, formée à partir du squelette d'un animal marin. La forme, la taille et le pouvoir d'absorption varient considérablement. Si une éponge est encombrée par des résidus de savon, faites-là tremper toute une nuit dans du vinaigre et rincez-là. Il existe des éponges en soie pour les peaux vraiment délicates et des éponges en nylon de toutes les couleurs.

Gant de toilette : En tissu éponge, il sert à appliquer le savon, à faire tomber les peaux mortes et à rincer. Lavez-le très souvent. Il existe également des gants de toilette avec savon incorporé ou pourvus d'une poche dans laquelle vous pouvez glisser votre savon ou tout autre produit pour nettoyer.

Gant de crin: Abrasif et stimulant, il tonifie la peau et la débarrasse des cellules mortes.

Brosses: Choisissez-les de préférence en sanglier et assez dures; prenez-en une à long manche pour votre dos et une plus petite pour les bras, les jambes, les doigts, les orteils et les ongles.

Pierre-ponce: C'est un morceau de lave séchée ultra-poreuse. Servez-vous en pour frotter les coudes et particulièrement les talons et la plante des pieds, afin d'en faire partir les peaux mortes. Frottez aussi les doigts si vous les avez salis en travaillant. Il existe des versions synthétiques aussi efficaces mais moins résistantes.

LES PRODUITS

Les produits pour le bain nettoient, adoucissent et revitalisent la peau tout en apaisant les sens. Toutes les maisons de produits de beauté fabriquent aujourd'hui des lignes pour le bain extrêmement complètes et spécialement étudiées pour améliorer la peau. Voici les principaux types de produits pour le bain et l'après-bain:

DANS LE BAIN

Bains moussants: Adoucissent et parfument l'eau; évitent l'emploi du savon.

Cristaux: Ce sont des sels minéraux colorés et parfumés qui adoucissent l'eau.

Gels: Ce sont des produits transparents à utiliser à la place du savon; ils sont doux et bons pour les peaux sèches et délicates. Versez-les dans le bain ou projetez-les directement sur la peau avant la douche.

Huiles: Certaines flottent à la surface de l'eau, d'autres se mélangent avec elle. Toutes lubrifient fort bien et laissent sur la peau une pellicule qui la nourrit et l'hydrate.

Laits: Ils servent surtout à enrichir l'eau, car ils regorgent de graisses et d'huiles. Ils adoucissent l'eau et la peau.

Sels: Ceux qui sont à base de sels d'Epsom parfument et colorent l'eau; certains dérivés du sodium l'adoucissent. Il en existe qui contiennent du carbone et rendent l'eau effervescente. Les sels aux plantes ont des effets thérapeutiques.

APRÈS LE BAIN

Eaux de toilette: Elles revigorent, rafraîchissent et stimulent le corps.

Huiles de bain en spray: Adoucissent et parfument la peau, dessèchent moins qu'un parfum ou une eau de toilette. Excellentes donc pour les peaux sèches ou les zones particulièrement sèches.

Lotions pour le corps: Ces crèmes hydratantes et parfumées sont très importantes pour garder la peau souple. Enduisez-en tout le corps pendant qu'il est encore humide, car les pores sont alors nettoyés, ouverts et prêts à absorber la lotion.

Poudres parfumées: Ce sont des talcs très légers. Vous pouvez soit en saupoudrer la peau, soit les projeter dessus, soit les appliquer à la main. Elles rafraîchissent et adoucissent et elles absorbent tout excédent d'humidité; elles permettent aux vêtements de mieux glisser.

Talcs: Ce sont des poudres minérales qui possèdent parfois des propriétés antiseptiques grâce à l'addition d'acide borique.

Lotion d'après-bain à faire chez soi: 100 g de pétales de roses rouges à faire macérer dans 1 litre de vinaigre blanc pendant 15 jours. Conservez dans un flacon de faïence fermé par une gaze.

LA FRICTION A SEC

Elle est, dit-on, apaisante et on la conseille même aux insomniaques. Prenez un gant — en chanvre, crin, coton rêche ou plastique — et massez doucement le corps avec de grands mouvements remontants. Changez le gant de main pour atteindre toutes les parties du corps. Il est inutile d'y aller en force car c'est le gant rugueux qui fait pratiquement tout le travail. Les cellules mortes accumulées à la surface tombent, ainsi que la crasse; la peau peut respirer librement, la circulation est stimulée et par conséquent les toxines qui se trouvent à la surface sont éliminées plus vite. Si vous vous frictionnez régulièrement, vos pores seront vraiment nettoyés et affinés. Tâchez d'y penser une fois par semaine, cela tonifie merveilleusement la peau.

Lotion spéciale
60 g d'esprit d'ammoniaque
60 g de camphre
1 tasse de gros sel
2 tasses d'alcool éthylique

Mettez tous ces ingrédients dans une bouteille d'un litre que vous achèverez de remplir avec de l'eau bouillante. Laissez légèrement refroidir. Agitez la lotion avant de vous en servir, puis avec un gant de toilette ou une éponge, frottez-en tout le corps, mais doucement car le liquide lui-même stimule et nettoie. Ensuite séchez avec une serviette sans rincer et sans passer d'eau.

MODE D'EMPLOI DU BAIN DE BEAUTÉ

Commencez par boire un verre d'eau pour stimuler la circulation avant de vous glisser dans votre bain chaud. Mettez vos cheveux en plis et recouvrez-les d'un bonnet : ils seront nerveux et gonflants quand vous les coifferez. Démaquillez-vous ; le cas échéant, faites le traitement dont vous avez besoin — masque, lubrification, etc. S'il s'agit de votre bain du matin ou si vous devez ressortir après, maquillez-vous avant d'entrer dans le bain. Votre maquillage prendra mieux et semblera plus naturel, et, aussi étrange que cela paraisse, plus frais. Il tiendra plus longtemps. Glissez-vous lentement dans votre baignoire, en laissant flotter votre corps, à plat dos, la tête sur un coussin. Commencez simplement par tremper et par faire vos exercices si vous voulez profiter de l'occasion pour faire travailler vos muscles (voir les mouvements pour le bain, page 250). Puis lavez-vous en faisant mousser le savon, frottez vos membres avec le loofah sous l'eau ; cela affermit la peau et fait tomber les cellules mortes. Brossez et passez la pierre-ponce là où c'est nécessaire. Rincez bien à la douche ou si possible à l'eau claire. La durée de votre bain dépend avant tout de son but et de sa température.

UNE PANACÉE UNIVERSELLE

Le bain peut aussi facilement détendre et désintoxiquer que donner de l'énergie et stimuler la circulation. Additionné d'huiles et de produits adoucissants, il empêche la peau de devenir rugueuse en compensant ses pertes en eau, en huile et en acidité naturelles. Additionné de plantes, il peut apaiser, soulager, calmer ou revitaliser. Le bain est un véritable traitement pour la peau et les muscles. La chaleur dilate les pores et les rend plus réceptifs aux produits lubrifiants et nettoyants ; la chaleur et l'humidité détendent les muscles, apaisent les tensions et accroissent les capacités d'étirement et de contraction des muscles. L'eau chaude calme parce qu'elle provoque une baisse de tension momentanée. L'eau froide accélère la circulation et donne un coup de fouet.

LA TEMPÉRATURE

Selon sa température, l'eau peut merveilleusement apaiser ou revigorer. Les personnes méticuleuses emploient un thermomètre, les autres se contentent d'y plonger le coude ou la main. Les femmes qui souffrent d'une mauvaise circulation ne doivent jamais s'exposer aux températures extrêmes.

Très chaud (38° - 43°) : Fatigue et dessèche ; peut faire ressortir les petits vaisseaux sanguins sur les jambes et les cuisses. Si votre poitrine est immergée, l'eau chaude peut l'amollir et la rendre tombante.

Chaud (29° - 38°) : C'est la meilleure température pour se détendre.

Excellente pour les bains traitants — aux plantes, aux minéraux, aux huiles ou aromatisés. Vous pouvez y tremper sans inquiétude, y passer 20 minutes à lire, mais pas davantage, sans quoi la peau commence à se plisser. Maintenez l'eau à la même température en rajoutant de l'eau chaude. Choisissez la température qui vous convient le mieux ; celle du corps (37°) est particulièrement conseillée. La température la plus chaude indiquée ici (38°) est excellente pour les courbatures ou pour vous réchauffer si vous êtes transie jusqu'aux os.

Tiède (24° - 29°) : Détend, revigore et rafraîchit lorsqu'il fait chaud. Prolongé pendant 10 à 15 minutes, il donne au système circulatoire une bonne occasion de se dilater et d'exhaler sa chaleur interne à travers la peau. Ces bains peuvent vous rafraîchir pour 5 ou 6 heures, alors que des bains plus froids ont un effet momentané.

Frais (18° - 24°) : Donne un coup de fouet après une journée de travail ou si vous êtes mal réveillée le matin et que vous détestez les douches ou les bains vraiment froids. Mais n'y restez pas plus de 10 minutes.

Froid (— de 18°) : Très stimulant. Il faut ne faire qu'entrer et sortir, en vous savonnant et en vous rinçant en un minimum de temps. Encore meilleur sous forme de douche revitalisante — en mettant le jet à sa force maximale. La pression de l'eau fait travailler les muscles et stimule merveilleusement la circulation.

LA DURÉE

L'heure du bain est déterminée avant tout par des questions de commodité et de style de vie. Prenez vos bains le matin ou le soir, à votre goût, mais qu'il soit quotidien.

Le matin : Si vous aimez le bain du matin — et c'est souvent une bonne façon d'aborder en douceur une journée chargée — ajoutez-y de l'huile ou du lait en poudre. Si vous préférez quelque chose de plus vif, essayez un bain aux sels ou aux algues. Trempez quelques instants, faites des exercices si vous voulez, frottez-vous et terminez par un rinçage tiède, suivi d'un court rinçage froid.

En fin de journée : Après une journée de travail, beaucoup de femmes adorent se détendre dans un bain relaxant pour se libérer des tensions en prévision d'une soirée tranquille à la maison, ou bien pour récupérer avant de sortir. Prenez un bain aux sels minéraux, aux plantes ou aux herbes aromatiques. Faites d'abord vos exercices, puis reposez-vous 10 minutes. Un rinçage frais vous remettra en forme.

Au coucher : Pour vous assurer une bonne nuit de sommeil, paressez dans un bain laiteux, moussant ou enrichi aux protéines (par exemple à la farine d'avoine). Si vous le parfumez, choisissez une odeur apaisante et sucrée.

Rincez-vous avec une eau à la même température et séchez-vous sans frotter, en tapotant.

LE TYPE

Il y a quatre grands types de bains — nourrissant, tonifiant, lubrifiant ou revitalisant. Ils seront tous plus agréables parfumés. D'une façon générale, disons que la menthe et le romarin stimulent l'énergie ; le bois de santal tranquillise ; le cèdre et le pin encouragent la méditation ; le jasmin calme les nerfs et la rose apaise... quant à l'œillet, il est, paraît-il, aphrodisiaque. L'histoire compte des dizaines de beautés célèbres qui avaient chacune leur recette secrète de bain aux plantes et aux arômes. Vous pouvez très facilement fabriquer la vôtre à partir de produits courants. Vous trouverez ci-dessous plusieurs recettes à faire vous-mêmes ou à modifier à votre goût en ajoutant une plante ou un parfum préférés.

NOURRISSANT : Ce sont généralement des bains aux protéines, qui adoucissent et nourrissent la peau en luttant contre la sécheresse. Ils sont très apaisants et aussi agréables le matin que le soir.

AU LAIT : Ajoutez à un bain chaud une tasse de lait en poudre écrémé ; c'est la version moderne de l'antique bain de lait.

A LA FARINE D'AVOINE : Ajoutez, en remuant, une livre de farine d'avoine à un bain chaud. Elle contient des huiles qui adoucissent et nourrissent. Rincez-vous soigneusement.

LE GANT DE TOILETTE A LA FARINE D'AVOINE : 1 livre de farine d'avoine ; 120 g de farine au son ; 120 g de savon blanc pulvérisé (ou râpé) ; 120 g de racine d'iris pulvérisée. Mélangez intimement tous ces ingrédients et mettez-les dans une étamine ou une mousseline, puis dans un gant de toilette. Vous pouvez soit vous frotter avec, soit le laisser tremper.

LE SACHET A LA FARINE D'AVOINE, AUX AMANDES OU AU SON : Confectionnez un sachet en mousseline et remplissez-le de farine d'avoine, de poudre d'amandes ou de son ; faites-le tremper dans le bain comme un sachet de thé dans une tasse. Attachez-le au robinet par une ficelle et servez-vous en pour 2 ou 3 bains.

AU LAIT ET AU MIEL : C'est évidemment le plus coûteux de tous les bains à faire chez soi. Certaines beautés célèbres, en ont fait un rite hebdomadaire. Ingrédients nécessaires :
55 g de bicarbonate de soude
1,5 litre de lait en poudre
1 livre de miel
120 g de sel

Faites fondre le bicarbonate et le sel dans 1/2 litre d'eau tiède. Confectionnez 1,5 litre de lait avec du lait en poudre, en respectant les proportions indiquées sur votre paquet, et faites-y fondre le miel. Mettez d'abord dans votre bain la solution de bicarbonate et de sel, puis le lait au miel.

A L'AMIDON : Vous pouvez adoucir une eau trop dure en lui ajoutant 2 cuillérées à café d'amidon, ce qui lui donne en outre une consistance laiteuse et satine la peau.

TONIFIANT :   Les sels minéraux stimulent la circulation et piquent la peau. Revigorants, ils sont plutôt conseillés en début de journée. Ils sont particulièrement agréables par les froids mois d'hiver où il est impossible d'aller au bord de la mer. Ils aident à éliminer les toxines et débarrassent le corps de son excédent d'eau.

AUX ALGUES : Remplissez d'algues un sachet de mousseline (vous pouvez les ramasser l'été et les conserver ou alors en acheter dans un magasin de produits diététiques) et laissez-le tremper 10 minutes dans un bain chaud avant de vous y plonger.

AU GROS SEL : Frottez-vous tout le corps — sauf la figure et les parties génitales — avec une poignée de gros sel, enfermée dans un gant de toilette si vous préférez. Rincez-vous à l'eau chaude, puis prenez un bain additionné de produits lubrifiants.

AUX SELS D'EPSOM : Mettez 240 g de sels d'Epsom dans un bain chaud, il sera encore plus thérapeutique si vous lui ajoutez de la menthe, du pin ou de l'eucalyptus (sous forme d'essence ou d'huile).

AU THÉ : Pour vous colorer la peau ou vous conserver la belle teinte des vacances ; faites du thé (ordinaire) très fort en mettant 4 cuillerées à dessert pour un litre d'eau bouillante ; laissez infuser 10 minutes et versez dans un bain chaud — pas trop profond, sans quoi le thé sera trop dilué pour agir.

LUBRIFIANT :   Le meilleur moyen pour lutter contre le dessèchement de la peau est de mettre de l'huile dans votre bain quotidien ; cela rend la peau soyeuse et aide le corps à conserver son eau. Les huiles qui se mélangent à l'eau sont rares (encore qu'il existe désormais des produits spéciaux), mais cela n'a pas grande importance car même si elle reste en surface, l'huile adhère à la peau et la lubrifie tout aussi bien. Quelques gouttes suffisent.

A L'HUILE AROMATIQUE : Mélangez 3/4 de tasse d'huile de ricin ou d'amandes douces ou d'avocat à 1/4 de tasse d'huile aromatique. Les parfums les plus prisés sont la rose, le jasmin, la lavande, la menthe, le pin, la fleur de citronnier et le cédrat. N'utilisez que quelques gouttes du mélange.

A L'HUILE DE TABLE : 1 tasse d'huile de maïs, sésame ou olive, 1 cuillerée à soupe de shampooing détergent liquide, 1/2 cuillerée d'huile aromatique. Versez tous ces ingrédients dans une bouteille, agitez bien, mettez-en 2 cuillerées à soupe par bain, sans oublier d'agiter avant usage.

AU SHAMPOOING A L'HUILE : Les shampooings à l'huile sont aussi bons pour la peau que pour les cheveux. C'est une façon rapide et économique de lubrifier la peau. Pour un bain profond, 2 cuillerées à café suffisent.

REVITALISANT : Les plantes et les autres produits végétaux naturels sont la base des bains revitalisants. Ce sont des bains traitants dans la grande tradition des stations thermales. Il faut toujours les prendre chauds car les éléments traitants sont ainsi plus actifs. Certains apaisent, d'autres stimulent. Ils sont idéaux pour récupérer après une journée de travail ou pour vous prédisposer au sommeil.

AUX PLANTES : Il existe beaucoup de bains aux plantes, simples ou composés, dont les recettes ont été transmises de génération en génération. Ne jetez pas simplement les plantes dans le bain : elles vous colleraient à la peau et boucheraient votre tuyauterie. Voici deux solutions plus commodes :
1. Le sachet. Mettez les plantes dans un sachet de tissu poreux (étamine) et, pour faire plus joli, enfermez le sachet dans une poche en soie ou en mousseline que vous suspendrez au robinet pour l'utiliser plusieurs fois de suite.
2. L'infusion. Écrasez ou déchiquetez des plantes et faites-en une infusion ; comptez 2 cuillerées à soupe de feuilles ou de fleurs par 1/2 litre d'eau. Ne faites jamais bouillir : versez l'eau bouillante sur les plantes et laissez infuser 15 minutes au minimum. Plus vous laisserez infuser, plus le liquide sera efficace, mais ne dépassez pas 3 heures. Conservez le liquide dans un pot couvert ; prenez de la faïence ou du verre, jamais de récipient émaillé.

MÉLANGE A LA LAVANDE : Mélangez des fleurs de lavande séchées à des quantités moindres de feuilles de menthe, de romarin et de racine de consoude. Mettez ce mélange dans un sachet en mousseline et versez dessus de l'eau bouillante. Laissez infuser 15 minutes, versez le liquide obtenu dans le bain et suspendez le sachet au robinet pour qu'il trempe dans le bain.

MÉLANGE AU ROMARIN : Faites infuser dans un sachet du romarin, du fenouil, de la sauge et du mille-feuille.

CAMOMILLE : Cette plante douce, à fleurs jaune pâle, contient de l'azulène qui calme et revitalise la peau. Utilisez des fleurs fraîches ou séchées.

Pour un petit coup de fouet supplémentaire, ajoutez un soupçon de romarin et d'aiguilles de pin (en infusion ou en essence). La camomille protège en outre des piqûres d'insectes.

SUREAU : Revitalise les nerfs et apaise, en même temps qu'il assainit et stimule l'épiderme. Utilisez-le en infusion ou en sachet.

CONSOUDE : Faites infuser les feuilles.

ALCHEMILLE : On dit qu'une infusion ajoutée au bain calme les douleurs menstruelles.

MÛRE : C'est un tonique pour revitaliser une peau terne. Il faut l'utiliser plusieurs soirs de suite. Faites-en une infusion très forte que vous ajouterez à un bain chaud.

PIN : Faites bouillir des aiguilles de pin 20 minutes, puis laissez infuser 12 h. Ou bien mettez les aiguilles dans un thermos, ajoutez de l'eau bouillante et laissez infuser 24 h. Passez et mettez-en une tasse par bain, de préférence un bain lubrifiant.

CITRON : Ajoutez des tranches de citron à une huile pour le bain parfumée au citron (soit du commerce, soit préparée par vos soins); frottez-vous la peau avec les tranches.

VINAIGRE DE CIDRE : Il rétablit le manteau acide de la peau et peut jouer un rôle important pour le maintien de son équilibre. Ajoutez-en une tasse à votre bain; l'eau sera veloutée, mais la peau ne sentira pas le vinaigre.

LE SAVON

Le savon est encore ce qu'il y a de mieux pour nettoyer la peau. Celle du visage peut nécessiter des soins spéciaux, mais il y a bien peu de femmes si sensibles à l'eau et au savon qu'elles soient obligées de se laver le corps aux huiles ou aux crèmes nettoyantes. Les savons sont à base de graisses et d'huiles, combinées à un alcali. Cette alcalinité est cependant neutralisée dès le contact avec la plupart des peaux. Les gens qui assurent que le savon dessèche et gerce la peau exagèrent; c'est plutôt un usage excessif ou intempestif du savon qui provoque ce genre d'ennuis. Il est indiscutablement mauvais et tout à fait inutile d'employer trop de savon. Il faut en outre veiller à bien se rincer pour éliminer toute trace de savon et, si vous avez la peau sèche, appliquez aussitôt une crème ou une lotion hydratante. Le savon n'est ni démodé, ni inefficace.
Les savons ordinaires sont généralement doux et une grande variété vous est offerte. Le choix est une question d'expérience : si un savon vous tire la peau, prenez-en un autre. Il existe des savons à l'huile d'olive, comme

l'étaient les tout premiers savons blancs, des savons aux plantes naturelles, des savons à la lanoline, des savons enrichis avec de la crème. Les
savons surgras sont à mi-chemin entre les savons ordinaires et les démaquillants qui se rincent à l'eau. Ils ne nettoient pas aussi bien que le savon
ordinaire, mais ils sont plus doux. Respectez bien sûr quelques grandes
règles : si vous avez la peau grasse, utilisez un savon asséchant ; si elle est
sèche, un savon surgras et pour une peau normale, un bon savon assez
doux.

Il est faux de s'imaginer que les détergents ne sont que de mauvais ersatz
de savon parce qu'ils sont synthétiques. Ils existent sous forme de pain, de
liquide, de lotion ou de gel et ils nettoient exactement comme le savon ; il
faut les rincer très soigneusement. Ils sont particulièrement efficaces dans
l'eau très dure et moussent même dans l'eau de mer. Pour les peaux
grasses, prenez un détergent alcalin qui élimine l'excédent de sébum ;
pour les peaux sèches il vaut mieux choisir un détergent avec produit
hydratant incorporé. Les savons sont compliqués à faire chez soi et ne
valent franchement pas la peine qu'ils donnent à confectionner.

TRANSPIRATION ET ODEURS CORPORELLES

Si vous demandez à la plupart des gens ce qui cause les mauvaises odeurs
corporelles, ils vous répondront la transpiration et la sueur. C'est faux.
L'excrétion d'eau à travers la peau, qui est somme toute le système de
climatisation du corps humain, n'est pas coupable. La sueur est incolore
et pratiquement inodore lorsqu'elle arrive à la surface de la peau. Elle
consiste presque entièrement en eau pure, additionnée de quelques sels
qui dégagent une odeur vaguement salée plutôt agréable et considérée
comme aphrodisiaque. Ce qui cause l'odeur déplaisante que nous
connaissons, ce sont des bactéries qui transforment cette humidité inoffensive en résidu rance par décomposition. Cela n'arrive que là où la sueur
ne parvient pas à s'évaporer assez vite.

Les zones exposées à l'air libre ne connaissent évidemment aucun problème de ce genre. C'est lorsque la transpiration macère sur la peau que
les ennuis commencent. Les aisselles, les pieds et les parties externes du
vagin sont généralement des zones à problèmes. Les tissus synthétiques
entravent l'évaporation.

La transpiration est le résultat d'une activité glandulaire due à deux
espèces de glandes différentes. Elles sécrètent toutes deux de l'eau qui
s'échappe par des canaux glandulaires. Ce sont :

Les glandes eccrines : Elles sont réparties sur tout le corps. Nous en avons
entre 2 et 3 millions. Leur sécrétion consiste en eau claire à 99 % avec
1 % de sels. Ce sont elles qui contrôlent la température du corps et qui
s'efforcent de la maintenir au même niveau par la transpiration. Si l'on se

mêle d'entraver considérablement leur action, on peut provoquer de graves ennuis.

Les glandes apocrines: Elles sont moins nombreuses et concentrées dans des zones bien particulières: les aisselles, le bas-ventre, les fesses et le mamelon. Leur sécrétion consiste elle aussi presque entièrement en eau pure, mais cette eau est trouble et contient des protéines et des substances grasses qui attirent les bactéries. Ces glandes sont plus grosses que les glandes eccrines et sont généralement associées aux follicules pileux. Elles se développent d'ordinaire à la puberté. Les glandes apocrines contribuent elles aussi à contrôler la température grâce à la sueur, mais leur activité est surtout déclenchée par des réactions nerveuses ou émotionnelles: une discussion un peu vive, une conversation tendue, un instant d'agitation suffisent à les déclencher, alors que la température ambiante n'a aucun effet sur elles. Qu'il fasse 43° à l'ombre ou moins de 0°, leur sécrétion reste la même. Si vous prenez un bain quotidien, la transpiration générale ne vous posera aucun problème. Mais les aisselles ont besoin d'un traitement particulier, non pas tellement à cause de l'odeur que de l'écoulement de liquide. Elles demandent généralement beaucoup de soins et c'est pourquoi il est bon de se raser sous les bras, même si beaucoup de peuples considèrent qu'il s'agit d'un procédé désexualisant.

Il existe deux grandes solutions au problème des écoulements de sueur dans la région de l'aisselle: *les déodorants et savons déodorants,* qui maîtrisent les odeurs en empêchant l'action des bactéries; *les anti-transpirants* qui limitent à la fois l'odeur et l'écoulement en réduisant le volume de la transpiration en même temps qu'ils luttent contre les bactéries.

● Il n'est pas encore prouvé que les savons déodorants sont totalement inoffensifs. Ils contiennent des antiseptiques qui, lorsqu'ils sont exposés au soleil, provoquent parfois de mauvaises réactions qui se traduisent par des cloques et des enflures.

● Les déodorants et les anti-transpirants existent sous forme de crèmes et de liquides et les allergies sont extrêmement rares. Il faut les utiliser régulièrement et ils sont particulièrement efficaces si on les applique sur une surface parfaitement propre. Il est conseillé d'éliminer les poils car ceux-ci emprisonnent la sueur et empêchent le déodorant d'atteindre la peau. Appliquez-les quand le corps est frais et au repos — mais pas tout de suite après la douche, parce que la peau est hydratée et que les canaux ne sont pas suffisamment ouverts; il vaut mieux attendre un quart d'heure.

● L'efficacité des déodorants et des anti-transpirants dépend de nombreux facteurs — la température, les vêtements, l'activité physique, le stress, la tension nerveuse et l'abondance de votre transpiration personnelle. L'odeur est plus facilement jugulée que l'écoulement et aucun anti-transpirant n'agit à 100 %, ce qui vaut mieux d'ailleurs ; 50 % est un chiffre plus réaliste et qui suffit largement à régler les problèmes esthétiques. A supposer que la chose fût possible, il ne serait pas souhaitable d'arrêter totalement l'écoulement de la transpiration.

Mais, direz-vous, pourquoi utiliser un déodorant au lieu d'un anti-transpirant puisque ce dernier fait d'une pierre deux coup ? C'est que certaines femmes ont la peau irritée par les produits chimiques que contiennent les anti-transpirants. Un déodorant, ce n'est rien de plus qu'un mélange de germicide (encore en contient-il très peu, 1 % ou moins), de parfum et de base qui le rend facile à appliquer. Les anti-transpirants par contre contiennent des sels d'aluminium ou de zinc qui pénètrent dans l'ouverture des canaux et c'est leur action qui limite les écoulements de sueur. Or, ces sels peuvent irriter les peaux sensibles, bien que les véritables allergies soient rares.

Les irritations : Les irritations des aisselles ne sont pas nécessairement causées par les déodorants ou les anti-transpirants. Elles peuvent être dues aux apprêts chimiques ou à la teinture de certains tissus, ou même à une sensibilité à votre propre transpiration. Si l'irritation ne veut pas disparaître ou si elle semble s'étendre, il est préférable de consulter aussitôt un médecin. Pour prévenir les irritations, il faut tout d'abord vous assurer que vous vous rasez correctement. Il est prudent de ne pas mettre de déodorant ou d'anti-transpirant pendant 24 heures lorsque vous venez de vous raser. Si vous avez une peau très acide, les déodorants risquent de vous irriter — essayez-en plusieurs, car certains sont moins acides que d'autres et n'oubliez pas que l'irritation peut aussi être causée par le parfum qu'ils contiennent.

Les déodorants naturels : Ils aident à éliminer les odeurs, mais ne contrôlent pas l'écoulement.

● La chlorophylle a un effet indiscutable sur les bactéries qui causent les odeurs corporelles, donc mangez des aliments qui en contiennent beaucoup, c'est-à-dire les légumes verts.

● Mettez une infusion de sauge sous vos bras ou dans votre bain. Un peu de livèche dans un bain chaud désodorise et purifie.

● L'huile de lavande est efficace mais trop forte pour être appliquée directement sur la peau. Faites une eau de lavande avec laquelle vous tamponnerez les endroits qui vous posent des problèmes. Voici la recette :
3 gouttes d'huile de lavande
1 morceau (ou 1 cuillerée à soupe) de sucre
1/2 litre d'eau distillée
Laissez macérer deux semaines, agitez toujours avant usage.

● D'autre plantes peuvent neutraliser les odeurs corporelles : les clous de girofle, les feuilles de chrysanthème, le camphre et le patchouli. Faites des infusions ou des sachets que vous appliquerez à même la peau ou que vous mettrez dans votre bain.

MOUVEMENTS A FAIRE DANS LE BAIN

Pendant que vous vous prélassez dans votre bain, vous pouvez mettre à profit quelques minutes de votre temps en effectuant des mouvements très simples qui tonifient les muscles et aident à garder minces les points sensibles.

1. *L'éponge.* Allongée presque à plat dos, saisissez l'éponge entre vos pieds et levez lentement les jambes le plus haut possible ; gardez-les à la verticale le temps de compter jusqu'à trois et baissez-les lentement. 6 fois. Excellent pour les hanches.

2. *Le coup de pied.* Allongée sur le dos, levez les jambes pliées aux genoux ; tendez une jambe d'un coup sec, les orteils en pointe, le pied cambré. Changez de jambe. 20 fois chacune. Aide à galber la jambe.

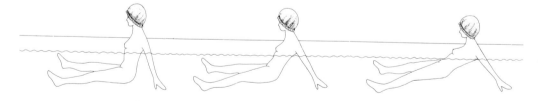

3. *Rentrer le ventre.* Assise, les jambes tendues devant vous, légèrement écartées, appuyée sur vos bras tendus derrière vous, inclinez lentement le dos bien droit, en faisant glisser vos bras de plus en plus loin ; servez-vous de vos abdominaux. Revenez lentement à la verticale. 6 fois.

4. *Faire rouler les épaules.* La main au milieu du dos, décrivez de grands cercles pour vous frotter avec une éponge. Faites six cercles avec chaque main, de gauche à droite pour la main droite, de droite à gauche pour la main gauche. Bon pour la poitrine et les muscles du haut du bras.

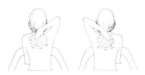

LES BAINS TRAITANTS EN INSTITUT

Le sauna. C'est un bain de chaleur sèche. On le prend dans une petite pièce construite entièrement en pin, avec des estrades de bois à différents niveaux. Un poêle central, tantôt chauffé au bois, tantôt électrique, et recouvert de pierres ignifugées, maintient dans la pièce une température très élevée (de 70° à 90°), que l'on peut momentanément augmenter en jetant de l'eau sur les pierres. Le but de l'opération est de vous faire transpirer au maximum ce qui entraînera une perte de poids, ouvrira vos pores, nettoiera votre peau, stimulera votre circulation et soulagera les muscles douloureux. Le sauna contribue aussi à apaiser les tensions. Pour encourager la transpiration, les véritables enthousiastes se frappent le corps avec des verges en bouleau. Au début, il n'est pas conseillé de rester plus de 10 minutes de suite ; passez ensuite 5 minutes dehors — une rapide douche froide est recommandée — puis regagnez le sauna pour 10 autres minutes. Dans de nombreux instituts, on utilise des petits saunas miniatures qui ressemblent à de grosses caisses en bois d'où seule la tête dépasse et à l'intérieur de laquelle règne une chaleur sèche ou humide.

La paraffine : Elle est particulièrement indiquée pour lutter contre les raideurs et les courbatures ; elle contribue aussi à débarrasser le corps de son excédent d'eau et améliore le grain et la couleur de la peau. La paraffine se présente sous forme de masse solide d'un blanc trouble ; elle fond très facilement et lorsqu'on la chauffe elle devient claire et tout à fait liquide. On l'applique au pinceau sur tout le corps où elle forme en séchant comme une seconde peau. On enveloppe alors le corps de serviettes ou de linges, avant de l'exposer à une forte chaleur, pour stimuler la transpiration. On enlève ensuite la paraffine à l'éponge. Le traitement dure en général une heure et il est souvent suivi d'un massage.

La boue : La boue volcanique contient des minéraux thérapeutiques et, appliquée sur le corps, elle stimule la transpiration et attire les impuretés. Vous pouvez soit tremper 15 minutes dans une baignoire remplie de boue, soit vous en faire enduire le corps.

4

LES PARFUMS

Les odeurs déclenchent des émotions chez tous les animaux et bien que notre odorat soit moins développé que celui de la plupart d'entre eux, on pense actuellement qu'il est quand même beaucoup plus puissant qu'on ne l'avait cru jusqu'à présent. Nous avons pratiquement supprimé tous nos instincts naturels vis-à-vis des odeurs et nous avons peu d'usages pratiques pour l'odorat, mais les odeurs font néanmoins partie intégrante de nos vies et de nos mémoires instinctives.

Les savants sont encore très perplexes devant les mystères de notre odorat et de nos odeurs, particulièrement les odeurs corporelles qui affectent le comportement. On les appelle des phéromones et elles sont beaucoup plus évidentes dans le monde animal où elles attirent, repoussent, mettent en garde et rassurent. Fonctionnent-elles aussi chez les hommes ? Rien ne prouve que non et certains faits sembleraient indiquer que oui, particulièrement dans le comportement sexuel. Nous produisons de nombreuses phéromones que nous nous acharnons à supprimer et à masquer. Mais le parfum peut agir comme une phéromone puisque l'usage habituel d'un même parfum est enregistré par le subconscient et qu'il est immédiatement associé avec un endroit ou un individu particulier. C'est là une propriété unique du parfum : sous son influence, nous sommes capables de nous rappeler et de revivre.

Le cerveau transmet les pensées et les souvenirs, mais ce sont les cellules olfactives qui sont directement responsables de notre odorat. Elles sont rassemblées dans un tissu membraneux très haut dans le nez et reçoivent les messages par le nez et l'arrière de la bouche (le goût et l'odorat sont, on le sait, étroitement liés). De là, par le biais des nerfs olfactifs, l'information est dirigée sur le cerveau. Les odeurs naturelles produisent des réactions instinctives ; les arômes des parfums stimulent les sens de façon plus violente, plus variée et plus subtile.

Il est impossible d'analyser scientifiquement l'odorat. Les bonnes odeurs sont liées à un phénomène d'associations psychologiques qui varient d'un individu à l'autre.

Les parfums ne sont pas, comme on le croit souvent, originaires de France, mais ils y ont été perfectionnés et désormais le centre mondial de cette industrie est à Grasse. Les parfums étaient déjà utilisés il y a plus de 5 000 ans en Égypte où ils servaient d'aphrodisiaques, de médicaments et de cosmétiques. Le nom vient du latin *per fumam* (par la fumée), qui nous rappelle que l'on faisait à l'époque grand usage des encens. La parfumerie est non seulement une science, mais un art. On appelle le maître parfumeur un « nez », car, bien qu'il soit avant tout un chimiste, c'est aussi un artiste qui, à la première bouffée, est capable de dire si un parfum peut réussir ou non. On n'a pas encore inventé d'ordinateur capable de le remplacer. Le jargon de la parfumerie est d'ailleurs souvent emprunté aux beaux-arts, particulièrement à la musique, puisque les parfumeurs emploient pour décrire un parfum des termes acoustiques, parlant de notes aiguës ou de tête, de notes graves ou de fond, et de notes intermédiaires. Pour un parfumeur, la « note de tête » ou départ est la première impression capiteuse et insaisissable lorsqu'on débouche le flacon. Elle est fugace et laisse aussitôt la place à la « note de cœur » qui est le cœur même du parfum et qui détermine sa personnalité et sa richesse. Ses effets peuvent durer plusieurs heures et, meilleur est le parfum, plus ils durent lontemps. Vient enfin « la note de fond », composée des éléments les plus tenaces, habituellement appelés des « fixatifs ». Ce sont des odeurs peu volatiles qui adhérent à la peau et qui pourraient être désagréables si on les utilisait seules. Au sein d'une composition, cependant, elles ajoutent au parfum un éclat chaud et permanent.

La plupart des parfums sont des combinaisons fort complexes dont tous les composants se mettent mutuellement en valeur. Il faut parfois des douzaines, voire des centaines d'ingrédients habilement amalgamés pour produire un parfum caractéristique. Chaque composant possède son identité, mais il la perd au sein du mélange. Un « nez » professionnel peut identifier la plupart de ces arômes l'un après l'autre, mais le résultat final dépend néanmoins de deux éléments indépendants : la « griffe » du parfumeur créateur, et la femme qui porte le parfum. Les même ingrédients très légèrement modifiés peuvent donner des résultats totalement différents et il n'existe pas deux « nez » semblables. Et puis, les parfums réagissent différemment selon les peaux, si bien qu'un parfum donné ne sent jamais tout à fait pareil.

L'art du parfumeur, tel que nous le connaissons, est vieux de deux siècles environ. Les parfumeurs d'aujourd'hui sont les héritiers des techniques et des méthodes inventées au 18ᵉ siècle par les Français. Il faut parfois plusieurs années pour créer un nouveau parfum et il faut un odorat d'une rare subtilité pour mettre au point une formule. Un parfum se fabrique en trois étapes : il faut d'abord choisir les matières premières, puis les transformer et les mélanger, et enfin mettre au point la formule. Les matières premières sont de deux sortes — naturelles et synthétiques. Les composants naturels viennent du monde entier. Ils sont depuis toujours à la base des parfums et sont d'origine tantôt végétale, tantôt animale. Les ingrédients synthétiques — que l'on appelle des aldéhydes — ont été mis au point au cours des trente dernières années. Leurs odeurs fortes et caractéristiques rappellent celles des ingrédients naturels et ils semblent parfois presque plus vrais que nature. Ils donnent au parfum de la force et du caractère, mais rarement de la subtilité. En règle générale, plus un parfum est coûteux, plus ses matières premières sont chères et plus son arôme est puissant.

L'enfleurage est le procédé ancien et fastidieux qui consiste à extraire des fleurs leur parfum. Il faut des quantités astronomiques du produit naturel pour fournir une quantité minime d'huile concentrée. Ainsi, pour obtenir un litre d'huile concentrée au jasmin, il faut environ 150 kg de fleurs (soit 2,5 millions de fleurs) que l'on fait macérer pour les amollir dans un corps gras purifié froid. Peu à peu les fleurs déchargent dans ce corps gras leurs huiles essentielles et on récupère alors ce parfum en trempant le corps gras dans de l'alcool. Le parfum est ensuite extrait de l'alcool par distillation. Ce sont ces essences florales qui fournissent la tête et le cœur d'un parfum. Le fond vient d'un fixatif qui lui donne aussi sa ténacité. Le nom est en fait mal choisi car ces ingrédients, d'origine souvent animale ou bien extraits de plantes vertes et d'écorces, ne fixent nullement les autres composants. Ce sont en tout cas les éléments les plus tenaces et les plus durables d'un parfum.

Les produits d'origine animale sont aussi coûteux que les fleurs. A l'état concentré, ils sentent affreusement mauvais, mais en quantité infime, ils constituent au contraire un élément séduisant et humanisant. Aucun bon parfum n'en est dépourvu. Ils ajoutent aux senteurs une distinction indéniable, mais en raison de leurs propriétés aphrodisiaques il ne faut pas en abuser. Un parfum peut-il vraiment être aphrodisiaque ? Techniquement la réponse est non, mais tous les bons parfums sont excitants et une peau qui sent le jasmin, la rose de Bulgarie ou tout autre parfum est infimement plus érotique qu'une peau qui ne sent rien du tout. Pour ceux qui ont l'esprit pratique, précisons que l'on a scientifiquement établi qu'une personne privée d'odorat est moins portée sur l'activité sexuelle.

L'effet d'un parfum varie selon sa catégorie et les senteurs se divisent en plusieurs grands groupes. Le type d'un parfum indique non seulement ses composants, mais aussi l'impression qu'il dégage. Par exemple, les parfums floraux légers rafraîchissent, les parfums citronnés, modernes et

verts ravivent et stimulent ; les parfums épicés, sucrés et musqués entê-
tent. Il existe donc des catégories très générales, mais il ne faut pas
oublier qu'avec les odeurs rien n'est simple et net ; le parfum n'étant
jamais constitué par une seule essence, il est rare qu'il ne produise qu'une
seule sensation. Un parfum acide peut avoir un arrière-goût douceâtre,
alors que certaine notes piquantes donnent de la clarté à un parfum lourd
et sucré. Voici un guide général des différentes catégories :

Parfums floraux : Les parfums floraux simples sont des parfums monocor-
des basés sur l'odeur d'une seule fleur. Cela ne veut pas dire que la seule
huile essentielle utilisée est celle de cette plante. Le plus souvent,
lorsqu'un parfumeur veut copier une senteur naturelle, il doit mélanger au
contraire un certain nombre d'essences différentes pour reproduire l'odeur
de la fleur choisie à l'état naturel.

Il existe des parfums qui sont de véritables bouquets dans lesquels sont
harmonieusement fondues plusieurs fleurs, souvent représentées par une
essence aromatique ou synthétique. Parfois une note prédomine, mais les
autres n'en sont pas moins présentes. D'habitude, les fleurs ne sont pas
faciles à identifier. Les parfums floraux sont généralement légers et
rafraîchissants, mais certains peuvent être très sucrés (voir ci-après) sans
être toutefois aussi entêtants que les parfums orientaux.

Parfums citronnés : Ils sont dominés par des senteurs de citron, d'orange
ou de bergamote. Ils sont particulièrement acides, frais et stimulants, tant
pour celle qui les porte que pour ceux qui l'approchent. Idéaux pour
« rafraîchir » le corps et excellents pour celles sur qui le parfum tourne
facilement au sucré — par exemple les femmes à peau grasse.

Parfums verts : Comme leur nom l'indique, ce sont des parfums à senteur
fraîche et boisée, vive, propre et sèche. Les arômes odorants de certains
bois des régions tempérées — cèdre ou pin — sont mélangés à des extraits
de mousse, de fougère, d'herbe et de tige de fleur.

Parfums modernes : Ils n'existent que depuis une quarantaine d'années et
sont surtout à base de produits synthétiques. Ils sont le résultat extrêmement complexe des recherches menées par les laboratoires chimiques et
les « nez » professionnels. Ces créations originales et personnelles qui se
refusent à copier purement et simplement la nature sont caractérisées par
un départ brillant et un cœur très riche et elles possèdent souvent une
profondeur et une force dont les parfums naturels sont dépourvus. Beaucoup sont faits de notes composées appartenant à plusieurs catégories de
senteurs, mais on peut dire que dans l'ensemble ils sont très colorés, gais
et frais, parfaitement adaptés à une vie moderne active, plaisante et sans
complication. Ce groupe des parfums modernes est depuis quelques
années la catégorie la plus populaire et c'est lui qui compte le plus grand
nombre de créations nouvelles. Les parfums floraux modernes sont un

étincelant mélange de notes florales difficiles à identifier. Les parfums floraux, verts et boisés sont souvent plus secs, avec leurs senteurs d'herbe fraîche, mais pas aussi secs que les parfums verts modernes qui sont extrêmement piquants et communiquent toute l'ivresse du grand air. Les mélanges modernes aux mousses et aux herbes sont pénétrants et vont du léger au résineux. Ils sont très vivifiants et on dit qu'ils s'érotisent en séchant, ce qui en langage clair veut dire qu'une fois que le départ très caractéristique s'est évaporé, il reste une odeur nette et charnue, plus proche de l'homme que de la plante. Le groupe des parfums verts aux mousses et aux herbes est généralement considéré comme le groupe ayant le plus d'avenir.

Parfums épicés: Ils sont plus lourds que les parfums floraux et peuvent être très forts. Les mélanges combinent souvent des essences de cannelle, clou de girofle, vanille — et parfois gingembre — à celles des fleurs exotiques.

Parfums sucrés: Ce sont surtout des mélanges floraux choisis parmi les fleurs les plus capiteuses — jasmin, tubéreuse et gardénia. Ils peuvent être extrêmement douceâtres et il faut les manier avec précaution car ils risquent facilement d'incommoder, surtout si le métabolisme de votre peau fait de lui-même tourner les parfums au sucré. Beaucoup de peaux réagissent ainsi et la personne qui porte le parfum est généralement la dernière à s'en apercevoir.

Parfums orientaux: Ce sont des senteurs très riches et très pleines, à base de plantes et de bois orientaux particulièrement aromatiques (comme le santal) et lourdes de musc, d'ambre gris ou de civette. Ces parfums particulièrement capiteux excitent généralement les réactions les plus vives. Certaines personnes les trouvent irrésistibles et d'autres insupportables.

Quelle que soit sa catégorie, un parfum est généralement produit en trois degrés d'intensité: extrait, eau de toilette et eau de cologne. Aujourd'hui ces deux derniers termes sont interchangeables, mais théoriquement l'eau de toilette est plus concentrée. Il s'agit dans les deux cas de parfum dilué qui contient un pourcentage d'alcool plus élevé, ce qui explique d'ailleurs pourquoi ces produits donnent l'impression de rafraîchir la peau: c'est le résultat de l'évaporation rapide du composant alcoolique. Leur odeur tient un certain temps mais elle n'est pas aussi puissante que celle d'un parfum concentré. Les mélanges modernes auxquels les arômes synthétiques assurent un cœur très puissant sont particulièrement durables. Le parfum est présent dans tous les produits de beauté et on retrouve souvent le même dans toute une gamme de produits: savon, huile de bain et bain moussant, lotion et poudre pour le corps. Ce sont autant de moyens agréables et économiques de prolonger le plaisir que vous procure un parfum.

Comment choisir votre parfum? Il n'y a qu'une seule façon: avec autorité, ténacité et en prenant votre temps. Le parfum coûte cher, il va influencer votre personnalité et votre humeur ; il est complexe et individuel ; il est composé de centaines de senteurs différentes. C'est une affaire d'essais, d'erreurs et de succès final. On ne s'attend quand même pas à ce que vous achetiez tout un flacon pour voir si vous aimez un parfum et si lui vous aime. S'il existe des échantillons, c'est justement pour faire des essais. Servez-vous-en ; plus vous en essaierez, plus vous aurez le nez fin.

Un parfum doit refléter votre humeur du moment en même temps que votre personnalité. Les femmes semblent plus disposées qu'avant à expérimenter dans ce domaine. Aujourd'hui, l'idée de trouver le parfum idéal auquel on se cramponnera toute sa vie paraît trop astreignante. Certaines femmes vont jusqu'à deux et s'arrêtent là — un parfum frais pour la journée et un autre plus capiteux pour le soir. Mais beaucoup d'entre nous en utilisent plusieurs et choisissent celui qui correspond le mieux à leur humeur du moment. Aucun parfum n'évoque exactement la même chose pour deux femmes différentes. Trouvez celui qui vous donnera l'impression de déborder de fraîcheur et d'entrain, qui stimulera votre intellect, qui éveillera votre sensualité.

Les « nez » professionnels jugent un parfum sous sa forme la plus diluée — eau de cologne ou eau de toilette — car une goutte de parfum est très puissante et peut finir par insensibiliser le nez. Le meilleur moyen de juger pour vous est de vaporiser une eau de toilette sur votre poignet gauche et une autre sur votre poignet droit. Reniflez-les immédiatement pour vous faire une idée de leur départ, mais attendez au moins une heure pour décider quoi que ce soit. Le parfum aura alors eu le temps de s'évaporer au maximum et la « tête » aura laissé place au véritable corps du parfum. Continuez à surveiller vos réactions toute la journée, mais n'essayez plus d'autre parfum. Vous pourriez certes mettre une troisième odeur sur le dos d'une de vos mains, mais d'habitude un amateur n'est pas capable d'assimiler plus de deux parfums à la fois. Signalons en outre que certaines expériences ont prouvé que l'odorat était moins aiguisé le matin et en début d'après-midi, donc faites plutôt vos essais en fin de journée.

Qu'est-ce qui affecte un parfum ? D'abord la chimie de la peau. Ainsi, une femme à peau claire aura de meilleurs résultats avec une senteur délicate qu'une femme au teint basané, à cause de son type de sébum. Les parfums tiennent mieux sur une peau grasse, mais ils ont tendance à tourner au sucré. Si vous fumez, vous diminuerez l'efficacité de votre parfum non seulement parce que l'odeur du tabac s'infiltre dans tout le corps et dans les vêtements, mais parce que la nicotine tend à altérer la chimie de la peau et à réduire la ténacité des parfums. Les médicaments, y compris la pilule, peuvent aussi transformer votre odeur car ils agissent sur le métabolisme et modifient par conséquent la réaction de la peau au parfum.

La même chose peut arriver si vous changez brusquement de régime alimentaire. Si le parfum est soumis, ne serait-ce qu'à une déviation tout à fait anodine, le résultat final sera différent. Pendant les règles, votre odeur ne change pas, mais votre perception olfactive n'est plus la même ; c'est pourquoi une femme peut avoir l'impression que son parfum tourne, alors que les autres ne sentent aucune différence. Le climat et l'environnement affectent aussi les parfums : dans les pays chauds ils s'évaporent plus vite et le fond a tendance à se manifester plus tôt, ce qui explique pourquoi tant de parfums semblent plus sucrés et plus lourds sous les tropiques. Dans les villes, la pollution semble annihiler certains parfums ce qui fait que vous êtes obligée d'en remettre plus souvent qu'à la campagne.

En dernier ressort, c'est votre façon de vous en servir qui décidera de l'effet de votre parfum. Ne vous dites pas que c'est la dernière chose à mettre avant de sortir de chez vous. La méthode et la psychologie sont aussi fausses l'une que l'autre. C'est votre parfum qui doit vous mettre d'une certaine humeur, c'est à vous qu'il doit plaire avant tout, alors mettez-le au sortir du bain ou de la douche, avant de vous habiller. Apprenez à vous en servir. Commencez avec le savon, l'huile de bain ou la poudre. Aspergez-vous généreusement d'eau de toilette sur tout le corps. Puis faites suivre de petites touches de parfum, utilisé avec parcimonie. La meilleure méthode consiste à parfumer tous les « pouls » de votre corps, des pieds à la tête : ces points chauds de votre anatomie feront ressortir la personnalité du parfum et préciseront l'impression générale créée par l'eau de toilette. Donc une petite touche aux chevilles, derrière les genoux, entre les cuisses, sur les seins, la gorge, la nuque, les poignets et à la saignée du coude. Il n'est pas recommandé d'en mettre derrière les oreilles car les sécrétions grasses y sont souvent différentes du reste du corps.

Quant à savoir s'il faut ou non parfumer les vêtements, c'est une affaire de goût personnel. Le parfum tache, donc il ne faut en asperger que sur l'envers des ourlets, des cols, etc. Et rappelez-vous qu'une essence qui n'est pas en contact avec votre peau ne saurait prendre son caractère individuel. Ne considérez pas non plus le parfum comme un antidote contre la transpiration — la réaction chimique est invariablement désastreuse. Il faut penser à remettre un peu de parfum au cours de la journée. Lorsque le « cœur » cède la place au « fond », il est temps de faire une retouche, non seulement parce que le meilleur du parfum s'est évaporé, mais aussi parce que les dernières traces peuvent devenir franchement désagréables. Un bon parfum dure de 4 à 6 heures.

Une fois qu'une bouteille de parfum est ouverte, il faut s'en servir. Gardez-la dans un endroit frais et obscur car le parfum exposé à la chaleur, à la lumière et à l'humidité s'oxyde. Une fois que le flacon n'est plus hermétiquement fermé, il se produit une lente évaporation qui prive le parfum d'une partie de sa perfection et de son équilibre. Pour voyager, les vaporisateurs sont la meilleure solution, ou sinon une petite bouteille qui ferme très bien. Evitez le plastique car le parfum arrive à s'évaporer au travers.

Le produit que l'on vous vend en flacon est le résultat de nombreuses années d'expériences et de mise au point. C'est l'une des raisons pour lesquelles un parfum est si coûteux. Le parfumeur met tout son cœur, tout son savoir, son «nez», beaucoup de temps et toutes sortes de fleurs, d'herbes, d'écorces, de racines, de feuilles et de fixatifs au service d'une seule création. Vous trouverez ci-dessous la liste des plus importants de ces ingrédients — tous des produits naturels. Les arômes synthétiques (affublés de formules et de noms indigestes pour tout autre qu'un chimiste) ont dans l'ensemble les mêmes odeurs et les mêmes emplois. Voici donc les produits de base les plus employés en parfumerie depuis plusieurs siècles.

Origines végétales

BERGAMOTE : Petite plante odoriférante de la famille des agrumes, qui ressemble à une orange verte ; non comestible, mais riche d'une huile au parfum tranchant et piquant. Elle pousse en Calabre. Dans certains pays, on n'utilise plus la bergamote naturelle dans les parfums, car elle risque de tacher la peau ; la bergamote synthétique est excellente.

BOIS DE SANTAL : Extrait du bois blanc du *Santalum album,* arbre parasite de l'Inde et de l'Australie. C'est un parfum épicé et exotique qui en raison de son intensité et de sa ténacité est souvent utilisé comme fixatif.

CÈDRE : Cet arbre produit une huile qui donne aux parfums un fond boisé ; lui aussi est un excellent fixatif. Les meilleurs cèdres poussent au Maroc.

CLOU DE GIROFLE : On s'en sert surtout comme épice, mais la fleur fournit de l'essence de girofle qui entre dans la plupart des parfums épicés ou orientaux.

CYPRINUM : Essence extraite de la fleur du henné ; lourde et persistante, particulièrement sucrée.

FLEUR D'ORANGER : On l'ajoute souvent aux parfums-bouquets pour leur donner du corps et un rien d'ivresse ; mais si l'on en met trop, le résultat peut-être douceâtre.

YLANG-YLANG : La fleur dont est extraite cette essence est vert pâle. C'est une plante orientale et le parfum en est sauvage et sucré. Cependant, lorsqu'on l'indroduit dans les mélanges musqués, le résultat est à la fois subtil et riche.

JASMIN : C'est peut-être le plus précieux de tous les ingrédients floraux. Le jasmin blanc dégage un fort parfum qui atteint son point culminant à l'aube. Presque tous les parfums du commerce contiennent du jasmin et bien que les chimistes soient parvenus à isoler tous les principaux composants de son essence, personne n'a été capable de synthétiser son odeur — le résultat est parfois très proche, mais jamais parfait. La fleur est originaire de Perse et du Cachemire, mais aujourd'hui on la cultive commercialement dans les pays méditerranéens, particulièrement autour de Grasse.

LAVANDE : Utilisée lorsqu'on veut créer une senteur délicate et fraîche ; c'est une spécialité de la côte d'Azur où elle pousse sur les collines de l'arrière-pays.

PATCHOULI : Fait partie de la famille des lavandes. Originaire du Bengale. L'essence est obtenue à partir des feuilles et des tiges de la plante et, en raison de son parfum sauvage et entêtant, elle sert surtout pour les parfums musqués et orientaux.

ROSE : C'est la première des huiles parfumées naturelles ; la fleur la plus délicieusement odorante et la plus facile à utiliser. Celle dont on se sert en parfumerie est la *Rosa centifolia* dont il existe d'énormes champs près de Grasse. Les fleurs sont cueillies à la main à la tombée de la nuit, lorsque leur odeur est à son apogée. Autre version plus opulente, la rose de Bulgarie dont l'odeur est la plus voluptueuse.

VÉTIVER : Extrait de la racine d'une herbe qui pousse en Extrême-Orient et dans certaines régions d'Amérique Centrale et d'Amérique du Sud. De qualité orientale, son arôme est très lourd et il sert surtout de fixatif.

VIOLETTE : L'une des énigmes de la parfumerie. Cette fleur qui semblerait faite pour être distillée inhibe notre odorat. Lorsque nous reniflons une violette pendant un certain laps de temps, la fleur semble perdre son parfum — en fait c'est nous qui devenons incapable de le percevoir. Les parfumeurs ont découvert que la racine de l'iris d'Italie permet d'approcher de très près le parfum de la violette.

Origines animales

AMBRE GRIS : On a peine à croire que cette substance crachée par le cachalot puisse être utilisée en parfumerie, mais c'est pourtant le cas. L'ambre gris, inodore, poreux et gras flotte sur l'océan (il fond dans l'alcool mais pas dans l'eau), et il fournit un fixatif de tout premier ordre. Un parfum qui contient de l'ambre gris est excitant car il dégage une senteur animale particulièrement érotique. Cependant, l'ambre gris est rare, donc coûteux, et il risque de le devenir encore plus maintenant que le cachalot est une espèce menacée.

CASTOREUM : Substance brune huileuse, produite par les ganglions lymphatiques du castor canadien. Comme tous les produits d'origine animale, on s'en sert pour donner au parfum une note érotique et durable. C'est le plus fort de tous les fixatifs animaux et son odeur est si puissante qu'on s'en sert en quantités extrêmement réduites.

CIVETTE : Sécrétion produite par une glande située sous la queue de l'animal qui porte ce nom. C'est un excellent fixatif, mais là encore très corsé et qu'il faut donc utiliser avec discrétion.

MUSC : Sécrétion glandulaire d'un cervidé mâle des régions himalayennes. Comme tous les autres membres de la catégorie animale, elle est très érotique et utilisée comme fixatif. Il fut un temps où l'on utilisait le musc seul, comme aphrodisiaque, mais de nos jours on se contente de l'ajouter aux mélanges floraux. Les cervidés qui le produisent sont désormais une espèce menacée et les chimistes en ont mis au point une excellente version synthétique.

Bien qu'il soit à base de produits naturels fort simples, le parfum est l'un des composants les plus insaisissables de la beauté. Sans avoir la moindre influence sur votre aspect physique, il excelle, sans qu'on sache exactement comment, à vous auréoler d'un mystère, à modifier votre façon d'être, à créer une atmosphère et à déclencher des émotions. Le parfum n'est pas seulement un facteur beauté, c'est un moyen d'apaiser vos troubles physiques et émotionnels. Les parfums lourds, qui contiennent davantage d'éléments d'origine animale ou un fond floral puissamment parfumé, ont un effet calmant, qui tranquillise l'esprit et rétablit l'équilibre mental. Cette étonnante propriété curative se retrouve aussi dans la façon dont une odeur fraîche et acide peut stimuler notre odorat; si nous la respirons profondément, le conduit nasal se débouche, la tête est dégagée et nous nous sentons revivre. C'est ainsi qu'agissait la classique eau de cologne. Enfin, on ne saurait nier que si, depuis des siècles, le parfum est lié à l'idée de séduction, il doit y avoir une raison à cela! C'est d'ailleurs justement la raison pour laquelle le parfum a si longtemps eu mauvaise réputation. C'est indiscutablement un produit complexe dont certains effets sont encore inconnus et déconcertants. Mais il existe néanmoins des preuves de ses réalités et de ses possibilités et certains faits qui aident à définir les réactions humaines à son égard.

LA CHEVELURE

La miraculeuse machine à « permanente », inventée en 1906 par Nestlé, n'atteignit les masses qu'au cours des années vingt et transforma radicalement les têtes féminines de toutes les nations. A Londres, Eugène se proclamait « Roi de la permanente de Paris et de Londres, aussi compétent que renommé »... les brosses à cheveux Mason Pearson faisaient « les délices de tout le monde »... Vogue mettait ses lectrices en garde : « Les cheveux mal soignés sont incompatibles avec la beauté et l'élégance ». En 1929, les cheveux courts avaient remplacé les cheveux mi-longs et la coupe « à la garçonne » n'allait plus tarder. Avec les années trente, on vit s'installer « un nouveau sens de l'individualité ». « Les boucles ne doivent jamais être en désordre donc, pour les contrôler parfaitement, les femmes les plus élégantes ajoutent à leur coiffure certains petits détails décoratifs pratiques, chics et flatteurs. » On s'intéressait de plus en plus aux soins pour les cheveux et Vogue conseillait « un bon shampooing toutes les deux ou trois semaines ».

Au cours des années quarante, ce fut la guerre qui dicta la mode : dans les usines, les femmes devaient porter des turbans et des bandeaux pour que leurs cheveux longs n'aillent pas se prendre dans les machines et pour le personnel féminin des forces armées, le cheveu ne devait pas descendre au-dessous du col. Vogue s'interrogeait : « Pourquoi les cheveux sur les épaules semblent-ils si démodés ? » Dès 1950, les moins de vingt ans prirent les choses en main, d'abord avec la queue de cheval, ensuite avec le culte des cheveux fous. A Paris, les sœurs Carita fabriquaient les premières perruques à la mode — pour aller avec les robes de Givenchy. On mettait l'accent sur

vous. Les « créations » d'André Bernard « étaient spécialement conçues pour s'adapter à votre charme individuel ». Les innovations françaises étaient « pour vous seule ». La perruque prit son essor au cours des années soixante. Harrods — comme tous les grands magasins — ouvrit un rayon spécial et à la fin de la décade les perruques en vrais cheveux étaient, en Angleterre, remboursées par la Sécurité Sociale. En 1963, Vidal Sassoon créa sa première coupe révolutionnaire — pure, structurée, taillée dans la masse. Vinrent ensuite la « crinière » de Jean Shrimpton, les « ondulations pré-raphaélites » et les premières têtes « afro ». A partir de 1970, il ne fut plus question que de la santé du cheveu ; le henné avivait sa couleur et lui donnait de l'éclat et du corps. « Moins de crêpage, moins de laque, davantage de brossages et d'éclat, voilà le nouveau programme pour la santé du cheveu. »

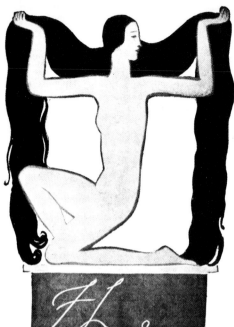

Par son Charme Raffiné, le Choix habile de ses Vêtements et son impeccable Netteté, la Femme aux Cheveux Gris devient un Personnage.

« Hélas, pauvre insensée qui, pleurant la perte de ses boucles d'ébène, ne sut pas comprendre que le gris était beaucoup plus distingué. La teinture fit trop vite son œuvre — et la floua. »

PARIS FAIT D'ÉTONNANTES EXPÉRIENCES DANS LE DOMAINE DE LA COIFFURE

Deux têtes différentes — ou la même tête d'un jour à l'autre — ne peuvent pas être coiffées de la même façon.

« Le retour aux robes de la princesse de Clèves entraîne bien évidemment le retour à sa coiffure qui fait elle aussi un usage frappant et nouveau des tresses. »

« Avec les nouveaux cols hauts, il faut une coiffure relevée qui dégage le cou, mais les femmes renonceront moins facilement aux petites houppettes sur les joues. »

« Le friseur électrique, nouvelle invention, est si efficace que même les femmes aux cheveux doux et soyeux peuvent arriver à obtenir des coiffures comme celle que vous voyez ici. »

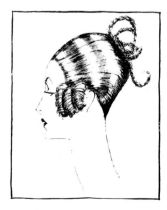

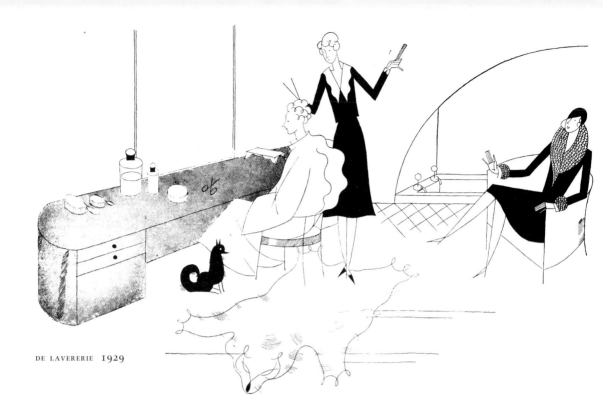

DE LAVERERIE 1929

1929

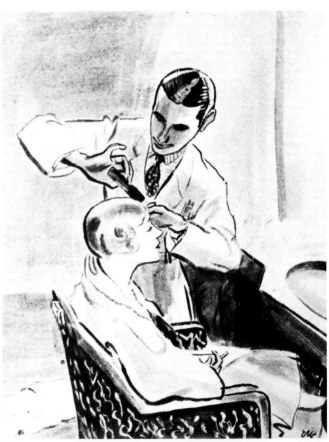

1930

Triomphe de la Maison Georges 1930

« C'est en hauteur que Guillaume coiffe la princesse Jean Poniatowski et Madame Pol-Roger. On leur voit les oreilles, le front, la nuque — ces deux coiffures exigent une implantation régulière et des traits bien dessinés. Mais si ces qualités ne figurent pas parmi les vôtres, il existe tant de versions diverses de la ligne qui monte, qui monte, que l'une d'elles est sûre de vous aller. Étudiez donc les croquis que voici. »

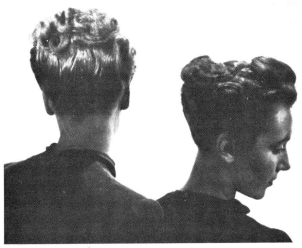

ANDRE DURST 1938

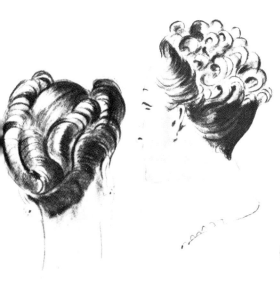

1939 Sourcils épilés   1943 Coiffure à la page   1946 Nattes postiches   1949 Le style gamine

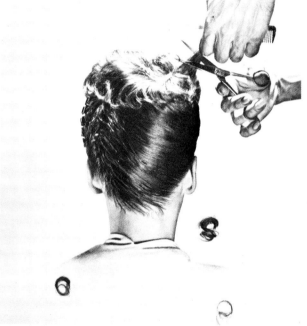

« Clic clac... sous les ciseaux tombent les cheveux longs, les cheveux plats, les cheveux de la Lorelei. Officiellement le gouvernement est pour, parce que les cheveux courts ne risquent pas d'entraver l'effort de guerre et ne prennent guère de temps à coiffer. »

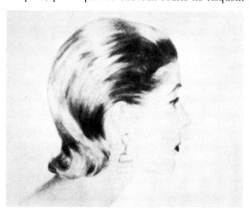

New York   Paris   Londres

KLEIN 1955   BOURET 1955   STEMP 1955

1946

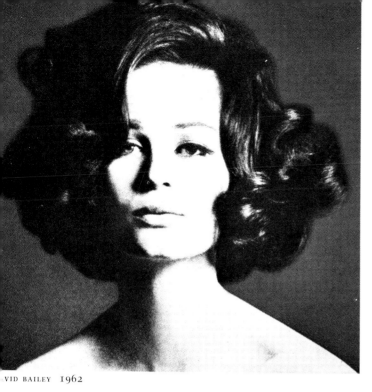

VID BAILEY 1962

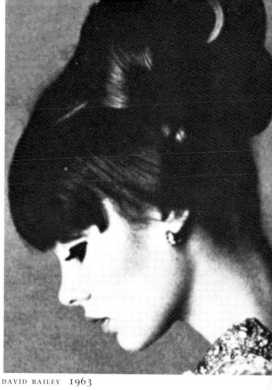

DAVID BAILEY 1963

OMBRUNO-BODI 1964

DAVID BAILEY 1964

ontre : « coupe Vidal Sassoon » - Donavan 1962

LEOMBRUNO-BODI 1964

STEPHEN BOBROFF 1968

SOUHAMI 1964

PETER RAND 1964

AVEDON 1968   AVEDON 1969

Ci-contre : « Un visage et quatre perruques pour quatre styles. » Patrick Hunt 1969

PATRICK LICHFIELD 1969

HELMUT NEWTON 1970

SARAH MOON 1973

Ci-contre : John Swannell 1976

STUART MACLEOD 1975

DAVID BAILEY 1976

LES THÉRAPEUTIQUES

1

LES PRODUITS NATURELS

Des expériences ont prouvé que la destruction et la construction des cellules — c'est-à-dire le métabolisme essentiel du corps humain — étaient favorisées par la consommation de certaines plantes et de leur jus. Ces matières végétales influent sur l'activité glandulaire. Le jus des plantes et le sang humain sont étroitement associés dans leur fonction métabolique et les racines, les écorces, les feuillages et les plantes contribuent à renforcer la santé et la résistance à la maladie. On peut les utiliser de toutes sortes de façons — en les absorbant crus ou cuits, en infusions, ou distillés ou bien en application externe.

LES LÉGUMES

Une connaissance pratique des légumes est une excellente mesure préventive. Et, en ce qui concerne les affections mineures des fonctions organiques, certains légumes peuvent souvent résoudre le problème et contribuer à rétablir l'équilibre du corps.

Ail: Il est devenu synonyme de bonne santé, vitalité et longévité. Il contient de puissants éléments antibiotiques, éloigne les microbes, possède des propriétés antiseptiques, antibactériques, laxatives et diurétiques. Son odeur dégoûte souvent les gens, mais plus vous en mangerez, moins elle sera forte et il est en outre facile de la neutraliser en mâchant du persil ou des grains de café. Les toniques à l'ail ne datent pas d'hier. En voici deux : 1) Émincez deux gousses et faites-les macérer dans un verre de vin blanc pendant quelques jours ; prenez-en une cuillerée à café au lever tous les matins. 2) Faites macérer de l'ail haché dans de l'alcool, à raison d'une part d'ail pour deux d'alcool ; laissez au chaud, de préférence au soleil, pendant deux semaines ; passez. Commencez par en prendre deux gouttes dans un verre d'eau tiède avant le déjeuner ou le dîner, et chacun des jours suivants augmentez la dose d'une goutte jusqu'à ce que vous ayez atteint un total de 25 gouttes ; ensuite inversez le procédé pour redescendre jusqu'à une seule goutte. C'est un tonique que l'on peut prendre plusieurs fois par an, mais il faut laisser passer au moins 6 semaines entre les cures.

Artichaut : Particulièrement bon pour le foie, il purifie le sang et fait office de diurétique (en augmentant le volume d'urine). Il protège contre l'urée, le cholestérol, l'arthrite et certains virus intestinaux. Cru ou sous forme de jus, il est très amer mais il vaut la peine qu'on se force. Exprimez le jus de la tige et des feuilles ou bien faites macérer la racine dans du vin. Deux à trois cuillerées d'un de ces liquides avant les repas aident à protéger des rhumatismes — prenez-les dans un verre de vin pour faire passer le goût. Un infusion de feuilles fraîches soulage en cas de crise de foie.

Asperge : Peut activer un foie paresseux et soulager les diabétiques ; soigne souvent les maux de reins et les calculs biliaires. On dit que ses propriétés toniques peuvent agir sur le cerveau et aiguiser les facultés mentales et émotionnelles. L'asperge aurait aussi un effet calmant sur les maladies de cœur et les palpitations.

Céleri : Il aide à purifier le sang et soulage, dit-on, en cas de diabète, goutte et rhumatisme. En cas de crise rhumatismale aiguë, un petit verre de jus de céleri peut faire merveille. C'est un excellent tonique qui fait transpirer et uriner et qu'on retrouve donc souvent dans les régimes amaigrissants.

Concombre : Il a la propriété d'éliminer l'excédent de liquide et de nettoyer le corps de ses toxines. Excellent pour mincir. Le jus de concombre ou le légume lui-même coupé en fines tranches apaisent les brûlures et les coups de soleil.

Cresson : Bon pour la circulation et le foie ; une verre de jus de cresson quotidien au lever vous met aussitôt en train. Il peut dégager les poumons, débloquer le passage nasal et décongestionner les bronches.

Chou : Bouilli, il est parfois indigeste pour les estomacs délicats, aussi cuisez-le à la vapeur ou mangez-le cru. On peut en extraire le jus : additionné de jus de citron, c'est une boisson délicieuse et nutritive. Excellent pour la cirrhose du foie, surtout si elle est due à l'alcoolisme ; il a des vertus préventives contre l'arthrite et la goutte. En faisant infuser de la sauge dans son eau de cuisson, on obtient une boisson calmante à prendre au coucher ou à utiliser comme gargarisme contre le mal de gorge. En usage externe, une compresse chaude faite de feuilles de chou hachées menu et coincées entre deux épaisseurs de mousseline peut soulager diverses douleurs musculaires, ainsi que les névralgies, sciatiques et rhumatismes. On peut aussi la placer sur les zones douloureuses en cas de crise de foie, douleurs intestinales et règles douloureuses. Sur la tête, elle soulage la migraine ; sur la gorge et la poitrine, elle soigne les rhumes et l'asthme. Elle peut également servir pour les soins de première urgence : sur une brûlure ou une piqûre d'insecte, une feuille de chou écrasée atténuera la douleur et assainira la plaie. Elle cicatrise aussi les coupures.

Fenouil : Il calme les maux d'estomac et a des propriétés laxatives, mais il est surtout d'un grand secours pour le système reproducteur : il aide à régulariser la menstruation et particulièrement à normaliser un écoulement insuffisant ; on dit aussi qu'il augmente la production de lait des nourrices, surtout si on le fait bouillir avec de l'orge.

Laitue : Très apaisante, au point d'avoir même des effets hypnotiques quand on l'utilise comme sédatif. Les insomniaques devraient la prendre sous forme d'infusion ou bien la manger braisée en fin d'après-midi.

Oignon : Ce proche parent de l'ail possède en gros les même vertus, mais à un degré moindre ; elles ne disparaissent pas à la cuisson. L'oignon cru est particulièrement recommandé pour les rhumatisants. C'est un bon diurétique qui combat non seulement la rétention d'eau mais aide aussi à éliminer l'urée et le sodium. Et c'est un remarquable tonique, particulièrement efficace contre les rhumes et les amygdalites. Voici une recette de tonique à l'oignon : mélangez intimement 150 g d'oignon râpé et 100 g de miel et ajoutez un litre de bon vin blanc ; couvrez et laissez macérer deux semaines ; passez. Prenez-en 4 cuillerées à café par jour — le goût est assez étrange mais le breuvage est très reconstituant.

Pissenlit : C'est un merveilleux diurétique ; il purifie le sang en détruisant l'excédent d'acide ; il accroît l'activité du foie ainsi que celle du pancréas et de la rate. Il combat l'anémie, le diabète, les troubles cutanés, la goutte et les rhumatismes. On peut manger les feuilles en salade et la racine, si on la laisse frémir au moins une demi-heure dans de l'eau, donne une excellente tisane ; le jus qu'on en extrait est un tonique pour tout le corps. La sève blanche de sa tige peut être utilisée pour dessécher les verrues et comme bain d'yeux.

Radis : En petite quantité il stimule la digestion, mais de trop fortes doses peuvent provoquer de violentes contractions. Très bon pour l'anémie. Les muqueuses de la gorge et des poumons réagissent à ses propriétés piquantes et il est donc souvent bénéfique en cas d'infection respiratoire. Pour la bronchite, prenez avant chaque repas et avant de vous coucher une cuillerée à café d'un mélange d'une part de jus de radis pour deux parts de miel ; cela aide à éliminer les glaires et soulage les gorges douloureuses. Pour la gueule de bois, essayez une assiette de radis émincés légèrement assaisonnés de sel et d'huile d'olive. En cataplasme, le radis soulage les douleurs musculaires et osseuses ainsi que les rhumatismes.

LES PLANTES

Nos ancêtres avaient su percer les secrets de la médecine par les plantes et nous sommes aujourd'hui en train de redécouvrir les bienfaits des tisanes, des infusions, des gargarismes et des cataplasmes naturels au moyen desquels on traitait jadis les maladies bénignes de la maisonnée. Certaines plantes ont des vertus curatives et elles sont nombreuses, mais il n'est pas indispensable d'être expert en la matière pour y avoir recours (qui de nous aurait le temps de le devenir?). Mettez-vous à l'œuvre progressivement mais sûrement en élargissant vos connaissances botaniques.

Commencez par limiter votre choix aux plantes familières, aux variétés potagères et sauvages qui poussent dans votre région. Les plantes potagères sont aromatiques et servent au cuisinier tout autant qu'à l'apothicaire. Les plantes sauvages et florales n'ont pratiquement que des vertus médicinales.

L'herborisation est un art: il faut non seulement savoir quelle partie de la plante récolter, mais aussi quels sont les moments du jour et de l'année les plus propices à leur cueillette pour obtenir les meilleurs résultats. En général, les premières heures de la matinée et les dernières heures de l'après-midi sont conseillées, car la plante doit être sèche sans être brûlée par le soleil. Il est inutile de ramasser des plantes mouillées, car elles risquent fort de moisir au lieu de sécher. Il faut extirper les racines au printemps ou à l'automne, lorsqu'elles regorgent de suc. Les tiges sont particulièrement gonflées de sucs bénéfiques à l'automne, lorsque le reste de la plante s'est desséché ou a cessé son activité. Il faut généralement cueillir les feuilles avant l'apparition des fleurs, sauf dans le cas des plantes potagères aromatiques dont les essences actives ne diminuent pas à la floraison. Quant aux fleurs, cueillez-les si possible dès qu'elles sont écloses et en tout cas avant la pollinisation.

Lorsque vous faites sécher des plantes, assurez-vous que vous les mettez dans un endroit sec et aéré: le haut d'un placard, une étagère. Commencez par les nettoyer soigneusement: en général les feuilles et les fleurs ne sont pas bien sales, mais les racines ont besoin d'être lavées et séchées doucement avec une serviette. Mettez vos plantes sur du papier, triées par espèces, et retournez-les de temps en temps. Si vous ne vous en servez pas en cuisine ou en usage externe, les plantes dégageront leurs éléments actifs dans l'eau ou dans l'alcool. Pour assainir les tissus, l'eau est préférable et les composés alcooliques sont généralement réservés à l'usage externe. Il y a deux techniques: l'infusion et la décoction.

L'infusion: Elle se fait comme le thé. Recette de base: 30 g de l'ingrédient essentiel par demi-litre d'eau bouillante. Il ne faut jamais faire bouillir les feuilles, ni les fleurs, et il faut laisser infuser la plante une demi-heure au minimum et trois heures au maximum. Pour une infusion simple couvrez le pot ou la tasse d'un cache-théière pendant 10 à 15 minutes, selon la force désirée. Ne vous servez que de porcelaine, de verre ou de faïence, d'acier inoxydable ou de casseroles émaillées parfaitement intactes — jamais d'aluminiumn ni de cuivre.

Le récipient doit être couvert pendant la période d'infusion ; après quoi, passez le liquide dans un pot ou une bouteille. On peut aussi faire infuser une plante dans du lait : le lait froid absorbe les essences de la plupart des plantes sans qu'il y ait besoin de chauffer. La recette de base est d'une cuillerée à soupe de plante par tasse de lait ; laissez infuser.

La décoction : Cela revient tout simplement à faire bouillir la plante, ce qui est généralement nécessaire pour les graines, les bois, les écorces ou les racines. Mettez-en 30 g dans une casserole avec un litre d'eau froide. Amenez lentement à ébullition, puis laissez frémir jusqu'à ce que l'eau ait réduit de moitié — il faut compter une demi-heure environ. Couvrez pendant l'ébullition et ne vous servez que de récipients en acier inoxydable, en terre cuite ou en verre. Enlevez du feu, mélangez bien.

LES PLANTES POTAGÈRES

Basilic : Apaisant, aide à calmer les nerfs. Une infusion bien chaude de basilic au coucher fait transpirer et étouffe le rhume dans l'œuf. Il soulage les douleurs menstruelles et combat les infections intestinales. Les feuilles sont efficaces sur les morsures de serpent et les piqûres d'insectes.

Laurier : Il possède de grandes propriétés antiseptiques, d'où sa popularité dès qu'il s'agit de faire mariner un aliment ou de le mettre en conserve. Stimule la digestion.

Marjolaine (Origan) : C'est un excellent tranquillisant et aussi un bon tonique, particulièrement recommandé pour l'inappétence. Combat la migraine et l'hépatite. Les rhumatisants devraient mettre des compresses de marjolaine sur les endroits douloureux. Pour les maux de dents, mettez de l'huile de marjolaine sur la dent douloureuse.

Menthe : C'est un antiseptique très puissant — sa seule odeur éloigne les mouches et les moustiques. Bénéfique pour tout le système digestif, le foie, la vésicule biliaire et les intestins. La menthe peut stimuler le cœur et le système nerveux ; elle peut ranimer les facultés mentales et combattre l'énervement dû à la chaleur. Ses propriétés antiseptiques en font un excellent médicament respiratoire. Lorsque vous sentez venir un rhume, faites des inhalations avec une infusion de menthe bouillie.

Si vous êtes asthmatique ou que vous souffrez de troubles respiratoires, mettez quelques gouttes d'essence de menthe dans une tasse d'eau tiède, mélangez bien et mettez le liquide dans un flacon hermétiquement fermé. Lorsque vous avez du mal à respirer, versez-en quelques gouttes sur votre mouchoir et tenez-le devant votre nez et votre bouche, vous serez aussitôt soulagée. La menthe est un merveilleux remède contre la migraine : des feuilles de menthe appliquées sur le front atténuent la douleur. Toujours pour les maux de tête, une compresse chaude d'infusion de menthe sur le front. Enfin, une goutte d'essence de menthe sur l'endroit sensible peut soulager une rage de dents.

Persil : C'est l'une des plantes les plus faciles à cultiver et il faut s'en servir généreusement. Outre qu'elle est riche en vitamine C, cette plante a des propriétés stimulantes et peut soulager toutes les maladies de foie, particulièrement la jaunisse. Le persil est délicieux en infusion et constitue un excellent breuvage si on le laisse macérer dans du lait chaud. Les infusions sont bonnes pour les troubles oculaires. On sait aussi qu'elles soulagent la goutte et les rhumatismes et la recette de gelée au persil qui suit est tout à fait indiquée pour les douleurs osseuses et pour purifier le sang : lavez un gros bouquet de persil, mettez-le, en tassant bien, dans un grand récipient d'acier inoxydable ou de terre cuite ; couvrez d'eau. Amenez à ébullition et laissez frémir à couvert pendant 2 heures. Passez, pour chaque demi-litre de liquide, ajoutez une livre de sucre et le zeste d'un citron. Amenez de nouveau à ébullition et laissez frémir jusqu'à ce que le liquide prenne.

Romarin : Peut soulager les états nerveux, aviver les sens, éclaircir la vue et venir au secours d'une mémoire défaillante. Il est bénéfique en cas de mauvais fonctionnement du foie ou de la vésicule biliaire ; en infusion, c'est un bon bain de bouche pour les gencives, la mauvaise haleine et le mal de gorge. Une infusion chaude matin et soir est recommandée aux rhumatisants et aux arthritiques. Le vin de romarin est un excellent tonique pour le système tout entier. Faites macérer 50 g de romarin dans du Bordeaux pendant quelques jours — buvez-en un verre à chaque repas.

Sauge : Elle possède de puissantes propriétés antiseptiques. Les blessures lavées avec une infusion de sauge cicatrisent plus vite et on peut aussi s'en servir comme gargarisme ou comme injection vaginale. Très efficace en cas de fièvre, car elle réduit les sueurs nocturnes et fait avorter les grippes. Elle a un effet régulateur sur les hormones et joue donc un rôle important chez les femmes enceintes et pendant la ménopause. Une infusion légère est excellente pour les filles à la puberté. Enfin, la sauge enrichit le sang et tonifie tout le système. Vous pouvez obtenir un pousse-café maison en faisant macérer une semaine 50 g de sauge dans un demi-litre de vin ; prenez-en un petit verre après les repas, c'est excellent pour la digestion. La sauge est connue pour ses vertus anti-flatulentes et peut combattre tous les mauvais effets de la nourriture, particulièrement des aliments trop riches et trop gras. Une tasse de tisane de sauge est aussi efficace que toutes les pilules du monde et si vous êtes un peu barbouillée, ajoutez-y un quart de cuillerée à café de gingembre haché ; buvez chaud. Le vin de sauge est particulièrement recommandé aux anémiques et aux personnes qui souffrent de troubles sanguins. Voici la recette : prenez un demi-boisseau de feuilles de sauge fraîchement cueillies, 1,5 kg de raisins secs sans pépins finement hachés, 1,5 kg de sucre roux et mettez-les dans une grande marmite en terre cuite ; couvrez avec 4 litres d'eau chaude ; remuez jusqu'à ce que le sucre soit dissout et ajoutez 7 g de levure de bière. Laissez infuser une semaine, en remuant tous les jours. Passez et lorsque la fermentation est terminée, mettez en bouteilles.

Thym : Il est doué de très puissantes propriétés anti-bactériques, protège contre les rhumes et la grippe. Ses propriétés toniques sont considérables et il est recommandé à ceux qui ont le nez bouché ou mal à la gorge. Voici une recette de sirop contre la toux : faites bouillir une cuillerée à soupe de graines de lin entier dans un litre d'eau et versez le liquide encore bouillant sur 30 g de thym et un citron finement émincé ; sucrez avec du miel ; remuez bien et passez une fois que le mélange a refroidi. Prenez-en une cuillerée à soupe 5 à 6 fois par jour. En usage externe, le thym est un très bon désinfectant ; si on lave les coupures et les plaies avec une infusion de thym, elles ne suppurent pas. Il soulage les rhumatismes et l'arthrite, particulièrement sous forme d'huile essentielle dans un bain chaud. Le thym haché fait un excellent cataplasme pour les rhumatismes.

LES PLANTES SAUVAGES

Au début, il n'est pas toujours facile de les identifier. Vérifiez dans un guide illustré. Les plus prisées sur le plan médicinal sont :

Bourrache : L'une de ses plus étonnantes propriétés est de dissiper la mélancolie et de réconforter les cœurs malheureux ; bref de soigner ce que nous appelons aujourd'hui la dépression. Faites une infusion avec les fleurs et les feuilles, elle fera de l'effet en cas de maladies fébriles comme la rougeole, la scarlatine, la bronchite ou la grippe. Elle est riche en calcium et en potassium et influe sur tout le système glandulaire. Le jus de bourrache frais a des vertus purificatrices et on dit qu'il revitalise les reins.

Capselle ou bourse-à-pasteur : C'est une espèce de cresson. On peut cueillir et faire sécher la plante entière, mais on peut aussi en extraire le jus qui est excellent pour tous les troubles sanguins. Il peut arrêter les hémorragies, les crachements de sang et les saignements de nez ; il réduit les écoulements menstruels trop abondants des jeunes filles à la puberté et des femmes à la ménopause. Les cataplasmes de capselle sont excellents pour les varices et les hémorroïdes.

Camomille : 1 ou 2 cuillerées à soupe d'infusion de camomille trois fois par jour sont excellentes pour la plupart des états nerveux et si l'on rajoute de l'eau chaude pour la boire au coucher, elle aura un effet soporifique. Elle facilite la digestion et elle est recommandée à ceux qui souffrent de toux spasmodiques dues à l'indigestion. En lotion, elle soulage les maux de dents et les névralgies : dans un demi-litre d'eau, faites infuser à parts égales une trentaine de grammes de fleurs de camomille et de fleurs de pavot. Un cataplasme à la camomille empêche, paraît-il, la gangrène de s'installer et l'arrête quand elle est déjà présente. Si vous vous enduisez le corps d'une infusion de camomille très diluée, les insectes ne vous piqueront pas.

Chélidoine : Elle est limitée à l'usage externe, car elle peut être toxique. Si vous brisez sa tige, vous verrez couler un jus orangé qui desséchera les verrues — au bout de 3 ou 4 applications, elles se décoloreront et finiront par tomber. Ce jus est aussi très efficace contre les cors et les durillons. La sève diluée avec de l'eau est un excellent bain pour les yeux en cas de conjonctivite.

Consoude : C'est un remède efficace contre la toux, la sinusite, les troubles pulmonaires, l'asthme, les ulcères des reins et de l'estomac et des intestins. Faites bouillir 30 g de racine de consoude broyée dans un demi-litre d'eau pendant 10 minutes, ajoutez un demi-verre de lait, laissez frémir 15 minutes. Prenez-en un verre à vin toutes les trois heures. Une infusion faite avec les feuilles est également excellente, parfumée au jus de citron pour faire passer le goût. Les mousselines ou les linges trempés dans une infusion concentrée de consoude et essorés font de très bons cataplasmes pour soulager les contusions, les entorses et les fractures. Les cataplasmes aux feuilles fraîches sont excellents pour les vaisseaux éclatés, les plaies, les brûlures et les ulcérations suppurantes.

Mille-feuille : Si l'on prend beaucoup de tisane au mille-feuille au commencement d'un rhume — mélangée de préférence à des fleurs de sureau et de menthe poivrée — il sera étouffé dans l'œuf. Une infusion de mille-feuille donne une excellente injection contre la leucorrhée. Une coupure enduite de jus de mille-feuille arrête de saigner et cicatrise très vite.

Ortie : Elle contient du fer, du soufre, du potassium et du sodium et elle est excellente pour les troubles rénaux. Un cataplasme de feuilles vertes peut soulager les douleurs. Une plaie couverte de feuilles d'ortie arrêtera presque aussitôt de saigner. La tisane aux orties est bonne pour les rhumatismes et affecte directement le système circulatoire puisqu'elle contribue à mettre fin aux hémorragies et saignements de nez et réduit les règles trop abondantes. Une infusion faite avec les feuilles est un bon gargarisme pour les maux de gorge et on peut aussi s'en servir pour baigner les peaux souffrant d'eczéma, d'acné ou d'herpès.

2

LA MÉDECINE PARALLÈLE

Il y a deux différences fondamentales entre la médecine parallèle et la médecine officielle. Pour combattre la maladie, cette dernière a essentiellement recours aux drogues ou à la chirurgie ; les autres formes de médecine s'attachent à encourager le corps à se battre tout seul, convaincues que c'est l'énergie vitale du patient qui décidera de l'issue de la maladie. Ensuite, la médecine officielle isole ordinairement la maladie ou le dérèglement et ne soigne qu'eux ; la médecine parallèle considère le corps comme un tout et soigne plutôt la cause que le résultat.

L'énergie vitale est un besoin de survivre à la fois biologique, mental et spirituel. On comprend mal le mécanisme qui la fait agir et les événements qui la déclenchent sont extrêmement variés et souvent imprévisibles. Bien que les conceptions et les techniques des médecines parallèles varient, elles reposent toutes en priorité sur l'énergie vitale dont elles s'efforcent d'accélérer l'action. Nous possédons tous des pouvoirs de récupération innés, qui entrent en action pour une chose aussi simple qu'une coupure puisque celle-ci ne tarde pas à se cicatriser et à s'estomper.

En plus de l'énergie vitale, il faut tenir compte de la vie des gens. La médecine parallèle s'occupe d'êtres humains et non de symptômes. Toutes les branches soulignent l'importance d'une connaissance détaillée du sujet et se refusent à juger uniquement sur les signes extérieurs. Les rapports entre patient et médecin sont cruciaux — s'il y a entre eux de la foi et de la confiance, le traitement réussit bien souvent. L'une des forces les plus efficaces qui soit est le pouvoir de suggestion. Ceux qui pratiquent la médecine parallèle le font parce qu'ils sont fermement convaincus de ses bienfaits et cette foi est contagieuse.

Les diverses branches établissent leur diagnostic de façon fort différente et très spécialisée. Un herboriste par exemple ne peut travailler à partir du même diagnostic qu'un médecin orthodoxe, puisque sa conception de la maladie est totalement différente. Il n'essaie pas de découvrir quels sont les microbes qui ont attaqué le corps, mais quels sont les organes défaillants qui ne parviennent pas à leur résister.

L'ACUPUNCTURE

Depuis 5 000 ans, l'acupuncture est le traitement médical le plus répandu en Chine et dans d'autres pays d'Extrême-Orient. Pour les Chinois, la santé du corps dépend de l'action et de l'interaction d'énergies vitales invisibles : la maladie traduit leur disharmonie et la mort leur disparition.

Le but de l'acupuncture est de corriger tout déséquilibre et elle est basée sur la croyance que le corps comporte certains canaux le long desquels circulent des courants d'énergie. Ceux-ci portent le nom de méridiens et il ne faut pas les confondre avec le système nerveux, bien qu'il y ait évidemment une influence mutuelle. Si le corps est en bonne santé, l'énergie vitale circule de façon continue à travers les méridiens. Si quelque chose fonctionne mal, le courant du méridien correspondant se ralentit, comme s'il y avait un « blocage », ce qui dérange l'équilibre du corps et provoque une maladie. Tout l'art de l'acupuncteur consiste à dégager les méridiens pour que l'énergie circule à nouveau librement.

Il le fait en insérant délicatement dans la chair des aiguilles d'or, d'argent ou de cuivre purs à certains points bien précis, situés le long des méridiens. Si le praticien est compétent, les aiguilles pénètrent sous la peau sans faire le moindre mal.

L'aiguille déclenche le long du méridien une série d'impulsions que capte le système nerveux central qui les transmet aux centres inférieurs du cerveau d'où elles sont répercutées vers la zone affectée. Dans toutes les parties du corps, des nerfs contrôlent les fonctions corporelles et lorsqu'ils sont stimulés, certains peuvent accroître ou réduire le flot des sucs digestifs, le rythme cardiaque, les contractions des vaisseaux, etc. Il y a peu de risques qu'un autre organe soit stimulé, car l'acupuncture est un système auto-régulateur et il est rare que la stimulation d'un point d'acupuncture provoque une réaction inutile.

Les Chinois prétendent avoir démontré que les méridiens sont effectivement présents dans le corps à l'aide d'instruments électroniques et d'une forme spéciale de photographie. Pour choisir les méridiens à traiter, les acupuncteurs consultent des cartes soigneusement détaillées et prennent le pouls selon une méthode et dans des zones spécifiques.

Les diagnostics se font avec trois doigts et le corps est divisé en douze segments qui sont tous examinés séparément.

L'aiguille n'est pas insérée à l'endroit douloureux. Pour les traitements courants, il existe 365 points le long des douze méridiens et c'est au médecin lui-même de localiser l'endroit exact qui est à peine plus gros que la pointe de l'aiguille. C'est ce facteur qui sera le meilleur garant de la valeur du praticien, car ce n'est pas dans les livres que l'on peut apprendre à maîtriser cette technique ; elle exige tout à la fois un sixième sens et des années d'expérience. Certains médecins sont plus sensibles et réceptifs que d'autres et peuvent déceler le moindre petit nœud de puissance juste à l'endroit qui a besoin d'être stimulé.

Malheureusement pour les praticiens occidentaux, la plupart des patients ont recours à l'acupuncture en dernier ressort, lorsque les méthodes plus orthodoxes ont été incapables de les soulager. Or, la grande valeur de l'acupuncture réside dans ses vertus préventives. En Chine, les patients paient leur acupuncteur pour qu'il les maintienne en bonne santé et non pas pour qu'il les guérisse lorsqu'ils sont souffrants. Les contrôles réguliers rendent les symptômes des maladies plus faciles à détecter et à soigner avant qu'ils aient eu le temps de s'aggraver.

Le diagnostic par les pouls permet à l'acupuncteur de dépister la maladie plusieurs mois, voire plusieurs années, avant l'apparition de la moindre manifestation physique. Par mesure de prévention, il faut contrôler les pouls tous les six mois. On dit que le traitement des indispositions dès leur commencement maintient la santé générale à un niveau plus élevé, procurant ainsi une véritable sensation de bien-être et une énergie physique et mentale accrue.

Un patient miné par la maladie depuis des années a besoin d'environ sept séances de traitement avant d'être guéri ou soulagé autant qu'il pourra l'être. Les acupuncteurs signalent que certains patients remarquent une amélioration après la première séance et que d'autres éprouvent une différence dès l'insertion de la première aiguille.

Récemment, le champ d'action de l'acupuncture a été élargi par son utilisation en guise d'anesthésique. Les aiguilles sont introduites pour insensibiliser certaines zones du corps afin de pouvoir opérer sans douleur et sans avoir recours aux analgésiques, ce qui réduit pour le patient le choc opératoire. La même méthode a été utilisée pour des accouchements avec de bons résultats.

L'AROMATHÉRAPIE

Les huiles et les essences étaient, on le sait, le fondement de la médecine égyptienne, mais l'aromathérapie telle que nous la connaissons n'existe que depuis une cinquantaine d'années.

Le système consiste à faire pénétrer par massage dans les centres nerveux du corps, où il infuse la matière cellulaire et agit comme un stimulant pour rétablir le rythme du corps, un mélange aromatique, parfois spécialement mis au point. Connaître votre rythme corporel et le maintenir, c'est l'une des grandes règles de l'aromathérapie, essentielle pour combattre l'infiltration des maladies. D'après les aromathérapeutes, le vieillissement n'est qu'un ralentissement du rythme corporel.

C'est une méthode sûre, inoffensive et facile à accepter. Elle rétablit les défenses naturelles du corps et ramène à la normale ses principales fonctions. Elle s'efforce d'apporter au sang des éléments que les aromathérapeutes estiment nécessaires pour corriger certains dérèglements. La régénérescence des tissus transparaît dans l'aspect plus frais et plus vivace de la peau après le traitement. Celui-ci peut faire beaucoup de bien aux acnés ou aux eczémas, mais cette capacité à reconstituer les cellules et les tissus apparaît encore plus nettement dans le cas des blessures ouvertes : les cicatrices disparaissent, les brûlures ne laissent aucune trace. Certains chirurgiens collaborent avec des aromathérapeutes non seulement pour atténuer les cicatrices, mais pour préparer la peau avant une opération afin d'empêcher la formation d'une cicatrice en relief en cas de greffe, ou de chirurgie esthétique. De même, la peau peut être protégée pour les séances de radiographie. L'un des résultats les plus remarquables dans le rétablissement du rythme normal est la façon dont ce traitement stimule la formation osseuse.

L'effet des parfums sur les états physiques et mentaux est particulièrement intéressant. Les odeurs peuvent déclencher la détente, apaiser les tensions et faciliter la disparition des traumatismes. Elles peuvent clarifier et aiguiser les facultés perceptrices.

L'absorption se fait à travers la peau, si bien que les éléments volatils se fraient un chemin jusqu'au sang et entrent en contact avec les courants nerveux centraux. La température à laquelle on applique les substances a son importance. Dans la plupart des cas, elles devraient être à la température de la peau puis, après le premier massage, il faut appliquer une compresse chaude humide pour faciliter la pénétration. L'application et le massage sont concentrés dans la région spinale.

Les huiles essentielles contiennent des molécules organiques avec des électrons libres — libres d'avoir un action bénéfique avec d'autres molécules. Les huiles essentielles sont les éléments vitaux des plantes. On les extrait des racines, des tiges, des feuilles, des fleurs et des fruits. La quantité d'essence varie et il existe — comme pour les vins — de bonnes ou de mauvaises années. Selon la partie de la plante dont elles proviennent, les huiles ont une composition et un parfum différents. L'âge de la plante affecte leur puissance. La production de l'huile essentielle, très active chez une plante jeune, s'accroît jusqu'au moment de la floraison, mais semble alors s'arrêter.

L'aromathérapeute cherche avant tout à rétablir le rythme naturel du corps pour que celui-ci soit capable de lutter avec un maximum d'efficacité ; c'est lui qui met au point la formule aromatique à partir de sa connaissance de l'état physique et mental du patient. Il se peut qu'il examine les réflexes, qu'il ait recours à la cristallographie et à une spectrographie du sang ; les schémas de la personnalité et des émotions sont aussi importants que les schémas physiques.

Le mélange est conçu pour compenser les carences et réduire les excédents, c'est donc une influence stabilisante. Il contiendra des essences dont les densités et les temps d'évaporation varient. Les huiles s'évaporent en direction de la peau qu'elles pénètrent par ordre de fluidité. Les odeurs lourdes chargées de résine et les huiles denses influent sur la qualité des tissus et l'assimilation de la nourriture. Les huiles essentielles d'une tonalité moyenne agissent sur le fonctionnement, alors que les huiles très fluides semblent directement affecter l'intellect.

La formule aromatique est directement liée à l'individu et ne sera sans doute aucunement bénéfique à une autre personne. La formulation de chaque mélange individuel est fort complexe ; il faut prendre en considération les états physique et mental combinés. Les traitements exigent une série de séances dont le nombre et la fréquence dépendent du diagnostic.

Parmi les essences les plus employées dans ce domaine figure la rose — elle a de nombreuses vertus traitantes et une influence particulière sur les organes sexuels féminins ; elle ne stimule pas, mais elle nettoie et régularise ; elle agit en outre sur le rythme cardiaque et la circulation sanguine.

La schénanthe (jonc odorant) a des vertus préventives. C'est un ingrédient très important pour les soins de la peau : on dit qu'elle contribue à arrêter l'évolution des tumeurs. La palmrosa (géranium d'Italie) : son essence agit sur la flore intestinale. Le benjoin : il aide à dissiper les anxiétés. Le bois de santal : pour les défaillances cardiaques et rénales.

LA CHIROPRAXIE

C'est une technique entièrement à base de manipulations, axée sur une façon particulière d'aborder la colonne vertébrale et le bassin par rapport au système nerveux et à son influence sur la fonction organique. Le chiropracteur croit que la maladie fait son apparition dans le corps à la suite d'interférences avec le système nerveux et son principal centre de liaison, l'épine dorsale. Toute pression, effort ou tension infligés à la moelle épinière par le déplacement, même très léger, d'un segment de la colonne vertébrale affectent la transmission et l'expression nerveuse. Les troubles mineurs, dus à un accident ou à un maintien défectueux peuvent causer une inflammation des nerfs et gêner leur passage à travers les petits orifices des articulations de la colonne. Il en résulte un mauvais état des

parties du corps contrôlées par les nerfs en question. Le but du chiropracteur est de découvrir l'endroit exact où les nerfs frottent sur l'articulation
— généralement à l'aide de radiographies — et, par des manipulations
expertes, de réaligner les vertèbres. Les nerfs peuvent alors fonctionner
librement ; la transmission normale est rétablie et les ressources naturelles
du corps ramènent le bon fonctionnement général.

La chiropraxie est fort mal connue du grand public et ne vient généralement sur le tapis que lorsqu'il est question de hernie discale. Le facteur
crucial est le maillon qui relie la position de l'os et les courants nerveux.
Les activités des tissus, des organes et des membres sont coordonnées et
contrôlées par les réactions nerveuses. Une pression ou une irritation
mécanique sur le nerf causent une inflammation et, selon les chiropracteurs, la déperdition ou la dégénérescence des tissus desservis par ce nerf.
Il suffit d'un très léger déplacement vertébral — qu'on appelle une
subluxation — pour irriter le nerf. La pression peut avoir des origines
osseuses, mais aussi être due à des contractions musculaires ou à des
toxines qui irritent les nerfs sensoriels.

La chiropraxie a été mise au point en Amérique du Nord à la fin du siècle
dernier par Daniel David Palmer. Elle fut découverte par hasard. Palmer
avait entendu son concierge expliquer qu'en se penchant, bien des années
auparavant, il avait senti quelque chose «céder» dans son dos et qu'il
était devenu sourd. Palmer constata que cet homme souffrait d'une vertèbre déplacée ; il la remit progressivement en place grâce à des manipulations et le concierge recouvra l'ouïe. Les médecins traitèrent cette remarquable guérison d'impossibilité scientifique, mais Palmer décida néanmoins d'étudier le principe qui se cachait derrière. Il fit des expériences et
mit au point la technique qu'il baptisa chiropraxie.

Elle n'a recours ni aux drogues, ni à la chirurgie. Les radiographies sont
étudiées en grand détail, afin de déterminer dans quelle mesure les
structures osseuses ont dévié. Suit un examen physique extrêmement
précis pour localiser les lésions. Pour confirmer leur diagnostic, les
chiropracteurs se servent souvent d'une machine qui décèle les variations
de température minimes le long de la colonne — ils supposent évidemment que c'est l'inflammation causée par les lésions qui fait monter la
température.

Les chiropracteurs sont les premiers à reconnaître que le succès de leur
traitement dépend des rapports avec le patient et qu'ils obtiennent souvent
les meilleurs résultats lorsqu'ils se fient totalement à leur mains et laissent
l'«aura» que dégage le patient les guider inconsciemment dans leurs
manipulations.

Il n'y a aucune différence fondamentale entre la chiropraxie et l'ostéopathie. Les chiropracteurs suivent la théorie de Palmer, à savoir que c'est

une obstruction de l'énergie nerveuse qui cause la maladie, alors que les ostéopathes pensent que le facteur crucial est un blocage dans une artère. Les nerfs et le sang sont reliés et tous deux peuvent être remis en état par les manipulations de la colonne vertébrale. Le chiropracteur utilise des poussées ou des techniques directes, qui exigent de la précision, beaucoup de rapidité et un minimum de force. Les chiropracteurs pensent que la maladie est essentiellement fonctionnelle — elle ne devient organique que si l'énergie vitale n'est pas mobilisée à temps pour assurer la guérison. Outre les migraines, les douleurs dorsales, les hernies discales, les défauts du maintien, la chiropraxie peut soigner l'acné, les troubles arthritiques, l'hygroma, la mysite, les névralgies, l'hypertension, la constipation et les troubles des voies urinaires. Il peut sembler étrange de soigner des maladies aussi différentes par des manipulations de la colonne mais, si l'on se dit que c'est la libre circulation de l'énergie nerveuse en provenance de l'épine dorsale qui aide les organes à fonctionner, la chose devient compréhensible et logique.

L'HOMÉOPATHIE

L'homéopathie est un mélange de traitement naturel et de science médicale. Elle a recours aux connaissances de la médecine officielle, mais elle rejette sa façon de prescrire les drogues. Il y a trois principes de base : les pareils se guérissent; la dose homéopathique ou microdose est souveraine; il faut traiter le patient plutôt que la maladie. Elle considère la maladie comme une manifestation extérieure du combat que livre le corps pour vaincre des forces hostiles. Par conséquent, plutôt que d'essayer de juguler la maladie, elle l'encourage, en se fiant à la théorie que si l'on introduit un surplus de maladie dans le corps, on suscite davantage ses mécanismes de guérison et on fortifie et soutient ses défenses naturelles. Si une force peut causer une maladie, elle peut aussi la guérir, assurent les homéopathes, exactement comme les vaccins immunisent et stimulent la résistance naturelle à une maladie particulière.

L'homéopathie attache beaucoup d'importance au diagnostic et au passé médical du sujet. Le médecin s'efforce de se faire une image très complète du patient, basée sur sa personnalité et ses émotions, en même temps que sur son passé médical et celui de sa famille.

Les remèdes proviennent de sources purement animales, végétales ou minérales. Ils sont administrés en doses extrêmement faibles que le corps malade n'a aucune peine à absorber. Des substances bien souvent mortelles en grandes quantités peuvent être bénéfiques à dose homéopathique. L'iode, par exemple, ajoutée en minuscules quantités est excellent — et pourtant c'est un poison.

Le système homéopathique est de mettre une goutte de la substance

choisie dans 99 gouttes d'alcool ou d'eau. Le liquide est alors violemment
et mécaniquement secoué de façon à pleinement distribuer les propriétés
de la substance ; on prélève alors une goutte de ce liquide que l'on dilue à
nouveau et que l'on secoue, et ainsi de suite jusqu'à ce que la quantité soit
infinitésimale. On assure d'ailleurs que plus la substance est diluée dans
le médicament définitif, plus son effet est puissant sur l'énergie vitale.

Les homéopathes emploient les plantes et les médicaments d'origine
végétale. Ils utilisent aussi des drogues comme la morphine, la cocaïne,
l'arsenic — sous une forme extrêmement diluée évidemment, si bien
qu'ils ne sont plus toxiques mais bénéfiques et efficaces. Autres poisons
curatifs : le venin de serpent pour les empoisonnements du sang, le venin
d'araignée pour l'angine de poitrine, la belladone pour la scarlatine.

L'homéopathie fut lancée voici juste un peu plus de 150 ans par le
médecin allemand Samuel Hahnemann. Celui-ci avait entrepris des recherches pharmacologiques très importantes et, frappé par la cruauté et
l'inefficacité de la médecine de son temps, il s'efforça de découvrir
d'autres façons de soigner les malades. Il pensait que l'énergie vitale du
patient était suffisante pour combattre la maladie avec l'aide du médecin.
Il estimait que cette énergie vitale était même le facteur-clef et que le
traitement devait prendre en considération la nature du patient au même
titre que la maladie.

Il en vint à la conclusion que la maladie était un phénomène purificateur,
qu'elle était en soi une espèce de traitement. Sa théorie des « pareils se
guérissent » lui vint alors qu'il expérimentait l'effet de la quinine sur un
corps sain — le sien. La quinine était employée pour guérir la fièvre et
Hahnemann découvrit à sa grande surprise qu'elle déclenchait justement
dans un corps sain tous les symptômes de la fièvre. Il se dit que ce n'était
peut-être que parce qu'elles étaient elles-mêmes capables de rendre
malades que les drogues guérissaient la maladie, donc que la médecine ne
pourrait guérir que les maladies qu'elle apprendrait à provoquer en
expérimentant les drogues sur un corps sain. Si la fièvre était la façon dont
le corps combattait la malaria, et non pas la façon dont la malaria attaquait
le corps, une drogue qui produirait les mêmes symptômes de fébrilité
devait lui servir d'alliée — c'était bien le cas de la quinine.

C'était une façon totalement nouvelle d'aborder la maladie et il entreprit
d'en démontrer le principe en soumettant les drogues qu'ils utilisait à
toutes sortes « d'épreuves » sur des personnes en bonne santé avant de les
essayer sur les malades. Ses remèdes étaient tous des substances simples
dont la plupart figurent encore dans la *Materia medica* homéopathique
utilisée aujourd'hui. Hahnemann constata aussi qu'en diminuant la quantité utilisée pour une dose, on ne diminuait pas son efficacité — bien au
contraire, même si elle était diluée au point d'être à peine présente.

Comparée aux traitements allopathiques, l'homéopathie ne guérit pas vite. Elle semble même souvent très lente, mais les microdoses mettent peu à peu le patient sur la voie de la guérison. C'est une méthode différente et complémentaire de la méthode traditionnelle. D'ordinaire, les homéopathes font d'abord des études de médecine, voire de chirurgie, tout à fait normales ; ils n'ont rien contre les traitements de la médecine officielle ; ils sont simplement hostiles à l'emploi d'une drogue différente pour chaque maladie.

LA MÉDECINE PAR LES PLANTES

On pense qu'elle commença il y a 5 000 ans environ en Extrême-Orient. Elle fut à la base de la médecine romaine et européenne jusqu'au Moyen-Age, où elle perdit son caractère naturel pour devenir la proie de l'astrologie et de la magie ; les moines cependant continuèrent longtemps à cultiver leurs jardins pour soigner les malades. Et les remèdes de bonne femme qui faisaient, comme on le sait, grand usage des plantes ont été transmis de génération en génération pour parvenir jusqu'à nous. Il existe même un guide pratique inestimable — encore en vente de nos jours — le *Complete Herbal* de Culpeper, véritable pharmacopée herboriste, traduite du latin. Les spécialistes des plantes n'ont cependant jamais prétendu que celles-ci étaient capables de guérir au même sens que les traitements antibiotiques par exemple. Tout ce qu'elles, ou leurs essences distillées, peuvent faire, c'est aider le corps, stimuler ses réactions et renforcer son énergie vitale pour qu'il parvienne à se guérir lui-même.

Il existe environ 400 plantes, appartenant à différents groupes qui, seules ou combinées, contribuent à fortifier le corps. Le spécialiste diagnostique les symptômes et se sert des végétaux pour agir directement sur la fonction d'un organe défaillant ou d'organes qui nécessitent des soins. Il existe des plantes susceptibles de soigner toutes les zones du corps et il n'est pas obligatoire de les distiller sous forme de potion pour qu'elles fassent de l'effet. On peut les manger crues, comme les légumes et les plantes potagères, ou bien s'en servir en usage externe, sous forme de cataplasmes ou de liniments pour soulager les inflammations et les éruptions.

La médecine par les plantes regroupe toutes les substances d'origine végétale que l'on peut utiliser à des fins thérapeutiques : plantes, légumes, fruits et fleurs. Ses spécialistes soignent souvent les patients renvoyés par les médecins traditionnels et de nombreux cas traités touchent aux rhumatismes, aux troubles cardiaques, aux maladies de peau, aux migraines et aux troubles digestifs (voir *les Produits Naturels*).

LA NATUROPATHIE

C'est la branche la plus facile à comprendre de la médecine parallèle. Une prise de conscience de plus en plus aiguë des dangers de la pollution corporelle incite un nombre croissant de gens à se tourner vers la naturopathie pour combattre ses méfaits. C'est une philosophie millénaire qui nous enseigne avant toute chose les principes d'un mode de vie sain et qui fait désormais partie de ce qu'on appelle les thérapies naturelles. On y range de nombreuses théories paramédicales, car tout ce qui favorise l'énergie vitale naturelle qui soigne le corps, relève du domaine de la naturopathie. Ainsi de nombreux naturopathes sont aussi osthéopathes ou chiropracteurs, tandis que d'autres ont des diplômes d'herboriste ou d'homéopathe. Tous considèrent que c'est l'introduction d'éléments non-naturels, qui cause la maladie ; il peut s'agir de toxines qui dérèglent la chimie du corps, de défauts structurels ou de facteurs psychiques.

Le but de la naturopathie est double : traiter la maladie et consolider la santé. C'est un système pratique de rétablissement, dépourvu de tout risque d'effets secondaires dangereux — mais c'est aussi un mode de vie, qui assure le plus haut niveau de bien-être physique, mental et spirituel. Les naturopathes établissent leur diagnostic comme les médecins traditionnels, mais ils le complètent par un examen très poussé de la zone spinale et un bilan plus détaillé des aspects psychologiques. Ils classifient les causes des maladies en trois grands groupes : chimiques — dues à une mauvaise façon de s'alimenter, de boire, d'éliminer et de respirer ; structurelles — dues à un déplacement de la colonne vertébrale, à des lésions musculaires, à un maintien défectueux, à des raideurs articulaires ; psychologiques — lorsque les réaction du corps sont gênées par l'émotion, la peur, le tension nerveuse ou la frustration.

Pour rétablir l'équilibre du corps en le forçant à se soigner lui-même, il faut faire appel à la diététique, au jeûne, à l'hydrothérapie et aux corrections structurelles. Celles-ci peuvent prendre la forme de rééducation du maintien, de gymnastique corrective et de techniques ostéopathiques, chiropractrices et neuro-musculaires. Le repos et la tranquillité sont capitaux, ainsi qu'un usage thérapeutique de l'eau sous forme de bains de siège, douches et massages.

L'un des arguments de base de la naturopathie est que le meilleur mécanisme de défense naturelle est de ne fournir au corps que les ingrédients dont il a besoin. L'une des premières règles est donc de manger des aliments naturels et complets, cultivés sans engrais chimiques, non-raffinés et non-pollués. Il faut éviter les aliments pré-cuits et cuire tous les aliments le moins longtemps possible.

Le retour à la santé dépend dans une grande mesure d'une fortification de l'énergie. Loin de manger davantage, il faut souvent manger moins et même jeûner pour reposer le corps et lui fournir l'occasion de consacrer toute son énergie à l'élimination des toxines.

L'OSTÉOPATHIE

Les ostéopathes estiment que la maladie provient d'interférences avec le système circulatoire, dues avant tout à un blocage dans la zone spinale. La méthode fut lancée aux États-Unis par le Docteur S.-R. Still, vers 1870. Les ostéopathes pensent que la maladie ne peut pas s'attaquer aux zones où le sang circule normalement — parce que le sang est capable de fabriquer toutes les matières nécessaires à l'immunité. Mais si, pour une raison quelconque, le sang stagne, il se charge de toxines et la maladie est inévitable. L'ostéopathie est l'étude et la pratique de certains principes appliqués aux maladies fonctionnelles et organiques — principes qui ne sont généralement pas reconnus par les praticiens traditionnels. Ils reposent sur l'idée que toute déviation de la normale, que ce soit dans la structure osseuse, les articulations ou les tissus, peut affecter les fonctions organiques naturelles du corps.

Ces anomalies portent le nom de lésions et elles sont concentrées dans la zone de la colonne vertébrale. En les dépistant et en les supprimant, on peut remédier, selon les ostéopathes, tant aux infirmités physiques qu'aux maladies organiques. Les troubles ne sont pas nécessairement dus à un os sorti de l'alignement : la tension ou la contraction musculaire, la distension ou la contraction des ligaments, les contractures des bandes de tissu conjonctif peuvent toutes obstruer le flot sanguin normal.

La même méthode est encore valable aujourd'hui. Elle s'appuie sur la théorie qu'un corps ne peut fonctionner correctement s'il n'est pas parfaitement sain sur le plan structurel, car si la structure est effectivement saine, l'énergie vitale interviendra pour rétablir la santé, quelle que soit la maladie. L'ostéopathie préconise la correction et le réajustement des lésions spinales, le massage des tissus, des muscles et des ligaments. Les ostéopathes modernes se servent de radiographies pour étudier la position des articulations, en se penchant tout spécialement sur les lésions spinales. Ils étudient de dossier médical du patient.

Une fois la cause éliminée, les états morbides doivent disparaître. Les ostéopathes ont aussi repéré certaines carences qui causent souvent des chutes de tonus musculaire — mauvaise alimentation, carence vitaminique, carence de sels minéraux essentiels — lesquelles ont pour résultat de faire sortir les os de l'alignement. Si ces carences ne sont pas soignées, le corps retombera vite dans ses travers.

Si la maladie a atteint la phase organique, il est peut-être trop tard pour que des manipulations aient un effet satisfaisant. Elles peuvent néanmoins soulager certaines formes d'arthrite, les hernies discales, les troubles bronco-asthmatiques, l'atrophie musculaire, la maladie de Parkinson, la pneumonie et certaines maladies de peau — et bien sûr toutes les formes de dislocation.

PENATI

3
LES MALADIES BÉNIGNES

La bonne santé dépend de nombreux facteurs : l'établissement de schémas physiques et émotionnels réguliers, l'adaptation aux tendances héréditaires, une certaine conscience de l'état de son corps et la faculté de discerner ses moindres dérèglements. La plupart d'entre nous sommes à mi-chemin entre la maladie et la véritable bonne santé, car nous souffrons régulièrement d'affections qui sont désormais si courantes qu'on les accepte le plus souvent comme inévitables. Presque aucun de ces troubles bénins — rhumes, maux de tête et de dos, asthme, constipation, hypertension, rhumatismes — n'a de cause simple et connue, ni de traitement clairement défini. Les remèdes sont bien souvent le repos, la détente, la chaleur et la volonté.

Vous trouverez ci-dessous une liste de ces affections, avec leurs causes supposées, leurs symptômes et leurs traitements.

ALCOOLISME: Il y a quelques années, un alcoolique sur neuf était une femme. Ce chiffre est aujourd'hui passé à un sur quatre dans les pays occidentaux, et il s'agit en outre de femmes plus jeunes puisque la majorité a moins de quarante ans. Les femmes deviennent souvent alcooliques par ennui, par frustration et aussi parce qu'il est désormais socialement admis de voir les femmes boire comme les hommes. Une buveuse doit être rangée parmi les alcooliques qui exigent des soins médicaux si elle boit l'équivalent d'un litre de whisky par jour, souffre d'amnésie et perd du poids. Il y a plusieurs signaux d'alarme, notamment un besoin irrépressible de boire de l'alcool non pas seulement en fin de journée, mais tôt le matin. D'une façon générale, les alcooliques sont capables de boire davantage que les autres, sans paraître ivres. Selon certains spécialistes, l'hérédité peut être un facteur déterminant; d'autres parlent de facteurs biochimiques, tandis que d'autres encore soulignent que le stress et la tension nerveuse peuvent aussi pousser les gens à boire. Quoi qu'il en soit, l'alcoolisme est une véritable maladie, qui progresse inexorablement et qui, à moins d'être interrompue par une totale abstinence, entraîne inévitablement la déchéance physique et mentale.

Pour lutter contre l'alcoolisme, il faut du temps, de la patience et une énorme dose de maîtrise de soi et de volonté. Un seul verre agit comme un détonateur et, pourtant, qu'il est difficile de lui résister! La thérapie de groupe semble mieux fonctionner que tout autre traitement et il existe des branches d'Alcooliques Anonymes dans le monde entier. Le malade y trouve une atmosphère exempte de critique et d'hostilité, où la sympathie et la compréhension prédominent. On n'y parle jamais de programme à long terme: seule compte l'abstinence au jour le jour.

On peut aussi utiliser des drogues qui déclenchent chez l'alcoolique des symptômes semblables à ceux de la crise cardiaque, s'il avale de l'alcool pendant les 3 ou 4 jours qui suivent leur administration. Il y a enfin le traitement par l'aversion qui consiste à faire des piqûres d'émétique, qui écœurent le patient et peuvent le mener jusqu'au vomissement dès qu'il voit, goûte ou sent de l'alcool. Ces deux traitements sont fort pénibles et la réussite est loin d'être garantie.

L'abstinence est vraiment le seul moyen de s'en sortir. Malheureusement, après chaque soûlerie, l'alcoolique est dans un état physique lamentable pendant au moins une semaine et il lui faut un maximum de courage et de soutien extérieur pour ne pas prendre les quelques verres qui lui semblent seuls capables de le remettre en forme. Le plus souvent, la tentation est la plus forte.

ALLERGIES: Allergènes ou antigènes sont les termes médicaux pour désigner les substances qui causent les réactions allergiques. Elles se répartissent en quatre grandes catégories: allergènes inhalés (pollen, herbes, plantes, parfums); allergènes ingérés (aliments et boissons); allergènes de contact (poussière, textiles, produits cosmétiques); allergènes injectés (piqûres d'insectes, médicaments). Leur effet est absolument imprévisible: vous pouvez un beau jour réagir très vivement à une substance que vous mangez ou respirez depuis des années sans le moindre problème. Parfois, c'est une combinaison d'allergies qui cause la réaction et l'on croit que plusieurs des maladies dites allergiques — asthme, migraine, eczéma — peuvent être liées à des phénomènes émotionnels. Pour les états vraiment graves, il faut souvent faire des tests exhaustifs afin de remonter à la source du mal.

L'allergie la plus commune est le rhume des foins causé par le pollen. Des parcelles de pollen transportées par le vent pénètrent dans le nez et

Ci-contre et pages suivantes: Barry Lategan 1975

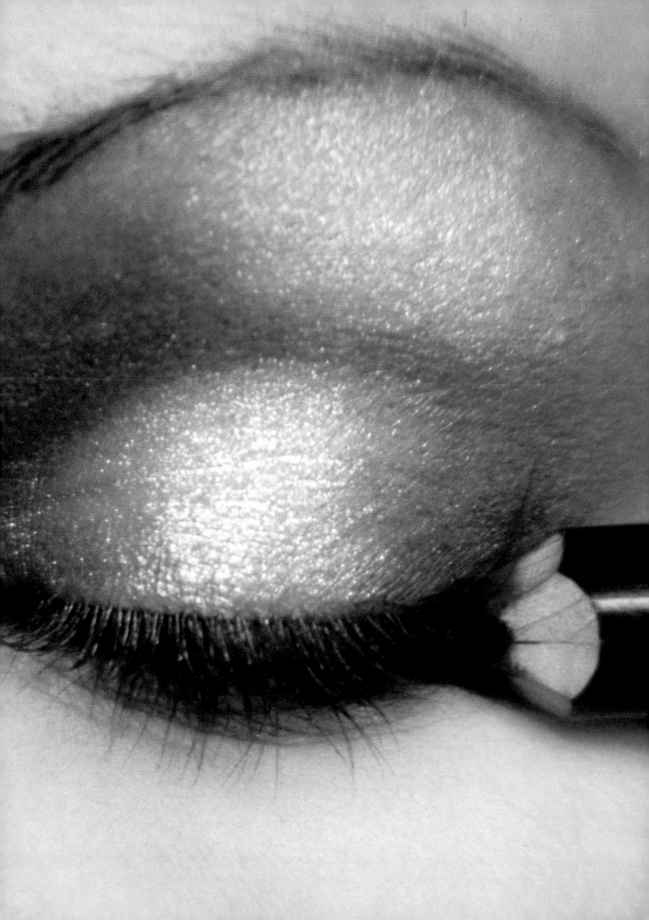

entraînent une sensibilisation. Certaines substances chimiques du corps entrent en réaction avec le pollen et déclenchent tous les symptômes de l'allergie : les vaisseaux sanguins se dilatent et les yeux sont injectés de sang ; les muqueuses sécrètent davantage, si bien que le nez coule ; et les muscles des bronches se contractent et gênent la respiration.

Au cours de cette réaction allergique, de l'histamine est déchargée dans les tissus ; cette substance est en fait une défense contre le pollen, mais c'est elle qui provoque les symptômes désagréables. On administre souvent en cas de rhume des foins des médicaments dits antihistaminiques qui font disparaître ces symptômes, mais ils présentent l'inconvénient d'être trop sédatifs.

Une personne sur six environ réagit mal aux piqûres de guêpes et d'abeilles. En cas de piqûre, mettez de la glace pour réduire l'absorption du poison et retirez le dard le plus soigneusement possible. Si l'enflure persiste ou qu'elle est très forte, consultez un médecin ou un pharmacien.

ANÉMIE : Ce terme couvre un ensemble assez considérable de troubles sanguins et ne s'accompagne pas forcément d'une grande pâleur. Si un rien vous fatigue, vous êtes peut-être anémique. Allez consulter votre médecin : il vous fera sans doute analyser le sang et vérifiera la couleur de l'intérieur de vos paupières et de vos gencives. La forme la plus répandue d'anémie est un taux d'hémoglobine extrêmement bas, dû à un manque de fer. Elle peut être provoquée par une perte de sang excessive en cas de règles surabondantes, d'accouchement ou d'accident. Il faut absolument suivre un régime riche en fer et prendre des suppléments de toutes les vitamines B, surtout la vitamine B-12.

ASTHME : Il peut se manifester dès l'enfance et disparaître par la suite ou faire son apparition à l'âge mûr. Sa cause est parfois mystérieuse et il peut être dû à un bouleversement émotionnel ou à une allergie au pollen, à la poussière ou aux fourrures de certains animaux. Il affecte le système respiratoire : les bronches se rétrécissent sous l'effet de contractions musculaires et leurs parois intérieures enflent. Les attaques se traduisent par une respiration difficile et sifflante et parfois par des crises d'étouffement. Certains médicaments peuvent réduire l'enflure et faciliter la respiration (antihistaminiques, la cortisone et ses dérivés).

BRONCHITE : Elle sévit surtout dans les pays froids et humides, particulièrement dans les zones industrielles. C'est une inflammation des muqueuses des bronches que l'on confond souvent avec le rhume de poitrine, ce qui fait qu'il y a chaque année des cas mortels de bronchite. Les premiers symptômes sont la fièvre, une toux sèche et une irritation derrière le

Ci-contre : Barry Lategan 1975

sternum. A mesure que la toux s'aggrave, la production de glaire s'accroît et, si elle devient chronique, la respiration est touchée. La bronchite n'est pas difficile à soigner, mais toute négligence peut entraîner une broncho-pneumonie. Sachez cependant qu'une toux qui persiste et s'installe de façon quasi permanente peut dénoter un état plus grave, tuberculose ou cancer.

Le traitement consiste à s'aliter et à rester au chaud; les pulvérisations sont recommandées. Les inhalations de benjoin dans l'eau bouillante soulagent énormément. Il faut encourager la toux et l'expectoration, car c'est la meilleure façon de débarrasser le corps de l'infection. Il existe de bons sirops et de bons remèdes homéopathiques. La vieille méthode du jus de citron additionné de miel dégage les bronches et fournit en outre au corps des vitamines et des sels minéraux bénéfiques. La vitamine A est excellente.

CONSTIPATION: Il est bien sûr préférable que les intestins fonctionnent régulièrement tous les jours, mais ce n'est absolument pas indispensable pour être en bonne santé. On peut parfaitement sauter un jour ou deux sans avoir à s'inquiéter ni à prendre aussitôt des mesures draconiennes. Les laxatifs déréglent le métabolisme et la plupart des médecins recommandent plutôt un changement de régime qu'un médicament. Une petite dose de sels médicinaux ne peut pas faire de mal, mais une forte dose hebdomadaire est déconseillée, ainsi que l'emploi d'huiles minérales, car elles peuvent provoquer des coliques, diarrhées et déshydratations. L'opinion médicale est désormais que la constipation est bien souvent due au manque de fibres dans l'alimentation; on conseille donc les aliments riches en fibres : salades, feuilles, tiges et peaux des légumes, fruits, farines et pain complets.

CRAMPES : Presque tout le monde en a souffert — généralement la nuit. Il s'agit le plus souvent de crampes du mollet et la douleur peut être affreuse, même si elle ne dure que quelques minutes. Les crampes sont dues à des contractions des fibres musculaires beaucoup plus rapides que d'habitude. Elles peuvent être causées par une déperdition de sel quand on a beaucoup transpiré, par un manque de calcium ou par des reins paresseux. Elles sont fréquentes pendant la grossesse. Pour soulager la douleur, il faut étirer les muscles de force et les masser. On peut souvent prévenir les crampes en prenant des cachets de sulfate de calcium ou en augmentant sa ration de calcium.

CYSTITE: Il s'agit d'une inflammation de la vessie dont 4 femmes sur 5 souffrent au moins une fois dans leur vie. Il faut consulter un médecin.

DROGUES: On peut appeler drogue toute substance susceptible de produire des changements mesurables dans les processus mentaux et biochimiques. Il en existe beaucoup — d'origine végétale ou chimique. Certaines ont des propriétés thérapeutiques et médicales, d'autres ne servent qu'à stimuler le cerveau et le système nerveux. La véritable nature de la réaction à l'intérieur du corps reste mystérieuse, mais qu'elles soient bénéfiques ou purement euphorisantes, les drogues peuvent entraîner une accoutumance, ce qui est fort grave, car les symptômes de « manque » sont généralement atroces et peuvent devenir assez graves pour causer des convulsions et entraîner la mort. Même les drogues apparemment utiles comme les barbituriques peuvent produire dans le cerveau des schémas électriques qui diffèrent selon les individus. De nombreuses drogues euphorisantes dérèglent le métabolisme hormonal et il existe même un groupe de drogues utilisées pour combattre la dépression qui transforment le métabolisme des acides aminés au point d'être mortelles si on les prend avec du fromage.

Vous êtes droguée à partir du moment où vous ne pouvez vous passer d'une certaine drogue — lorsque vous éprouvez un besoin irrépressible d'en prendre et que vous êtes prête à tout pour vous en procurer. C'est l'esprit qui dicte au corps ses besoins et si vous éprouvez celui de boire au lieu de manger ou de traverser toute une ville au milieu de la nuit pour vous procurer votre drogue, c'est que vous êtes droguée.

Il est fortement déconseillé de prendre des drogues sans contrôle médical. Une fois arrivées jusqu'à l'estomac, toutes les substances que nous ingérons doivent passer par le foie qui s'efforce de les rendre inoffensives avant de les envoyer dans le sang. C'est pour cette raison que beaucoup de drogués préfèrent s'administrer la drogue par voie intraveineuse afin d'obtenir une réaction plus rapide.

Vous trouverez ci-dessous la liste des principales drogues, avec leur effet, leur utilité éventuelle et les possibilités d'accoutumance.

Amphétamines: Ce sont des composés chimiques qui stimulent le système nerveux. Les médecins les emploient surtout comme euphorisants et comme coupe-faim. Elles ne créent pas une accoutumance très vite, mais une trop forte dose peut être fatale. Elles risquent de provoquer l'hypertension et des psychoses.

Barbituriques: Composés chimiques qui servent à ralentir le système nerveux central et qu'on prescrit donc comme somnifères et comme calmants. Ils peuvent causer une accoutumance, tantôt modérée, tantôt très vive, et une dose trop forte peut être mortelle. Ils sont particulièrement dangereux associés à l'alcool.

Cocaïne: Elle gagne de plus en plus de terrain car elle provoque d'abord des effets secondaires très agréables. La cocaïne naturelle vient des feuilles du coca qui pousse au Pérou et en Bolivie, mais elle peut être synthétique. Elle stimule le système nerveux et peut servir d'anesthésique local. Elle crée une forte accoutumance et une propension à la violence.

Haschisch : C'est une résine qui provient de la fleur du chanvre indien et qui est une version plus concentrée de l'ingrédient actif de la marijuana. Il affecte les facultés de perception.

Héroïne : C'est un dérivé du pavot. Elle ralentit le système nerveux central et calme la respiration. Les médicaments opiacés de la même famille, comme la morphine, sont utilisés pour combattre la douleur. Elle entraîne une forte accoutumance.

L.S.D. : C'est un acide dont le nom complet est acide lysergique diéthylamide. Il provoque de violentes hallucinations et modifie la perception de l'environnement au point d'entraîner des erreurs de jugement parfois fatales. Il n'a aucun usage médical connu. Il peut dégénérer en psychose et en « voyages » cauchemardesques et on pense en outre qu'il provoque des troubles génétiques.

Marijuana : Elle vient des feuilles femelles du chanvre et elle modifie elle aussi les perceptions. On la considère comme une drogue relativement douce, qui entraîne certains risques d'accoutumance psychologique, mais rarement la moindre psychose.

Tranquillisants : Ils influent sur les centres émotionnels du cerveau qu'ils calment, mais ils n'agissent pas sur le cortex, siège de la pensée, du jugement et des instincs de préservation. On les utilise en médecine pour soulager les bouleversements émotionnels et pour lutter contre l'insomnie en supprimant l'anxiété. Il est rare qu'ils créent une accoutumance, mais il est dangereux, voire parfois fatal, de les mélanger à l'alcool, surtout quand l'un ou l'autre sont pris en quantité excessive.

DYSMÉNORRHÉE: C'est le nom scientifique des règles douloureuses (voir page 104).

DÉRÈGLEMENTS DE LA TENSION ARTÉRIELLE: C'est l'hypertension qui cause des inquiétudes. L'hypotension, si elle n'est accompagnée d'aucun symptôme clinique anormal, est beaucoup moins grave. L'hypertension ne cause aucune douleur et au début elle ne se traduit par aucun symptôme. La plupart des hypertendus se sentent parfaitement bien, détendus, énergiques et généralement de fort bonne humeur, ce qui signifie qu'ils peuvent souffrir d'hypertension pendant des années sans s'en apercevoir; or, si elle n'est pas soignée, l'hypertension peut endommager les vaisseaux sanguins du corps entier et devenir l'une des principales causes des défaillances cardiaques.

L'hypertension est un mal très répandu et bien peu des malades se savent atteints. Pourtant il suffirait de dix minutes pour montrer aux gens comment prendre la tension et avec un peu de pratique on arrive très facilement à lire les deux chiffres enregistrés. Le chiffre le plus élevé indique la tension systolique et l'autre la tension diastolique ; ce dernier est le plus important car il dénote la tension de la circulation et l'effort imposé au muscle cardiaque. La normale tourne autour de 8 et tout ce qui dépasse 10 est inquiétant. La tension s'élève généralement avec l'âge et peut connaître des hausses qui ne sont pas alarmantes si elles restent passagères. Les femmes sont souvent plus hypertendues que les hommes, mais elles supportent généralement mieux, ce qui signifie que les femmes hypertendues peuvent vivre plus longtemps sans complications médicales graves. Il est des moments où une femme doit absolument faire vérifier régulièrement sa tension. D'abord quand elle commence à prendre la pilule ; ensuite quand elle est enceinte, car si la tension monte trop, la mère et l'enfant peuvent en souffrir ; enfin au début de la ménopause, car beaucoup de femmes souffrent d'hypertension à ce moment-là.

Parmi les causes envisagées pour l'hypertension, citons certains facteurs génétiques, l'alimentation, une tension émotionnelle constante. La tension nerveuse et l'anxiété peuvent certes faire monter la tension, mais les médecins ne pensent pas que l'hypertension puisse être d'origine psychosomatique. Quelques hypertendus souffrent d'affections spécifiques auquel la chirurgie peut remédier.

Lorsqu'on soigne l'hypertension, on s'efforce de ramener progressivement la tension artérielle à la normale sans provoquer d'effets secondaires néfastes. La chose n'est pas toujours possible car il arrive que la circulation prenne l'habitude de fonctionner à un régime très élevé et devienne incapable de fonctionner correctement à un régime plus bas. Une hypertension bénigne peut être facilement soignée. Il est important de limiter les prises de poids ; il est généralement interdit de fumer, car cela surmène le cœur, tandis que l'alcool est autorisé en petites quantités parce qu'il apaise la tension nerveuse. On prescrit souvent un régime pauvre en sodium et le sel est réduit au strict minimum. Il faut parfois prendre un apport supplémentaire de potassium. Certaines drogues ralentissent l'activité du système nerveux sympathique, mais elles peuvent avoir des effets secondaires pénibles : accès de fatigue, dépression et diarrhées.

DÉRÈGLEMENTS GLYCÉMIQUES : Il peut s'agir soit d'un taux de sucre trop élevé dans le sang (diabète), soit d'un taux trop bas (hypoglycémie). Ils sont souvent reliés. Tous ceux dont le taux de glycémie est constamment bas devraient guetter des symptômes de diabète et on met toujours les diabétiques en garde contre les effets de l'hypoglycémie — une dose trop forte d'insuline ou un repas insuffisant après une piqûre d'insuline peuvent entraîner une crise aiguë d'hypoglycémie qui entraîne perte de conscience, coma et parfois la mort.

Ces dérèglements du taux de sucre dans le sang sont le plus souvent imputables au pancréas qui fabrique tantôt trop d'insuline, ce qui réduit le taux de sucre, et tantôt pas assez, ce qui cause le diabète en empêchant le corps d'utiliser correctement son glucose. Les deux affections ont des effets secondaires — sur les reins, les artères, et, ce qui est encore plus grave, sur le cerveau. Cela explique les sautes d'humeur, l'anxiété, la dépression qui accompagnent ces dérèglements.

Le diabète et l'hypoglycémie sont décelés au moyen de tests fort simples et si on les prend assez tôt un simple régime peut suffire à les soigner. Leurs causes ne sont pas très claires. L'hérédité est sans doute un facteur et l'obésité semble prédisposer au diabète. Les régimes trop riches en hydrates de carbone et en graisses peuvent entraîner l'une ou l'autre affection ainsi qu'une surconsommation de sucre. Parfois aussi un régime amaigrissant mal équilibré provoque un besoin irrépressible de sucre lequel entraîne un dérèglement du sucre dans le sang. L'hypoglycémie réagit fort bien aux régimes, à moins que la suppression d'insuline ne soit due à une tumeur du pancréas (qui nécessite une intervention chirurgicale) ou à une maladie du foie. Pour soigner les diabétiques, il faut établir la dose d'insuline correcte à leur injecter chaque jour et ils peuvent alors mener une vie normale.

HÉPATITE: De temps en temps cette maladie atteint des proportions épidémiques. Elle est extrêmement contagieuse et parfois transmise par des personnes qui n'en souffrent pas elles-mêmes. Au départ, on attrape le virus dans certains aliments, comme les coquillages, qui ont été contaminés. Il y a deux sortes d'hépatites — infectieuse et sérique. Bien qu'elles soient causées par deux virus différents, on les appelle toutes deux hépatites virales. L'une des grandes différences est la période d'incubation qui est de 15 à 40 jours pour l'hépatite infectieuse (aussi appelée jaunisse) et de 60 à 100 jours pour l'autre.

L'hépatite infectieuse se transmet très facilement par voie fécale ou orale. Elle se répand donc souvent comme une traînée de poudre au sein d'un foyer, d'une école, d'une entreprise, ce qui n'empêche pas les cas isolés. Les enfants l'attrapent très facilement mais sous une forme si atténuée qu'on ne la reconnaît souvent pas.

L'hépatite sérique peut être transmise par les adultes et c'est d'elle que vient le principal danger d'épidémie. Dans le nord de l'Europe et de l'Amérique 1 % des porteurs sont des gens en bonne santé, mais dans certaines régions tropicales, orientales ou méditerranéennes, la proportion est beaucoup plus élevée.

L'un des premiers symptômes de l'hépatite est la dépression. Il y a aussi très souvent des accès de sueur inexplicables sur les paumes et le visage. En général, on constate une inflammation du foie et le malade sent qu'il est plus gros et plus sensible. Autres signes, la nausée et l'inappétence. La peau ne jaunit pas nécessairement. Il est essentiel de faire une analyse du sang.

Il n'existe aucun traitement efficace contre l'hépatite. On peut aussi bien être indisposé un jour ou deux que passer des mois à l'hôpital. Le repos et la détente au lit sont indispensables. L'alcool est interdit pendant et après l'hépatite et il faut éviter les mets riches et gras.

HERPÈS: Il existe une variété d'herpès étroitement liée à la varicelle et au zona, mais l'autre, l'herpès simplex n'est qu'un trouble bénin qui survient en cas de rhume. Il commence par une légère irritation autour de la bouche ou juste à l'entrée du nez et apparaît généralement vers la fin du rhume, du mal de gorge ou de l'angine. Il peut devenir extrêmement douloureux, gonfler et se transformer en pustule. Cela prend entre 48 et 72 heures. Le plus souvent la pustule éclate et décharge un liquide aqueux. Il se forme alors une croûte qui disparaît en l'espace de deux semaines. Parfois le bobo se réinfecte et il faut appliquer une pommade antibiotique. Une fois que l'on est devenue sujette à l'herpès, on risque fort d'en souffrir à chaque fois qu'un virus grippal envahit le système.

HYPERIDROSE: C'est une transpiration excessive que les anti-transpirants ne parviennent pas à contrôler. Il faut avoir recours à la chirurgie. Pour la région de l'aisselle, il faut généralement passer deux ou trois jours en clinique. La zone à traiter peut mesurer jusqu'à 7,5 cm de long sur 5 cm de large. Il faut exciser et recoudre la peau. L'opération des mains et des pieds est plus compliquée et peut entraîner dix jours d'hospitalisation, car il faut enlever la section du système nerveux sympathique qui approvisionne la zone en transpiration. Pour les mains, on fait l'incision sur le côté de la poitrine, sous les bras ou au-dessus de la clavicule. Pour les pieds, on incise l'abdomen à la hauteur du nombril.

INSOMNIE: Le mot signifie très exactement « absence totale de sommeil », mais inutile de dire que c'est là un mal quasi inexistant. Les gens qui se plaignent de ne pas dormir dorment en fait un peu, même s'ils sont persuadés qu'ils restent des nuits entières sans fermer l'œil. Il y a deux grandes causes : l'anxiété, la dépression et les dérèglements psychologiques d'une part, et la douleur physique ou le malaise de l'autre.

Les médecins prescrivent en général un somnifère, barbiturique ou tranquillisant, mais bien souvent cela ne fait qu'aggraver les choses. Les barbituriques peuvent gêner le sommeil profond (voir page 329). Certes ils calment et entraînent généralement le sommeil, mais étant donné qu'ils contrecarrent les rythmes naturels du corps, le sommeil est très léger, si bien que l'on se réveille très facilement et souvent en proie à l'anxiété. Le premier réflexe est alors de reprendre une pilule et ainsi de suite. Or les barbituriques sont dangereux non seulement parce qu'ils créent une forte accoutumance, mais aussi parce qu'on risque de se réveiller brusquement, sans être tout à fait lucide ni même conscient. Une dose un peut trop forte, surtout si elle est accompagnée d'alcool, peut être fatale.

Cependant, le manque de sommeil mine la santé physique et mentale. Tout le monde n'a pas besoin de huit heures de sommeil par nuit, mais si une personne est constamment épuisée le jour parce qu'elle n'a pas assez dormi la nuit, elle le paiera d'une façon ou d'une autre. L'insomniaque est d'ailleurs très conscient de cet état de chose et en voulant se forcer à dormir, il arrive au résultat contraire. C'est un cercle vicieux. Il peut être psychologiquement pénible et physiquement épuisant de rester allongée dans l'obscurité, rigide et tendue, à attendre la détente et le sommeil. La plupart des gens devraient pouvoir s'endormir grâce à une force quelconque d'auto-suggestion. Voici une méthode: allongée à plat dos, fixez le plafond avec suffisamment d'intensité pour vous fatiguer légèrement les yeux; détendez vos mains, en serrant et en ouvrant tour à tour le poing à plusieurs reprises; ensuite dirigez vos yeux vers l'intérieur, comme si vous vouliez regarder le bout de votre nez; fermez lentement les yeux, en comptant à l'envers de 10 à 1 sur le rythme de votre respiration; au dernier chiffre, inspirez profondément et expirez lentement: détendez le corps entier et figurez-vous que vous dormez du plus délicieux sommeil; ouvrez les yeux et ne songez qu'à vous détendre.

MAL DES TRANSPORTS: Certains estomacs réagissent très mal au mouvement et communiquent au système nerveux une série de chocs qui se traduisent pas des nausées, des vertiges et des vomissements. Les pilules spécialement conçues pour y remédier ne sont pas toujours recommandées. Une bonne précaution: ne vous mettez jamais en route l'estomac vide; vous apprécierez un bol de soupe chaude assaisonnée d'un quart de cuillerée à café de poivre de cayenne. Dégagez vos intestins.

MAUX DE DOS: Presque tout le monde en souffre au moins une fois dans sa vie. Dans la plupart des cas, ils sont causés par le manque d'activité physique qui a pour résultat la faiblesse musculaire, les tensions et les déformations. Mais sachez aussi que des mouvements mal choisis ou excessifs sont souvent désastreux pour le dos. L'obésité, la grossesse, la tension émotionnelle et même la frustration sexuelle sont d'autres causes possibles. Les véritables maladies du dos sont assez rares. Citons parmi les causes biologiques des douleurs dorsales, un mauvais fonctionnement rénal, l'arthrite, les lésions neurologiques et les maladies intestinales, ainsi que l'inflammation de l'utérus ou des ligaments qui le rattachent à la colonne vertébrale.

La hernie discale se produit lorsqu'un des disques intervertébraux sort de l'alignement et qu'un peu de la substance gélifiée qui l'entoure s'échappe et appuie sur une terminaison nerveuse. C'est l'inflammation du nerf qui cause la vive douleur. Mais en fait, beaucoup de prétendues hernies discales sont dues à des causes musculaires. Il arrive aussi qu'un disque du cou se coince, ce qui provoque une douleur aiguë, des raideurs et une paralysie de l'épaule. Les douleurs dans le cou sont souvent dues à l'anxiété et à la tension nerveuse.

Les causes des douleurs dorsales sont souvent complexes et beaucoup de gens souffrent en même temps de dépression, même si la douleur n'est pas d'origine psychosomatique. C'est un cercle vicieux car les douleurs dorsales dépriment la victime, laquelle a tendance à se mouvoir et à se tenir tassée et repliée sur elle-même et à se traîner, ce qui aggrave les douleurs et la dépression.

Le repos est essentiel pour tous les ennuis de dos. Pour les douleurs situées assez bas et les sciatiques, le repos allongé est conseillé, toujours sur un lit très dur ou une planche. Pour le lumbago, la chaleur est souvent salutaire — de préférence celle d'une lampe à infrarouges ou d'une diathermie à ondes courtes en clinique. Pour les crises particulièrement violentes, l'extension soulage, ce qui signifie évidemment une hospitalisation: le patient est fixé par les hanches à un lit incliné ce qui étire la colonne vertébrale et donne aux disques la possibilité de reprendre une position correcte. Un corset orthopédique soutiendra le bas du dos et une minerve le cou, mais il ne faut pas les porter trop longtemps ni trop souvent car les muscles n'étant plus sollicités risquent de s'atrophier.

Des séances chez un ostéopathe ou un chiropracteur peuvent donner de bons résultats puisque les manipulations de la colonne sont à la base de leurs sciences. Bien souvent, les massages et la remise en place des vertèbres et des lésions apportent un soulagement immédiat.

La chirurgie dorsale est fort rare et on n'y a recours que lorsque tous les autres traitements se sont révélés impuissants. Il ne faut jamais s'y décider sans une consultation détaillée avec plusieurs médecins. Sachez que les opérations ne réussissent pas toujours parfaitement.

La prévention est encore la meilleure solution. Il faut veiller à rester mince, dormir sur un matelas dur, faire régulièrement des mouvements très doux. Songez toujours à bien vous tenir; lorsque vous ramassez quelque chose, pliez les genoux pour épargner votre dos. Pour vous asseoir, enfoncez-vous loin dans votre siège pour que les reins soient bien soutenus. Pour soulager les douleurs et les muscles dorsaux, essayez ces trois exercices :

1. Debout, bien détendue, les pied légèrement écartés, serrez les fesses et restez le plus longtemps possible, relâchez lentement, recommencez.

2. A plat ventre, le torse sur un support ferme et plat — table ou bureau — et les hanches contre le bord, levez les jambes tendues à l'horizontale ; restez quelques secondes, reposez les pieds par terre. Recommencez à plusieurs reprises, retournez-vous et refaites la même chose à plat dos.

3. Faire l'amour est un bon exercice qui détend merveilleusement.

MAUX DE TÊTE : Ce sont probablement les douleurs corporelles les plus répandues et leurs causes vont de la gueule de bois au surmenage des yeux, en passant par la tension nerveuse, les excès de soleil et les tumeurs au cerveau. On distingue trois grandes catégories de maux de tête : vasculaires, — y compris les migraines et les céphalées ; organiques — dus aux infections, tumeurs, troubles des yeux, des oreilles ou du nez ; psychogènes — causés par la tension nerveuse, l'anxiété et la dépression. Voici l'explication clinique du phénomène : les vaisseaux sanguins de la tête augmentent de volume et, comme ils sont généralement entremêlés de nerf, dès qu'ils grossissent, ils appuient sur ces derniers et déclenchent une douleur. La migraine commence ainsi et les signaux d'alarme sont des troubles oculaires et une sensation générale de difficulté à percevoir. Les vaisseaux sanguins ne font pas qu'augmenter de volume, ils épaississent et déchargent peut-être un liquide. A ce stade, la douleur est constante et insupportable et, dans certains cas, elle peut se prolonger plusieurs jours. Par contre, on ne sait pas exactement ce qui cause l'altération des vaisseaux. L'hérédité joue un rôle, surtout en ce qui concerne la migraine. Les tensions et le stress émotionnel sont également des causes possibles, ainsi que l'alimentation et les allergies. Ainsi, on a découvert qu'une substance appelée tyramine, que l'on trouve dans certains aliments et certaines boissons, déclenchait des maux de tête. Pour calmer rapidement la douleur, prenez des cuillerées à café de miel, lentement, l'une après l'autre — autant qu'il vous plaira.

Les maux de tête peuvent aussi être dus à l'hypoglycémie, donc à de mauvaises habitudes alimentaires. Il arrive souvent qu'ils disparaissent après un bon repas — les protéines, les légumes verts, l'huile d'olive et l'ail sont recommandés. Certains maux de tête sont des formes atténuées de la variété psychogène et sont généralement dus à une fatigue ou à un stress temporaire.

Les céphalées sont des espèces de migraines qui, au lieu d'être prolongées et persistantes — se manifestent par courtes et violentes attaques. On les soigne comme la migraine. Le migraineux type est généralement d'une intelligence supérieure, ambitieux, créateur et perfectionniste.

On dit aussi que les changements atmosphériques provoquent des migraines ; en effet, avant un orage ou un vent particulièrement violent, le baromètre baisse brusquement et les personnes sensibles souffrent de violents maux de tête. C'est parce que l'atmosphère est chargée d'électricité positive ; lorsque l'orage est passé, les molécules de l'air sont chargées d'électricité négative et le malade est aussitôt soulagé.

La plupart des gens ont recours à l'aspirine et consorts pour soigner les maux de tête. Les réactions au traitement sont imprévisibles. Il vaut mieux éviter les analgésiques plus forts comme la morphine, qui créent une accoutumance. La douleur sera souvent soulagée par une redistribution du sang : en chauffant les vaisseaux avec les mains, on peut réduire leur dilatation. Essayez aussi de vous allonger sur le côté en faisant reposer le poids de la tête sur votre pouce placé au centre de la nuque (entre les deux tendons musculaires) ; quelques secondes de pression de chaque côté suffiront à soulager le mal de tête. L'acupuncture et les manipulations spinales sont généralement considérées comme efficaces.

MAUX DE VENTRE : L'estomac se trouve dans la partie supérieure gauche de la cavité abdominale ; le foie est au-dessus et à droite ; le pancréas, la rate, la vessie et les intestins sont en dessous de l'estomac, et encore plus bas, cachés derrière le bassin, se trouvent les ovaires, l'utérus et les trompes de Fallope ; les reins sont situés vers l'arrière de l'estomac et protégés par les deux dernières côtes. A moins de connaître votre corps à fond, il vous sera très difficile de localiser exactement la douleur, mais les maux sont causés le plus souvent par l'indigestion, les gaz et les dérangements intestinaux. Si les remèdes ordinaires ne font aucun effet et que la douleur se prolonge au-delà de 24 heures, voyez un médecin.

MONONUCLÉOSE : C'est en fait une forme non maligne de leucémie, puisque les globules blancs deviennent plus nombreux que les rouges. C'est une maladie auto-régulatrice, mais elle peut se prolonger sous une forme sans gravité pendant des mois et entraîner des rechutes.

La cause en est inconnue, mais on pense qu'il s'agit d'un virus. Elle est toujours accompagnée de symptômes fébriles : température, fatigue, douleurs osseuses et musculaires, maux de gorge et de tête. Elle peut être décelée avec certitude par une analyse chimique du sang. Elle est contagieuse.

Il n'y a pas grand chose à faire, sinon laisser la maladie suivre son cours. Restez au lit tant qu'elle persiste, mangez des aliments reconstituants et prenez des suppléments de vitamines B. Les antibiotiques sont impuissants face aux virus, même s'ils peuvent atténuer les effets secondaires.

RÉTENTION D'EAU: Elle peut gonfler les tissus, ce qui entraîne non seulement une prise de poids, mais presque toujours l'apparition de cellulite. Elle peut être due à un régime trop riche en sel, à des reins paresseux ou à une faiblesse congénitale. Il existe plusieurs traitements biologiques : d'abord réduire le sel au minimum. Ensuite, buvez au moins quatre verres d'eau par jour, cela aide à éliminer le sel et les autres sels minéraux que l'eau sert à évacuer; une eau minérale diurétique est évidemment plus efficace. Toutes celles qui boivent des quantités assez considérables de liquides autres que l'eau, même s'il s'agit de thé, sont sujettes à la rétention d'eau. Les symptômes sont particulièrement visibles chez les femmes qui boivent beaucoup d'alcool.

RHUMATISMES: L'arthrite et la goutte sont des manifestations différentes d'un même mal — une inflammation des tissus conjonctifs des articulations. Sans être fatale, elle peut entraîner de nombreuses infirmités. A mesure qu'elle progresse, on fait de moins en moins bouger les articulations atteintes, à cause de la douleur que cela provoque et, par voie de conséquence, les muscles environnants s'atrophient et finissent par se paralyser.
Il y a plusieurs causes : l'hérédité, un accident qui affaiblit une articulation, une mauvaise alimentation. La médecine est dans l'ensemble impuissante à guérir les rhumatismes. Les médicaments soulagent la douleur, mais n'améliorent pas l'état du malade. Celui-ci souffre toujours davantage lorsque le temps est froid et humide. La chaleur est l'un des meilleurs remèdes et les cures thermales sont souvent excellentes pour les cas chroniques. Les manipulations spinales peuvent aussi soulager. La gymnastique, le repos, la relaxation, une saine alimentation, beaucoup de vitamines B-12, diminueront la douleur et la gêne. Les jus de fruits et de légumes sont très bons, surtout le jus de carotte. Le céleri, le chou et le persil sont également recommandés. On a constaté que de nombreux arthritiques souffraient de carences d'huile; l'alimentation devrait donc toujours comporter une huile végétale.

RHUMES ET GRIPPES: Le rhume de cerveau atteint les voies respiratoires supérieures et peut être dû à une bonne vingtaine de virus différents. Les symptômes habituels sont le mal de gorge, le nez qui coule et la toux, mais certains virus entraînent en outre des états fébriles et le rhume dégénère plus facilement en grippe. On a mis au point des vaccins contre certaines formes de grippes, tout particulièrement contre les épidémies qui de temps en temps balaient un continent d'un bout à l'autre.
Les rhumes sont fréquents et contagieux. On ne sait pas trop pourquoi certains les attrapent et d'autres pas, mais il semble que ce soit dû à un

mélange de faiblesse biologique et de réceptivité psychologique. Certains comportements attirent le rhume en réduisant la résistance : alimentation défectueuse ou surmenage. Le mauvais temps a le même effet. On dit aussi que le rhume et la dépression sont liés ; certaines personnes croient qu'elles sont déprimées parce qu'elles ont un rhume, mais il est possible que ce soit justement le contraire. En tout cas, il est indéniable que l'on peut « attraper froid » et que cela risque de dégénérer en rhume ou en grippe. Si le corps est insuffisamment vêtu ou chauffé, ses défenses sont surmenées et il ne lui reste plus de force pour lutter contre le microbe.

Il n'existe aucun véritable traitement pour soigner les rhumes. On peut certes soulager les symptômes, mais rien ne vous empêchera de vous enrhumer à nouveau.

La meilleure chose à faire est encore de laisser le rhume suivre son cours en se dorlotant le plus possible. Restez au lit et au chaud ; si vous avez de la fièvre, mettez-vous à la diète et évitez les médicaments anti-fébriles. Favorisez la transpiration par des boissons chaudes — les meilleures étant les jus d'agrumes additionnés de miel. Prenez de fortes doses de vitamine C, de 0,5 à 1 g toutes les heures. La vitamine C ne supprime pas la fièvre, mais elle aide le corps à vaincre le virus. Elle reste inoffensive, même à hautes doses.

ULCÈRES : Ils affectent 10 % de la population et la moyenne d'âge de ceux qui en souffrent se situe entre 45 et 55 ans, même si les symptômes se manifestent souvent chez des gens plus jeunes. Les femmes y sont plus sujettes après la ménopause. Lorsque les parois internes de l'estomac ou du duodénum sont incapables de supporter l'action digestive de l'acide et de la pepsine, il se forme un ulcère. L'ulcère du duodénum affecte plutôt les personnes qui souffrent d'hyperacidité, tandis que l'ulcère gastrique est le fait de celles dont la production d'acide est inférieure à la normale. Les principaux symptômes sont des douleurs dans le haut de l'abdomen et une constante sensation de faim. Certaines personnes souffrent de vomissements qui contiennent parfois du sang. Le diagnostic sera confirmé par une radiographie au baryum ou par l'introduction le long du tube digestif d'un télescope flexible qui permet d'examiner directement l'ulcère.

On dit que le stress et la tension nerveuse favorisent les ulcères du duodénum, ainsi que le tabac, l'alcool et une alimentation anarchique. Il semble que les gens qui appartiennent au groupe sanguin O y soient plus sujets que les autres.

Pour les traiter, il faut faire disparaître la situation angoissante, ou alors, il faut changer de régime, prendre des alcalis pour soulager la douleur et parfois des dérivés du réglisse qui ont la réputation d'accélérer la cicatrisation. La chirurgie doit vraiment être le dernier recours.

4

LA CHIRURGIE ESTHÉTIQUE

A mi-chemin entre la science et l'art, la chirurgie esthétique a pris un essor incroyable au cours des vingt dernières années. Elle peut rendre confiance aux jeunes et marquer pour les personnes d'âge mûr le début d'une seconde jeunesse. Elle est tout indiquée après des pertes de poids considérables et même si quelques interventions seulement durent toute une vie (nez, oreilles ou menton, par exemple), les autres n'en valent pas moins la peine.

La chirurgie esthétique moderne est l'une des spécialités les plus intéressantes qui soient. Outre une grande compétence technique, elle exige une dose considérable de sens artistique si le chirurgien veut vraiment réussir son œuvre. Vous pouvez faire toute confiance à un chirurgien esthétique qualifié, car il a eu une formation vraiment très poussée.

La chirurgie esthétique repose sur deux principes de base : retrancher ou ajouter — c'est la première opération qui coûte le plus cher. Comme on peut s'y attendre, les chirurgiens ont tous leur personnalité bien à eux, et souvent aussi leurs méthodes et leurs techniques. Il suffit généralement de prélever une très petite partie, pour que les os, la peau et la graisse diminuent considérablement de volume.

On peut également insérer diverses substances pour donner du volume à une zone trop plate du corps. Pour la chirurgie corrective, on utilise encore très largement les os et les cartilages humains, mais pour beaucoup d'interventions esthétiques, les prothèses au silicone (implants artificiels) sont très populaires et font beaucoup d'effet, particulièrement les éponges qui connaissent de constantes améliorations.

L'une des questions qui revient le plus souvent à propos de la chirurgie esthétique est : combien de temps cela tiendra-t-il ? Cela dépend de l'individu, de l'âge, du métabolisme, des soins donnés et de la tension nerveuse endurée par la suite. Certaines rectifications durent indéfiniment : celles qui touchent la structure osseuse ou les zones entièrement libres de l'influence des muscles et des dépôts graisseux, par exemple le nez, le menton et les oreilles.

Certaines personnes assurent qu'un lifting préventif aux abords de la quarantaine conserve plus longtemps sa jeunesse au visage, parce que celui-ci est plus malléable tant que les muscles n'ont pas encore trop perdu de leur élasticité. Cependant, peu de femmes voient aussi loin. Sachez en outre qu'il est parfaitement inutile de se faire opérer si c'est pour négliger sa peau et son corps à partir de ce moment-là.

Lors de votre première entrevue, le chirurgien fera son examen, conseillera et expliquera et vous devrez absolument lui demander tout ce que vous voulez savoir : ce qu'il fera exactement pendant l'opération, combien de temps celle-ci durera, quelle sera l'anesthésie, combien de jours de clinique il faudra compter, quand il vous enlèvera les points de suture, au bout de combien de temps vous pourrez vous remaquiller, si les cicatrices finiront par disparaître... et, bien sûr, combien tout cela vous coûtera. Il est impossible de donner ici un coût estimé des interventions, car celui-ci change non seulement d'un pays à l'autre, mais aussi d'un praticien à l'autre.

Voici les principales possibilités de la chirurgie esthétique :

LES YEUX

Durée de l'opération : 1 h 30
Durée de l'hospitalisation : 1 à 3 nuits
Récupération : 7 à 10 jours
Soins post-opératoires : légers
Durée de l'amélioration : 5 à 10 ans

Les yeux sont un excellent baromètre de la santé, de l'âge et de l'humeur d'une personne. Ils sont aussi dans une certaine mesure le principal pôle de la beauté et de la personnalité. Cette caractéristique, ajoutée au fait que l'opération des paupières est l'une des plus simples, des moins coûteuses et des plus souvent réussies, explique qu'elle soit si couramment pratiquée.

Bien souvent, lorsqu'un visage vieillit ou qu'il est défiguré, cela transparaît surtout dans la région des yeux. Comme a dit un chirurgien esthétique : « Je voudrais que toutes celles qui envisagent un lifting viennent d'abord se faire opérer les yeux. A eux seuls, ils font déjà une différence incroyable et il est souvent inutile d'envisager le lifting avant plusieurs années. »

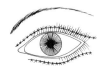

L'opération sert à éliminer les poches sous les yeux ou le flétrissage de la paupière supérieure. Les candidates ne sont pas forcément des femmes d'âge mûr ; il y en a aussi de jeunes, ne serait-ce que parce que les poches sous les yeux sont souvent héréditaires et n'ont rien à voir avec l'âge, les veilles prolongées ou la vie de bâton de chaise. On peut bien dormir tout son saoûl et mener une vie monastique, elles ne disparaîtront pas pour autant, car l'enflure est due à de petites hernies, — des coussins graisseux qui échappent au contrôle du muscle qui entoure l'œil. Ces hernies graisseuses peuvent aussi gonfler le dessus de l'œil, mais elles sont moins visibles. Chez les femmes plus âgées, c'est une autre histoire. La peau se détend, qu'il y ait ou non des hernies, et la paupière supérieure est susceptible de poser autant de problèmes que le dessous de l'œil, au point de gêner la vue.

Qu'elle concerne le dessus ou le dessous de l'œil, l'intervention est assez brève — environ 1 h 30 — sous anesthésie locale ou générale, selon la préférence du médecin. Il fait une fine incision juste au-dessous des cils inférieurs et/ou au creux de l'orbite, là où l'œil s'arrondit pour remonter vers l'arcade sourcilière. S'il s'agit d'une cliente jeune dont la peau est encore lisse, il enlève le coussin graisseux et recoud. Pour une patiente plus âgée dont la peau est ridée ou pend, il enlève un peu de peau — ce qui élimine du même coup les poches, les rides et les plis.

Les tissus du pourtour de l'œil réagissent si bien qu'il n'y a pratiquement jamais de cicatrice, ou bien elles forment des sillons si fins qu'on ne peut pas les voir à l'œil nu. La cicatrisation varie selon les individus, mais en général vous pourrez sortir et vous montrer (avec des lunettes noires) au bout de 3 ou 4 jours. On enlève les points de suture au bout de 5 jours. Les bleus et les décolorations durent environ 3 ou 4 semaines. Les yeux ont tendance à gonfler en cicatrisant, mais c'est une enflure absolument temporaire que l'on peut diminuer en appliquant de la glace. Les décolorations s'atténuent progressivement et, au bout de 10 jours, vous avez la ressource de les camoufler sous le maquillage.

Durée de l'opération : 3 à 4 heures
Durée de l'hospitalisation : 3 à 5 nuits
Récupération : 2 à 3 semaines
Soins post-opératoires : légers
Durée de l'amélioration : 5 à 10 ans

LE VISAGE

Le visage vieillit progressivement. D'habitude, à 30 ans les rides d'expression commencent à apparaître ; entre 35 et 40 ans, des rides musculaires se dessinent peu à peu autour des yeux et, à partir de là, la peau se ride, se frippe, le cou se marque, les plis et les poches apparaissent, en raison de la dégénérescence progressive des tissus.

Le but du lifting est, comme son nom l'indique (en anglais ''to lift'' signifie soulever) de remonter tout ce qui tombe et en même temps d'effacer, en tendant la peau, les rides concentrées autour des yeux et de la bouche et sur le front. Lorsque la peau est âgée, la disparition des coussins graisseux qui sous-tendent l'épiderme contribue à accroître les rides qui peuvent même gagner les joues, et à faire pendre la peau. Avec un lifting complet, la peau du cou est lissée si besoin est et on peut également retendre un double menton.

Au départ, le lifting consistait uniquement à inciser la peau en diagonale, dans les cheveux au-dessus de la tempe, à tirer la peau, à couper le

surplus et à recoudre bord à bord. Cependant, les muscles faciaux, en agissant sur la peau tendue, faisaient vite retomber les traits. C'est pour cette raison que le prétendu mini-lifting est une perte de temps et d'argent. Pour réussir un bon lifting, il est essentiel de travailler sur la couche musculaire sous-jacente. Cela implique un véritable « dépiautage » afin de dégager les muscles faciaux et de les rattacher différemment pour restreindre leur traction. Le secret est de décider avant quelle est l'action musculaire que l'on peut se résoudre à éliminer ou à réduire. Malheureusement, si cette technique augmente considérablement la durabilité d'un lifting, elle enlève aussi beaucoup d'expression au visage, ce qui fait que l'on se retrouve avec une physionomie certes beaucoup plus jeune, mais aussi singulièrement inexpressive.

On fait généralement une incision le long du pli naturel situé devant l'oreille, que l'on prolonge sous le lobe, derrière l'oreille, puis en diagonale dans le cuir chevelu ; mais certains chirurgiens préfèrent inciser tout autour de la ligne d'implantation des cheveux ou derrière l'oreille uniquement. De cette façon, ils peuvent réussir un lifting presque invisible. Certains praticiens ne rasent même pas la partie à couper, mais se contentent de séparer les cheveux. La seule cicatrice visible, même juste après l'opération, est celle qui se trouve sur le devant mais, en principe, elle disparaît complètement en l'espace de deux mois. Les autres sont cachées par les cheveux dès le début. On fait très souvent cette opération sous anesthésie locale, malgré sa longueur — de 3 à 4 heures. La décision est prise d'un commun accord par le médecin et sa cliente. Certains chirurgiens préfèrent partager le visage en sections qu'ils traitent l'une après l'autre.

On enlève les points de suture au bout de 5 à 7 jours ; puis il faut compter encore 5 bons jours pour que la peau ait pleinement cicatrisé. Au début, le visage risque de gonfler mais, en général, au bout d'une semaine ou deux vous serez assez présentable pour vous promener avec un bon maquillage. Parfois l'enflure et les bleus se prolongent plus longtemps ; cela dépend des natures de peau.

Durée de l'opération :
1 h 30 - 2 h
Durée de l'hospitalisation :
2 à 3 nuits
Récupération : 2 à
3 semaines
Soins post-opératoires :
légers
Durée de l'amélioration : 5
à 10 ans

LE COU

Il s'agit en fait d'un lifting partiel du visage au cours duquel on lisse le cou et on élimine les doubles mentons. On tire la peau vers le haut en faisant derrière l'oreille une incision en forme d'épingle à cheveux renversée. Il est rare de pratiquer cette opération seule, car les femmes qui en ont besoin ont généralement besoin d'un lifting complet. Cependant, il existe des femmes que les rides du visage ne préoccupent pas, mais à qui un double menton donne des complexes. En outre, beaucoup de femmes jeunes souffrent de ce défaut.

Durée de l'opération : 1 h
Durée de l'hospitalisation :
3 nuits
Récupération : 2 semaines
à 1 mois
Soins post-opératoires :
légers
Durée de l'amélioration :
permanente

LE NEZ

Selon le grain de la peau et l'épaisseur du nez, celui-ci peut être redressé, rapetissé, adouci, rétréci ou au contraire surélevé. L'opération se fait par l'intérieur, si bien qu'il n'y a aucune cicatrice. Pour réduire le nez, le chirurgien enlève l'excédent d'os, de cartilage et de tissu. Pour donner du volume à un nez trop petit ou écrasé, on se sert de cartilage ou d'implants au silicone. Les suites de l'opération sont assez déplaisantes, car il faut plâtrer momentanément le nez ce qui oblige à respirer par la bouche, mais ce n'est somme toute pas pire qu'un très gros rhume. On enlève le plâtre au bout de 7 à 10 jours. Toute la zone sera sensible, rouge et enflée et les yeux resteront au beurre noir pendant quelques jours, mais d'habitude l'opérée peut reprendre une vie normale au bout de 2 semaines. Il faut cependant compter un mois pour que l'enflure et la sensibilité disparaissent complètement. C'est l'une des opérations esthétiques conseillée aux adolescentes. Si une jeune fille est affligée d'un nez dont la taille ou la forme ne peuvent manquer de lui causer des problèmes psychologiques, cela vaut la peine de le faire corriger le plus tôt possible.

Durée de l'opération:
1 h 30 pour chaque sein
Durée de l'hospitalisation:
3 à 4 nuits
Récupération: 3 semaines
Soins post-opératoires:
légers
Durée de l'amélioration :
10 ans environ

LA POITRINE *(pour la remonter ou l'amplifier)*

On ne corrige pas les seins qui tombent en resserrant d'un cran des muscles fatigués. Une fois l'excédent de peau enlevé, ils seraient probablement trop petits. Il faut donc procéder en les rembourrant là où cela est nécessaire, pour obtenir une forme ronde et régulière. On utilise la même technique pour donner une poitrine d'un volume acceptable aux femmes plates. Dans leur cas, l'élasticité de la peau est pour une fois un avantage indéniable, car elle s'étire impeccablement pour suivre la forme de ce que l'on glisse à l'intérieur. La méthode la plus courante consiste à introduire des prothèses (implants), en l'occurrence des sacs remplis de gel ou de sérum physiologique, dont la face postérieure est parfois en maille; il y en a de toutes tailles et ils paraissent, au toucher comme à l'œil, parfaitement naturels. On les fixe solidement à la paroi thoracique par des points de suture. L'incision suit généralement la base du sein, en demi-lune. Pour les femmes très plates, certains chirurgiens préfèrent fixer le sac vide et injecter le sérum à l'intérieur après coup. C'est une méthode particulièrement efficace lorsqu'il s'agit de corriger des seins de taille inégale. De toute façon, sachez qu'il ne faut jamais opérer des seins trop petits tant qu'on n'a pas encore eu d'enfants.

LA POITRINE *(pour la réduire)*

Outre qu'ils causent de graves complexes, les seins trop gros risquent davantage de provoquer des accidents de santé et infligent de plus grands efforts à la colonne vertébrale.

Durée de l'opération :
1 h 30 à 2 h pour chaque
sein
Durée de l'hospitalisation :
4 à 5 nuits
Récupération :
3 à 5 semaines
Soins post-opératoires :
considérables
Durée de l'amélioration :
jusqu'à 10 ans ou plus

L'opération destinée à les réduire est compliquée et délicate et peut durer jusqu'à deux heures pour chaque sein. Elle se fait sous anesthésie générale, car le chirurgien doit enlever l'excédent de graisse et de peau et recentrer éventuellement le mamelon — ce qui est presque toujours nécessaire. Il y a plusieurs façons d'inciser, mais le plus souvent il faut trois incisions : verticalement depuis le mamelon jusqu'à la base, tout le long de la base du sein et tout autour du mamelon. Au bout de quelques mois les cicatrices sont très estompées, mais elles disparaissent rarement tout à fait. L'opération risque parfois d'entraver le fonctionnement normal du mamelon, surtout en ce qui concerne l'allaitement, mais les chirurgiens font généralement très attention. Le praticien donnera toujours des instructions explicites concernant les soins post-opératoires, car ils varient selon les cas. Au bout de trois à cinq semaines, le sein devrait avoir pris sa forme et les cicatrices être déjà très estompées. Seuls les mamelons mettent un certain temps à s'adapter et ne prendront leur position définitive que 10 ou 12 mois après l'opération.

LE MENTON (*fuyant, en galoche, double*)

On peut reconstruire un menton fuyant en lui ajoutant des os et des cartilages ou en insérant un implant au silicone préformé. On incise à l'intérieur de la bouche, devant les dents du bas. Bien souvent, un menton fuyant s'accompagne d'un nez irrégulier, mais lorsqu'on restructure le menton, tout le profil peut en être rééquilibré si bien qu'il n'est plus nécessaire de refaire le nez.

On corrige souvent le double menton lors du lifting ou de l'opération du cou, mais si celui-ci est dû à un coussin graisseux sous le menton ou à un ramollissement localisé de la peau, il existe une opération très simple sous anesthésie locale, qui ne dure qu'une heure environ. On fait une incision en forme de Z juste sous le menton et on enlève l'excédent de tissu et de peau ; on enlève les points de suture au bout de quelques jours.

Durée de l'opération : 1 à
2 h
Durée de l'hospitalisation :
2 à 3 nuits
Récupération : 2 semaines
pour les interventions
mineures jusqu'à
12 semaines pour les
grosses interventions
Soins post-opératoires :
Légers
Durée de l'amélioration :
permanente

LES OREILLES

Il est très facile de resserrer les oreilles décollées contre la tête en ne laissant derrière chacune qu'une fine cicatrice presque invisible. Il suffit d'une minuscule incision qui permet d'enlever l'excédent de cartilage et de retendre la peau avant de recoudre. On bande alors l'oreille bien serrée contre le crâne. La cicatrisation prend une quinzaine de jours, pendant lesquels il faut garder le bandage. Il arrive que des enfants soient en butte aux pires taquineries lorsqu'ils ont les oreilles décollées et comme il s'agit d'une opération qui réussit parfaitement chez les sujets très jeunes — à partir de 4 ans —, il vaut mieux la faire le plus tôt possible. Pour les adultes, la technique et les résultats sont exactement les mêmes.

Durée de l'opération : 3 h à
4 h
Durée de l'hospitalisation :
2 nuits
Récupération : 2 semaines
Soins post-opératoires :
légers
Durée de l'amélioration :
permanente

Durée de l'opération: 2 à 3 heures
Durée de l'hospitalisation: 7 à 10 nuits
Récupération: 3 à 4 semaines
Soins post-opératoires: considérables
Durée de l'amélioration: 5 à 10 ans

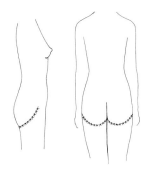

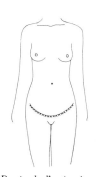

Durée de l'opération: 2 à 3 h
Durée de l'hospitalisation: 5 nuits pour les vergetures, 8 nuits pour les grosses interventions
Récupération: 3 à 4 semaines
Soins post-opératoires: légers
Durée de l'amélioration: 5 à 10 ans

LES FESSES ET LES CUISSES

On peut opérer ensemble les fesses et les cuisses sous anesthésie générale, pour enlever ce qu'on appelle la « culotte de cheval ». C'est une opération longue et délicate, réservée aux femmes jeunes ou mûrissantes, et certains chirurgiens se refusent à la faire. Il vaut mieux d'abord essayer de perdre du poids par tous les autres moyens, mais cette zone est généralement celle où la graisse refuse de bouger et se concentre sous forme de cellulite. La première chose à faire est de calculer la quantité de tissu à enlever, chose que l'on fait lorsque la cliente est debout, car le résultat est à la fois plus précis et plus artistique. On dessine deux lignes sur chaque fesse, une au-dessous et une au-dessus du pli fessier naturel — pour délimiter la section de chair à prélever. La ligne supérieure indique le nouvel emplacement du pli et c'est là qu'est faite la première incision. On incise ensuite la ligne inférieure et ce sont les tissus adipeux situés au-dessous d'elle que l'on enlève. On tire alors la peau vers le haut et l'intérieur de la cuisse, on coupe l'excédent et on recoud bord à bord avec la peau du dessus. Cette intervention élimine donc aussi la peau flasque à l'intérieur de la cuisse et remodèle la silhouette. On cache au maximum les points de suture au creux du pli de la fesse, mais ils se prolongent quand même vers l'extérieur de la cuisse pour remonter presque jusqu'à l'os de la hanche. Après l'opération, on peut généralement remarcher sans trop souffrir au bout de 2 jours, mais pour s'asseoir normalement, il faut bien compter 2 à 3 semaines. Les cicatrices s'estompent, mais très lentement.

LE VENTRE

Il est possible de dégraisser un ventre, quoique certains chirurgiens s'y refusent. C'est une intervention très délicate, qui peut inclure la réfection d'un nombril mal formé. Beaucoup de femmes aussi veulent faire disparaître les vergetures que leur ont laissé leurs grossesses ou des variations de poids considérables. Celles-ci peuvent être effacées selon un procédé à peu près analogue à celui du dégraissage — mais beaucoup moins long et coûteux. L'opération se fait selon le même principe que le lifting, mais en sens inverse. Il faut retirer l'excédent de graisse et de peau et réajuster les muscles. L'incision se fait tout en bas du ventre et remonte vers les hanches de chaque côté. La cicatrice cachée sous les poils pubiens est presque invisible. Les deux extrémités qui dépassent s'estompent progressivement mais sans disparaître complètement. Il faut parfois recentrer le nombril.

5

LE SYSTÈME NERVEUX

La tension nerveuse n'est pas une maladie: c'est un symptôme, une réaction au stress. Elle peut cependant déclencher une véritable maladie qui se manifeste souvent par des troubles physiques, mentaux et nerveux. Comment en arrive-t-on là? La tension nerveuse est au départ le résultat d'un conflit intérieur qui n'a pas été résolu. Elle dénote certains heurts entre des élans qui tendent à l'action et une force contraire qui paralyse. Que le processus soit physique ou mental, peu importe car les réactions nerveuses sont à peu près identiques.

Chaque fois que des signaux de stress sont communiqués au cerveau, le système nerveux prépare le corps à réagir, soit par le combat, soit par la fuite. L'adrénaline est déchargée dans le sang, les muscles se contractent, la tension artérielle s'élève et le corps est tout prêt à attaquer ou à battre en retraite. Vient alors le contre-ordre lancé par notre éducation d'êtres civilisés et par notre raison: arrête, c'est mal, c'est une mauvaise décision, trop émotive, trop agressive, risquée, égoïste. Résultat: l'énergie accumulée ne trouve aucun exutoire et la tension nerveuse s'ensuit.

De nombreuses personnes n'ont absolument pas conscience d'être en état de tension neuro-musculaire et pourtant cette congestion des courants nerveux peut entraîner des maux de tête et de dos, des fatigues, des insomnies, des vertiges et une inertie générale. Prenez-vous soudain conscience que vous êtes en train de serrer les poings, que vos paumes transpirent, que vous tapez nerveusement du pied? Ces réactions peuvent à elles seules aggraver l'anxiété en modifiant la chimie du sang. C'est un cercle vicieux.

Les niveaux de stress sont très personnels. Chacune de nous est capable de supporter un degré de stress donné avant que le cerveau soit alerté et provoque certaines modifications du système hormonal. Notre seuil de résistance au stress est le baromètre de notre réaction à l'environnement. Le stress est toujours dû à un stimulus. Pour certaines personnes, la vie de tous les jours est si remplie de stimuli que leurs réactions excessives face au moindre événement transforme leur vie en épreuve permanente et que même les stimuli les plus bénins peuvent être pour elles une cause de stress et devenir « la goutte qui fait déborder le vase ». La dépression nerveuse et la maladie mentale sont au bout du chemin ; toutes deux sont essentiellement une aliénation envers la société et l'environnement. L'indécision et les réactions négatives sont également facteurs de stress. Lorsqu'il n'y a aucune action positive, physique ou mentale, la tension s'installe et s'accumule. L'indécision a pour origine l'anxiété, la culpabilité et la peur. Le négativisme s'exprime dans le manque de confiance en soi, en ses émotions, en ses capacités, en son jugement. Si vous voulez vous en sortir, il faut progressivement apprendre à accepter les choses telles qu'elles sont, à connaître vos limites et aussi celles des autres. En réagissant de façon positive vous pouvez progressivement réduire le stress et atténuer votre tension nerveuse ; parfois il faut avoir recours à une aide médicale, sous forme de psychothérapie ou de médicament.

● L'anxiété est un mal fort répandu, particulièrement chez les femmes. Elle diffère de la peur qui est une réaction émotionnelle normale devant un danger réel et bien défini. L'anxiété est une réaction névrotique provoquée par une catastrophe invariablement imaginaire.

L'hypothalamus réagit immédiatement à l'anxiété et les drogues qui peuvent la réduire soulagent, mais uniquement parce qu'elles suppriment les symptômes, sans éliminer la cause. On pense que l'alimentation influe sur l'anxiété : tous les gens qui souffrent de carences de vitamine B sont généralement hypernerveux. Le simple fait de sauter un repas peut être cause de stress.

Pour vous aider à dominer l'anxiété, essayez de vous raisonner. Dressez une liste des soucis vraiment graves que vous pouvez avoir et ne vous préoccupez que d'eux. Vivez au jour le jour ; ne regardez ni vers le passé, ni vers l'avenir. Opposez à votre anxiété des récréations physiques et mentales qui ne vous laisseront guère de temps ni de disponibilité pour vous ronger les sangs. Essayez de prendre au moins une décision positive par jour, en commençant par des bagatelles, le choix d'un rouge à lèvres par exemple. Vous serez surprise de constater à quelle vitesse vous acquerrez suffisamment de confiance en vous pour faire face à de graves décisions sans être aussitôt hantée par la crainte d'avoir pris le mauvais parti.

● Tout déséquilibre émotionnel peut engendrer un stress considérable. Il faut savoir quand se laisser aller à ses émotions et quand les maîtriser. Si l'on garde certaines choses à l'intérieur de soi, la tension nerveuse est inévitable. C'est souvent la peur qui est responsable — peur de vous extérioriser au-delà des limites qui vous semblent acceptables, ou plus exactement au-delà des limites que vous jugez acceptables aux yeux des autres. La peur de se laisser aller sur le plan sexuel sous-tend la plupart des psychismes, talonnée de près par la peur de l'agression, qui lui est d'ailleurs étroitement liée. Toutes deux représentent simplement un désir de reconnaître le besoin intérieur d'une forme d'expression de soi.

Les gens ont peur de pleurer, de laisser libre cours à leur sentiment de solitude et de privation, parce qu'ils redoutent de ne plus pouvoir endiguer le flot de leurs émotions. Les larmes salutaires ont leur limite, bien sûr, mais qu'elles soient versées sur quelqu'un, quelque chose ou sur vous-même, elles peuvent soulager le stress et la tension nerveuse.

● La jalousie est l'une des émotions les plus stressantes et les plus destructrices qui soient: elle peut mutiler l'esprit et presque paralyser la volonté. On peut être jaloux d'une personne, d'une chose, d'une situation. Il est quasiment impossible de faire face à une crise aiguë de jalousie sans s'écrouler nerveusement. Pour se guérir de la jalousie, il faut parvenir à la voir d'un œil réaliste: c'est une insatisfaction envers soi-même, un complexe d'infériorité et d'insécurité. Il vaut mieux tâcher d'employer votre énergie à des fins positives et constructives.

● Le sentiment de culpabilité est proche de l'anxiété car c'est une lutte entre un élan intérieur et la peur de ses conséquences. Il est particulièrement insidieux parce qu'il est inconscient et entraîne de rapides réactions automatiques. Ce sentiment prend racine dans les notions du bien et du mal, que l'on nous a inculquées dans notre enfance. Il fonctionne comme un ordinateur du surmoi qui juge les actions et distribue les châtiments selon la façon dont il a été programmé jadis. Il juge le moi conscient et rationnel, le moi subconscient et le moi profond et intuitif. Il faut absolument prendre son parti de ce sentiment de culpabilité, ne lui accorder que l'importance qu'il mérite. Quelle qu'en soit la raison (un acte, une mauvaise action, l'échec de votre mariage, la fin d'une liaison ou d'une amitié) pour mener une vie saine, il faut apprendre à accepter la réalité et à concilier votre sens moral inné avec l'instinct immédiat de survie. Ce n'est pas de l'égoïsme, c'est du sens pratique.

● La dépression nerveuse est due à une tristesse morbide qu'accompagne un sentiment de futilité; notez cependant qu'il est tout à fait possible d'éprouver ces sentiments sans sombrer pour autant dans la dépression. Les psychiatres pensent que celle-ci est inconsciemment motivée par une perte quelconque — d'une personne, d'une chose, d'une possession, de l'emploi, de la sécurité, de la confiance en soi, de la beauté, d'argent.

Cette perte peut être spontanée ou anticipée, mais la dépression est une réaction intérieure aux événements qui la provoquent. Elle est tout à fait différente du chagrin qui est une réaction réaliste et appropriée à la perte subie. Lorsque vous entrez en dépression, toutes vos actions semblent vouées à vous y enfoncer de plus en plus. Il faut une volonté de fer et des méthodes très constructives pour s'en sortir.

Les femmes sont plus sujettes que les hommes à la dépression. Nombre d'entre elles se sentent frustrées, s'ennuient, ont l'impression d'être prisonnières de la monotonie de leur vie de famille. L'ennui est une manifestation superficielle : au-dessous se cache un conflit alimenté par des idées de répression, de rébellion, de rêve. Une femme peut avoir l'impression de n'être pas normale si elle se satisfait du rôle traditionnel de femme au foyer et cette idée la déprime. Ou alors peut-être attend-elle davantage de la vie — sans savoir quoi au juste. Les femmes sont particulièrement sujettes à la dépression après un accouchement, aux abords de 35 ans et à la ménopause, où les perturbations hormonales sont considérables. L'échec des relations sexuelles est souvent cause de dépression, ainsi que le fait d'être critiquée ou repoussée.

Les symptômes de la dépression ne sont que trop visibles. Le sommeil est souvent troublé — on a parfois du mal à s'endormir et on se réveille tôt ; ou alors au contraire, le sommeil devient une échappatoire et on refuse de se réveiller. Les maladies psychosomatiques servent souvent à masquer la dépression. La lucidité intellectuelle diminue, on a du mal à se concentrer, la conversation est morne et sans entrain.

Si l'on reconnaît ces symptômes et que l'on s'y prend assez tôt, on peut parfois enrayer la dépression. Il faut se forcer à voir des gens, à sortir, à participer, mais l'effort semble souvent presque surhumain. La fatigue psychique fait partie de la dépression. On perd tout intérêt pour quoi que ce soit et, à mesure que l'apathie gagne du terrain, on se sent trop épuisée pour entreprendre la moindre chose. Il faut donc à tout prix se forcer à trouver une activité stimulante : les mouvements de gymnastique ou le sport sont souvent excellents ; l'énergie engendre l'énergie.

Toutes les causes de stress entraînent une réaction nerveuse. Si vous vous efforcez de trop résister au stress, la tension nerveuse s'accroît et il faut absolument trouver un moyen de vous détendre. Le meilleur moyen de désamorcer cette accumulation de tension neuro-musculaire est le plaisir, et plus il sera absorbant et physique, mieux vous vous sentirez.

LA RELAXATION

Apprendre tout simplement à se détendre et à se laisser aller est la première façon de combattre la tension. Essayez l'une des méthodes que voici, ou bien essayez-les toutes, mais à raison d'une par jour.

La respiration : La façon la plus naturelle d'ouvrir les vannes à la tension nerveuse est d'envoyer de l'oxygène vers toutes les parties du corps. Il est encore plus important d'apprendre à bien expirer, de façon à nettoyer le poumon de tout résidu d'air, que d'apprendre à inspirer. Expirez toujours plus longtemps et plus fort que vous n'inspirez. Debout ou assise en tailleur par terre, inspirez en comptant jusqu'à quatre, expirez en comptant jusqu'à huit. Inspirez par le nez et expirez par la bouche.

L'inclinaison : C'est une des positions de relaxation du yoga. La tête est en bas et les pieds sont surélevés à 30 cm du sol, si bien que le corps est doucement incliné en arrière. Servez-vous d'une planche bien ferme, recouverte d'un drap de bain, soigneusement fixée à l'inclinaison voulue. Détendez-vous 15 minutes par jour, les yeux fermés, les bras le long du corps. Ainsi inclinée, votre colonne vertébrale se remet d'aplomb et les muscles d'ordinaire noués lorsqu'on est debout, assise ou en mouvement se détendent.

Laisser rouler la tête : Les bras derrière le dos, inspirez profondément, faites pivoter la tête de gauche à droite en décrivant un cercle complet. Prenez conscience des muscles de votre cou et de vos épaules. Bougez très lentement. 2 fois dans chaque sens.

Le balancier : Les jambes très écartées, cassez le corps à partir de la taille, en ayant l'impression que la tête est devenue un poids au bout de la colonne vertébrale. Laissez-vous pendre en vous balançant de gauche à droite ou de droite à gauche pendant environ 30 secondes. Redressez-vous lentement, vertèbre par vertèbre.

Les claques : En alternant, jetez les bras par-dessus l'épaule opposée, pour vous donner une bonne claque dans le dos du côté de l'omoplate. 10 claques avec chaque main.

LA MÉDITATION

C'est l'étape qui suit la relaxation parce qu'elle libère de toute tension non seulement le corps mais l'esprit. Tandis que le corps est au repos, l'esprit se vide et vous émergez de votre méditation ragaillardie physiquement et mentalement alerte. Vous pouvez aussi en profiter pour vous analyser, car lorsque vous méditez, vous êtes obligée de considérer vos pensées. C'est une technique assez difficile. Au début, il paraît presque insupportable de rester 15 ou 20 minutes immobile et de dégager son esprit de toutes les futilités habituelles, mais avec un peu de pratique on y parvient. Pendant la méditation, les rythmes respiratoire et cardiaque se ralentissent, les schémas cérébraux se modifient pour prendre une forme plus détendue. Les pratiquants expérimentés disent que la méditation permet d'envisager ses problèmes avec objectivité et de se soustraire considérablement à l'emprise des calmants artificiels, drogue, alcool ou tabac. Les deux formes de méditation les plus répandues sont le raja yoga et la méditation transcendentale, qui utilisent toutes deux un « mantra » (un son que l'on doit reproduire à haute voix ou dans sa tête) pour se dégager l'esprit. Il est préférable de commencer par suivre des cours, car vous aurez ainsi une meilleure compréhension de la philosophie et une aide pratique pour acquérir la technique. Les règles sont fort simples :

● Choisissez une position confortable. Il n'est pas obligatoire de s'asseoir en tailleur, mais si l'on s'y habitue, on arrive mieux à respirer de façon régulière et détendue.

● Votre respiration doit être lente et rythmée, et l'expiration doit durer deux fois plus longtemps que l'inspiration.

● Décidez alors quel sera votre « mantra ». On choisit traditionnellement les voyelles a-e-i-o-u. Répétez-les toutes et décidez laquelle vous convient le mieux. On dit que a calme l'anxiété, e la tension nerveuse, i l'agressivité, o la douleur, et u l'excitation sexuelle.

● Mettez-vous le son choisi dans l'esprit en le répétant d'abord tout haut si cela vous aide à vous concentrer, puis ensuite dans votre tête à de multiples reprises, en repoussant toute autre pensée — non pas en force, mais en observant avec détachement les errances de votre esprit. Au début, celui-ci sombre dans l'anarchie et les autres pensées refusent de disparaître ; il faut autant de pratique que de patience. Si vous avez du mal à méditer les yeux fermés, fixez-les sur un objet, une statue, un tableau. Cela augmente parfois la concentration.

● Forcez-vous à rester assise ainsi pour acquérir cette technique au moins 15 minutes. Que cela devienne une habitude régulière. Peu à peu vous en viendrez à attendre avec impatience votre séance de méditation et bientôt vous ne pourrez plus vous en passer.

LE SOMMEIL

Le sommeil est indispensable à la santé mentale et physique. Dès que nous en manquons, nous devenons tendus et nerveux. Le sommeil a évidemment été de tout temps regardé comme un besoin physiologique, mais ce n'est que récemment que l'on a commencé à comprendre l'importance de ses divers aspects. La détente du sommeil et le ralentissement du métabolisme reposent et régénèrent le corps, mais ce sont les rêves qui revigorent l'esprit et font disparaître la tension nerveuse.

Lorsque nous nous endormons, les paupières se ferment et les pupilles se rétrécissent. La respiration décroît, la tension artérielle baisse, le cœur se ralentit, la température tombe et les sucs digestifs et la salive diminuent de volume. On perd conscience, mais de façon momentanée seulement ; un bruit, une lumière, un contact suffisent à nous réveiller. Il existe plusieurs phases entre la somnolence et le sommeil profond, pendant lequel tous les muscles sont totalement détendus et dont on a souvent du mal à nous tirer. Le cerveau perçoit encore tous les bruits et les contacts mais bien qu'il réagisse, il ne traduit pas ses messages par des actes — à moins que vous ne soyez sujette au somnambulisme. Le sommeil n'est pas forcément synonyme de tranquillité : une personne normale peut changer de position de vingt à soixante fois par nuit.

Il y a deux sortes de sommeil : le sommeil à ondes courtes qui est dépourvu de rêves et qui est généralement le premier sommeil ; et le sommeil profond, durant lequel on rêve, caractérisé par de rapides mouvements oculaires. Ces deux sortes de sommeil alternent tout au long de la nuit.

Le sommeil profond est le plus réparateur, car c'est un processus à la fois physiologique et psychologique. On dit que les rêves réactivent le système nerveux central, mais on ne sait pas encore très bien comment. Peut-être aident-ils à résoudre les problèmes émotionnels et sont-ils nécessaires à la survie psychique. Certaines recherches ont démontré que la privation du sommeil à ondes courtes n'entraînait guère de dégâts physiques, alors qu'une interruption prolongée du sommeil profond était beaucoup plus grave et se soldait par une tension nerveuse accrue et des réactions névrotiques. La réaction normale pour se remettre de cette privation est de rêver davantage lors de la période de sommeil profond suivante — afin de rattraper les rêves et la détente perdus. Donc l'activité onirique est bonne pour la santé mentale.

La moyenne normale pour remettre le corps en état et lui rendre sa vivacité est de huit heures de sommeil par nuit : il est toutefois possible de les prendre en plusieurs fois et non d'une seule traite, du moment que l'on parvient à retirer de ce sommeil discontinu tous les bénéfices du cycle complet sommeil à ondes courtes-sommeil profond.

Vous pouvez dormir à n'importe quelle heure du jour ou de la nuit, du moment que le sommeil revient quotidiennement et régulièrement au cours d'un cycle de 24 heures. L'important, c'est le rythme et chaque corps humain possède un mécanisme inné que l'on appelle le rythme circadien : c'est un cycle au cours duquel une période de sommeil, ou de veille, de 90 à 120 minutes alterne avec une période de rêve de 5 à 10 minutes. Il se poursuit sans discontinuer 24 heures sur 24, comme la respiration, et il est lié à la régularité quasi mécanique avec laquelle se succèdent les hausses et les baisses de la température du corps. Au plus haut de la courbe, vous vous sentez pleine de vie et d'entrain et au plus bas vous êtes occupée à rêver, en dormant ou toute éveillée. Il est beaucoup plus facile de s'endormir lorsque la température est au plus bas et nous pourrions nous épargner bien des insomnies si nous savions convenablement déterminer notre courbe de température. Efforcez-vous de le faire et essayez aussi les exercices de relaxation et les remèdes (voir page 308).

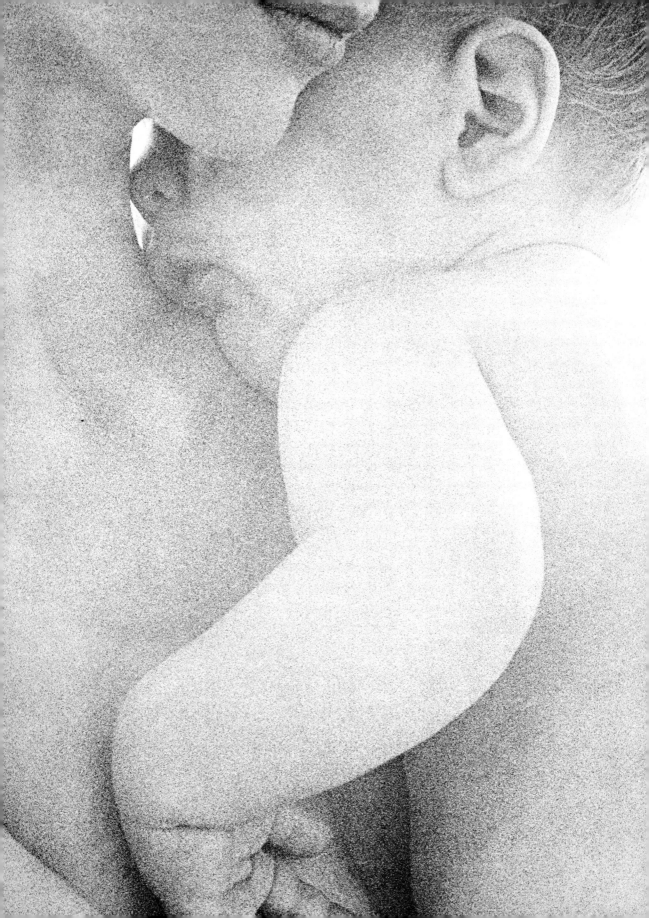

6

LE VIEILLISSEMENT

Il y a un demi-siècle, une femme était finie passé quarante ans. Aujourd'hui, les frontières ont été repoussées, mais si l'on ne nous fixe plus de date limite pour capituler devant la vieillesse, la crise qu'elle provoque semble commencer plus tôt et se prolonger plus longtemps, en raison de l'importance que l'on attache de nos jours à l'extrême jeunesse. C'est une espèce d'instinct de survie qui pousse les femmes de décade en décade, bien décidées à maintenir le statu quo. A cette détermination s'ajoutent désormais des moyens de plus en plus nombreux de lutter contre le vieillissement, ce qui fait que les femmes paraissent plus jeunes plus longtemps. Mais ce phénomène que nous appelons la vieillesse n'est pas le même pour toutes : certaines femmes sont vieilles à quarante ans, d'autres à soixante. Les médecins sont incapables de déterminer avec certitude si un corps a trente, quarante ou cinquante ans ; il leur arrive de se tromper de quinze ans. C'est l'âge biologique qui compte et il peut être fixé et ajusté par chaque individu.

Il n'existe pas de mystérieuse fontaine de jouvence, mais il y a de nombreux moyens de vous faire paraître et sentir plus jeune, à n'importe quel âge. Des traitements rajeunissants sont à l'étude dans de multiples domaines — cosmétique, nutrition, psychologie, chirurgie, endocrinologie, chimie. Les découvertes les plus remarquables ont été mises au point dans les domaines hormonal et chimique. Le but n'est pas tant de prolonger la vie que de la rendre plus intense et plus agréable, mais les années supplémentaires sont souvent ajoutées en prime. De tout temps, les élixirs de jouvence ont promis monts et merveilles ; aujourd'hui, l'attitude est plus réaliste.

Les signes de la vieillesse varient et il est impossible de prévoir quand ils vont commencer à apparaître. A mesure que nous prenons de l'âge, nos cellules perdent leur aptitude à se reproduire, à se développer et à se renouveler — ce qui est particulièrement apparent dans la lenteur accrue avec laquelle le corps cicatrise à partir d'un certain âge. Au bout d'un certain temps, les cellules non seulement ne parviennent plus à se reproduire mais commencent même à se détruire activement. Il n'existe pas deux personnes qui vieillissent exactement à la même vitesse et les cellules différentes ont une durée de vie inégale. Certains tissus qui tapissent l'intérieur du tube digestif sont formés de cellules qui ne vivent que 36 heures, alors qu'une cellule nerveuse peut vivre aussi longtemps que vous. Les cellules sanguines manifestent des changements précoces, alors que les cellules des cartilages ne changent guère de forme tout au long de la vie et peuvent même survivre plusieurs heures après la mort. On a émis beaucoup de théories quant à la raison pour laquelle les cellules se désorganisent ainsi, mais sans parvenir à établir une cause précise. Il s'agit peut-être d'un ensemble de facteurs :

● Nous vieillissons parce que notre corps s'use et que les cellules produites lorsqu'on est vieux sont de moins bonne qualité que celles que l'on fabriquait au temps de la jeunesse.

● Nous sommes programmés pour un certain âge. C'est une chose déterminée par l'hérédité ; nous possédons un mécanisme inné qui programme nos cellules de façon à ce qu'elles se subdivisent un certain nombre de fois, après quoi le corps a épuisé tous ses pouvoirs de renouvellement.

● Le dysfonctionnement est dû à une erreur biochimique. Cette idée est liée à la théorie selon laquelle le métabolisme est maintenu et gouverné par des catalyseurs tels que les sels minéraux, les vitamines, les enzymes, les micro-éléments et les acides aminés. Si nous parvenions à remplacer ces catalyseurs, les cellules pourraient se réactiver comme des cellules normales et jeunes.

● L'accumulation d'obstacles nocifs engorge les tissus au point d'empêcher les cellules de fonctionner efficacement.

● Les tissus conjonctifs se détériorent : c'est la théorie du collagène. Beaucoup des symptômes types du vieillissement — peau ridée et flasque, durcissement des artères — sont liés aux propriétés des molécules de collagène des tissus conjonctifs.

● Le corps perd sa faculté de distinguer entre ses propres protéines et les protéines étrangères et il se met à rejeter celles qu'il vient de former lui-même.

● Pour une raison X, le développement des cellules se ralentit à cause de l'incapacité croissante de l'organisme à se rénover. Si nous connaissions les lois qui régissent l'activation, nous pourrions obliger la nature à se régénérer. Ce n'est que par le contrôle et la régulation de la chimie du corps humain que nous parviendrons à vaincre enfin la vieillesse.

UNE MESURE PRÉVENTIVE: PRENDRE SOIN DE SOI

Vieillir ou rester jeune ne relèvent pas uniquement d'un contrôle chimique. Il existe tout un éventail de méthodes et de produits qui vont de la chirurgie esthétique et de la dermabrasion aux effets vivifiants des parfums, mais ils dépendent tous des talents d'autrui. L'hérédité, les habitudes et l'environnement jouent tous un rôle dans la façon dont nous vieillissons. La meilleure façon de garder l'air jeune et de se sentir bien pendant des années, c'est de commencer très tôt à prendre des habitudes de vie saine et d'hygiène que l'on conservera toute sa vie. Cependant, il n'est jamais trop tard pour bien faire — commencez par adopter une alimentation, une activité physique et un comportement nouveau.

Alimentation: Veillez à rester mince; vous aurez l'air plus jeune et cela vous donnera en outre une bonne chance d'échapper à certaines maladies de la vieillesse, telle que le diabète, l'hypertension et l'artériosclérose. Si votre tension et votre taux de cholestérol sont trop élevés, vous avez peut-être dix ans de plus que votre âge sur le plan biologique. Les obèses ne meurent pas tous jeunes, de même que les fumeurs n'ont pas obligatoirement un cancer de la gorge, mais les statistiques indiquent qu'un excès de poids se solde souvent par une mort prématurée.

A mesure que l'on vieillit, les besoins en nourriture diminuent; d'habitude, 1800 calories par jour suffisent. Certains aliments sont spécialement conseillés — les légumes, les fruits, la viande maigre, le lait, le fromage, le poisson et peu ou pas de graisses animales. Il faut vous peser tous les jours, même si vous n'en aviez pas l'habitude auparavant, car le secret est de ne jamais dépasser de plus d'un ou deux kilos votre poids d'antan. Deux kilos peuvent se reperdre sans trop de mal. Mais les régimes draconiens sont déconseillés, car ils ont un mauvais effet sur le caractère et sur les nerfs, font fondre les muscles et tomber les traits du visage dont la peau n'est plus aussi élastique qu'autrefois.

Veillez à prendre suffisamment de vitamines et de sels minéraux. Incluez dans votre alimentation de la superlevure, du varech, du yogourt et du miel. Mangez beaucoup d'ail et d'oignon; ajoutez à la liste de vos boissons la tisane au ginseng; l'abricot, sec ou frais, doit devenir l'un de vos principaux fruits. On pense que la vitamine E est particulièrement régénératrice; l'une des meilleures sources en est le germe de blé. La vitamine C est recommandée, elle aussi, car elle aide à contrôler les sécrétions hormonales et maintient en bon état le collagène des tissus conjonctifs.

Si vous aimez les douceurs, substituez des friandises au miel aux confiseries du commerce.

Beaucoup de gens estiment que les gélules de pollen aident à renforcer la vigueur et la résistance du corps. Le pollen est constitué par les cellules sexuelles mâles des fleurs et ces gélules contiennent des éléments nutritifs essentiels sous une forme concentrée. Le pollen et le miel non filtré font partie intégrante de l'alimentation des peuples qui battent tous les records de longévité, par exemples les Hunzas et les Caucasiens.

Activité physique : On devrait idéalement faire de la gymnastique toute sa vie, non seulement pour garder une silhouette jeune, mais aussi pour maintenir la circulation à son plus haut niveau et pour préserver la bonne santé générale du corps. Toutes celles qui veulent avoir à soixante ans le corps d'une femme de trente-cinq ans ont intérêt à commencer tôt. Mais ne vous mettez pas brusquement à la culture physique, cela risquerait de vous faire plus de mal que de bien. Si vous n'avez jamais pris beaucoup d'exercice, commencez progressivement avec les méthodes les plus douces. Les mouvements de Mensendieck (p. 86-87) ne sont pas très fatigants, ni ceux que l'on fait dans le bain ou dans l'eau. La pratique des sports est encore la façon la plus agréable et la plus régulière de prendre de l'exercice. Et marchez d'un pas élastique en vous tenant bien droite.

Comportement : L'ennui et la léthargie font vieillir les gens presque aussi vite qu'une alimentation défectueuse ou que le manque d'exercice. Restez optimiste et intéressez-vous au maximum de choses. Ne vous retirez jamais de la vie active, même si vous avez pris votre retraite ; remplacez simplement une activité par une autre. En outre, restez sexuellement active, cela vous gardera jeune ; il est totalement faux de croire que le désir et l'aptitude sexuelle diminuent passé un certain âge.

Des recherches ont démontré que les personnes qui vivent le plus longtemps ne semblent pas douées d'un vif esprit de compétition et acceptent l'existence avec une sorte de fatalisme pragmatique ; cela ne veut pas dire qu'elles se contentent d'attendre et de subir, mais qu'elles sont dépourvues des épuisantes caractéristiques de l'agressivité.

Les puritains prétendent qu'une vie trop joyeuse est généralement courte, mais ils se trompent du tout au tout. Le bonheur et la gaieté sont étroitement associés à la santé et à la vitalité.

Apparence : Pour avoir l'air jeune, il ne faut surtout pas se cramponner désespérément à son apparence d'antan. Il faut accepter son âge sans lui céder. L'essentiel, c'est l'uniformité : du corps, de l'attitude, du camouflage. Il est inutile d'avoir un visage jeune sur un corps vieux, des cheveux éclatants autour d'une figure ridée ou de se comporter comme une gamine lorsqu'on a l'âge d'être sa mère. A mesure que vous prenez de l'âge, votre personnalité transparaît davantage. Ce que vous pensez depuis des années s'exprime par le biais de vos expressions, de vos gestes, de votre voix. Vos défauts peuvent s'en trouver exagérés et permanents.

Une femme d'âge mûr doit accorder à son apparence physique des soins spécialisés et rationnels. La beauté n'est pas un hasard, mais une tâche quotidienne. Ce n'est pas la peine d'y passer des heures chaque jour, mais les soins doivent être quotidiens. Une femme belle et débordante de vitalité, qui possède une silhouette jeune, une peau lisse et des cheveux brillants, possède certainement aussi une volonté de fer.

LA MÉNOPAUSE

Les femmes sont les seules créatures dont la vie se prolonge au-delà de leurs facultés reproductrices. Tout au long de l'adolescence et de la maturité, les hormones féminines affectent la sexualité, l'apparence et le tempérament des femmes. Il y a deux hormones qui comptent — l'œstrogène et la progestérone — et pendant toute l'existence reproductrice de la femme, elles sont produites selon un schéma cyclique. La production d'œstrogène est plus forte pendant la première moitié du cycle et celle de progestérone pendant la seconde. Leur principale fonction est d'épaissir la paroi interne de la matrice chaque mois, en vue d'une éventuelle grossesse et de provoquer la menstruation si la conception n'a pas eu lieu.

Lorsque la plupart des femmes atteignent 45 ou 50 ans, la production d'œstrogène diminue considérablement et finit par s'arrêter complètement. C'est ce qu'on appelle la ménopause et ses effets sont incommensurables : 20 % à peine des femmes ont la chance de la traverser sans souffrir des troubles qui l'accompagnent.

A strictement parler, la ménopause proprement dite est la date des dernières règles et la période ainsi nommée est la phase de transition de la fonction ovarienne, qui peut commencer deux ans avant la ménopause et se prolonger deux ans après. Chaque femme est un cas particulier. Les signes et les symptômes peuvent se manifester avant qu'il y ait eu la moindre altération du schéma menstruel; parfois ils se déclarent au moment où les règles s'arrêtent. Souvent, un symptôme apparaît en premier et les autres le suivent peu à peu.

Bouffées de chaleur et suées: C'est probablement le plus désagréable des symptômes avant-coureurs. Une bouffée de chaleur monte de la poitrine et le visage s'empourpre; elle peut s'accompagner d'une forte transpiration. Chez de nombreuses femmes, le stress ou l'excitation ont tendance à déclencher ces phénomènes.

Sautes d'humeur: Il faut y ranger la nervosité, l'irritabilité, la dépression, la tendance aux larmes, la difficulté à se concentrer, les pertes de mémoire et de confiance en soi, l'appréhension.

Altérations osseuses: Le squelette subit souvent des changements; les os perdent parfois une partie de leurs protéines, ils deviennent progressivement plus cassants et plus poreux. C'est pour cela que les femmes d'un certain âge se cassent souvent le col du fémur ou le poignet, même à la suite d'accidents tout à fait bénins. Souvent la colonne vertébrale s'affaiblit et se voûte. Les os deviennent parfois douloureux.

Altérations du corps et de la peau : L'ensemble de la peau devient plus mince, moins ferme et perd son elasticité. Les seins rétrécissent et perdent leur galbe à mesure que le tonus musculaire et cutané diminue ; les cheveux deviennent cassants et moins fournis.

Jusqu'à une période relativement récente, les femmes ont dû faire face à la ménopause, sans autre secours que celui de l'aspirine, des tranquillisants et des encouragements de leur médecin qui leur assurait que tout cela était « normal ». Aujourd'hui, les milieux médicaux commencent à accepter l'idée que les apports d'hormones supplémentaires sont d'une valeur inestimable pour combattre les effets de la ménopause.

TRAITEMENT PAR LE REMPLACEMENT DES HORMONES

Au cours de ces dernières années, on a beaucoup parlé de l'œstrogène comme d'un facteur susceptible de lutter contre les méfaits de l'âge et tout particulièrement contre la ménopause. C'est un point encore controversé, mais aujourd'hui les médecins semblent plus convaincus qu'il s'agit d'un traitement valable et indiqué.

L'œstrogène de remplacement ne rend pas à la femme sa fertilité, mais il continue à assurer son rôle protecteur et constructif. Il renforce les os et les empêche de devenir poreux ; il contribue à assainir les tissus et il préserve le tonus musculaire, il lubrifie le vagin et le garde en bonne santé ; il remédie aux bouffées de chaleur et aux suées et, en augmentant le niveau de tryptophane (un acide aminé) dans le sang, il équilibre les émotions et dissipe souvent la dépression. On croit aussi qu'il lutte contre les maladies de cœur auxquelles les femmes deviennent aussi sujettes que les hommes une fois que le niveau des hormones commence à baisser. Somme toute, le remplacement de l'œstrogène inverse les effets de la ménopause.

Chez certaines femmes, le déséquilibre glandulaire ne semble faire que peu ou pas de différence pendant plusieurs années, car d'autres glandes continuent à produire de l'œstrogène. Mais on estime que 50 % des femmes auraient besoin d'un complément d'hormones, et que sur les 50 % restants, la moitié seraient physiquement mieux portantes et plus heureuses grâce à ce traitement. Toutefois, les spécialistes précisent qu'il ne faut y avoir recours que sous surveillance médicale et qu'il faut faire le bilan individuel de chaque patiente pour mettre au point le traitement et le dosage. Un test tout simple permet d'établir le niveau d'œstrogène. Au début, il peut y avoir une légère prise de poids et les seins peuvent devenir plus gros et plus actifs, mais ces effets secondaires ne durent pas.

Il est important d'administrer correctement la dose. Il faut prescrire l'œstrogène selon un cycle de trois semaines sur quatre, en lui ajoutant de préférence de la progestagène. Les médecins qui ont mené à bien les premières recherches dans ce domaine recommandent un traitement combiné. Voici la marche à suivre : l'œstrogène de remplacement ne se contente pas de ramener à la normale de nombreuses fonctions corporelles ; il renforce en outre la paroi interne de l'utérus. Bien que la conception soit impossible, il n'est pas vraiment indiqué d'épaissir à long terme les parois de l'utérus. Un épaississement anormal peut provoquer un dérèglement appelé hyperplasie qui, pour autant qu'on sache, précède ou accompagne le cancer. La solution est donc d'arrêter l'œstrogène une semaine sur quatre, ce qui fait baisser le niveau et permet d'éliminer toute accumulation — plus ou moins selon l'ancien schéma menstruel. Pour s'en assurer, il faut prendre une autre hormone féminine, la progestagène, pendant cinq jours à la fin de chaque cycle. Malheureusement, beaucoup de femmes répugnent à interrompre l'œstrogène pour éviter la perte de sang qui s'ensuit. C'est un peu la politique de l'autruche. D'ailleurs, signalons en faveur de la progestagène que les saignements programmés évitent les saignements intempestifs toujours possibles et, par voie de conséquence, les examens et les analyses destinés à découvrir leur cause. Rien ne semble prouver que ce traitement accroîsse les risques de cancer du sein ou de l'utérus ou autres, ce dont on l'accusait au début, ni qu'il provoque des risques de thrombose. Ces craintes ne reposent sur aucune donnée médicale. On a soumis les hormones à d'innombrables tests et d'innombrables questions : elles en sont toujours sorties victorieuses. Certaines sont fabriquées à partir d'extraits d'urine de juments fécondées ; d'autres sont des composés chimiques.

LE TRAITEMENT CELLULAIRE

Ce traitement est une réactivation du corps entier. On stimule les organes pour qu'ils reprennent leur activité et ramènent ainsi le métabolisme à son régime antérieur plus vigoureux, ce qui évite de prendre des médicaments.

Il fut mis au point par le Professeur Paul Niehans, au début des années 1930 et, en dépit d'un scepticisme inébranlable et largement répandu dans les rangs des médecins orthodoxes, il figure toujours en très bonne place parmi les cures de rajeunissement. Niehans est mort en 1971 (à plus de 80 ans), mais sa clinique très sélect de Vevey, « La Prairie », continue le traitement ainsi que d'autres centres dans l'Europe entière : rien qu'en Allemagne, on compte plus de 500 médecins capables d'appliquer le traitement cellulaire, même si ce n'est pas leur unique spécialité.

Au début de sa carrière, Niehans était considéré comme un des grands pontes de l'endocrinologie. Il tomba tout à fait par hasard sur un nouveau moyen de faire accepter au corps les remplacements d'organes. Un jour, il vit arriver un malade qui souffrait d'un dérèglement parathyroïdien, dans un état si critique qu'il n'y avait pas le temps matériel d'opérer. Se fiant à une inspiration, Niehans hacha menu la glande parathyroïde d'un bœuf, la mit dans du sérum physiologique et injecta le tout au malade. Celui-ci supporta fort bien cette intrusion, guérit et vécut encore 25 ans.

A partir de cet exemple d'acceptation et de tolérance par un être humain d'un organe prélevé sur un animal (chose que l'on avait jusqu'alors dénoncée comme impossible et dangereuse), Niehans se dit que le corps devait pouvoir accepter, ou en tout cas exploiter d'une façon quelconque, les cellules animales. Il décida d'utiliser les cellules embryonnaires dont les pouvoirs et les possibilités régénératrices étaient les plus fortes. Prenant pour base le vieux principe homéopathique qui veut que les « semblables se guérissent », il injecta au corps humain des cellules identiques à celles qui avaient besoin d'être revitalisées. Ainsi, si le patient était hépatique, des cellules fraîches du foie d'un animal étaient utilisées pour stimuler le foie défaillant ; les cellules du cœur combattaient les maladies cardiaques ; les cellules placentaires soulageaient l'angine de poitrine et la fatigue post-natale. Les nouvelles cellules embryonnaires venaient d'un fœtus d'agneau et Niehans préférait les utiliser le plus vite possible, quelques minutes à peine après leur extraction. On n'a pas encore compris si elles sont assimilées ou si elles jouent un rôle de catalyseur, mais elles contribuent indéniablement à déclencher un processus de réactivation et on a démontré photographiquement que les cellules injectées se portent toujours jusqu'à l'organe correspondant du corps humain. Le renouvellement ne réussit que si l'organe n'a pas dépassé un certain stade de détérioration.

La défense du traitement cellulaire s'appuie encore aujourd'hui sur des preuves empiriques. Les rapports favorables subjectifs ou l'étude des dossiers des patients, indiquant leur état avant et après le traitement, ne suffisent pas à le faire accepter par la médecine officielle. Le traitement commence par un examen du patient et un diagnostic très approfondi concernant les organes défaillants, confirmé par des analyses spécifiques. On prépare les extraits appropriés que l'on injecte dans la fesse. Le traitement dure d'habitude de 3 à 5 jours. On prescrit un régime, certaines restrictions, par exemple pas d'alcool pendant plusieurs mois, pas de soleil, pas de saunas. Les patients assurent souvent qu'ils constatent une amélioration immédiate, mais celle-ci est généralement temporaire et fréquemment psychique. Les véritables bienfaits du traitement ne commencent à apparaître qu'au bout de trois mois environ, lorsque se manifeste une amélioration physique visible.

Les tenants du traitement cellulaire n'injectent pas tous de la matière cellulaire fraîche ; certains utilisent des cellules séchées en solution, d'autres des extraits de cellules qui comprennent des acides ribo-nucléi-

ques essentiels, lesquels contiennent en germe tout le schéma du renouvellement. On peut aussi faire le traitement à titre préventif, pour retarder
les effets de l'âge plutôt que pour y remédier. De toute façon, le traitement
n'est pas suivi une fois pour toutes. Il est conseillé de le répéter tous les
cinq ans environ, compte tenu de l'âge du patient lors du premier traitement et de son âge actuel. Niehans n'a jamais prétendu que son traitement
pouvait maintenir en vie ou rajeunir les gens indéfiniment, mais il a insisté
sur le fait que, pendant toute sa durée, l'existence pouvait s'en trouver
plus épanouie et plus active.

Le traitement cellulaire peut aussi soigner le système sur le plan organique : les troubles digestifs réagissent bien, ainsi que tous les dérèglements
qui touchent au cœur et aux artères. Les maladies du foie et des reins sont
fréquemment soulagées et il est possible de traiter toutes les parties du
corps qui fonctionnent mal ou dont le métabolisme est ralenti. Les meilleurs résultats sont obtenus, comme on l'a vu, dans les cas de troubles
glandulaires et de dérèglements dus à la dégénérescence et au stress. On y
a souvent recours pour lutter contre l'impuissance et la frigidité et contre
les méfaits de la ménopause et de la menstruation. En ce qui concerne la
ménopause, on assure que le traitement entraîne une amélioration de tous
les symptômes accompagnateurs.

Malgré l'hostilité manifestée par les autorités médicales envers les tenants
du traitement cellulaire, beaucoup de femmes continuent à faire appel à
ces derniers. Une chose, en tout cas, reste certaine : depuis la première
expérience de Niehans, en 1931, tout le dossier du traitement cellulaire
prouve que c'est une technique absolument sans danger. Quant à savoir si
elle est ou non efficace, chacune est libre d'en juger.

LE TRAITEMENT A LA PROCAÏNE

Un autre moyen de retarder le vieillissement est une drogue appelée
Gerovital (connue aussi sous le nom de GH-3), qui a la réputation de
diminuer presque tous les méfaits de l'âge. Elle a été découverte par un
médecin roumain, le professeur Ana Aslan, qui a depuis traité plus de
100 000 patients dans sa clinique de Bucarest. Le Gerovital est une
substance blanche, cristallisée et soluble, qui porte le nom d'hydrochlo-
ride procaïne, ou celui plus familier de novocaïne, et elle est souvent
utilisée comme analgésique local pour les interventions dentaires et les
petites interventions chirurgicales.

Comme tous les autres agents revitalisants, le Gerovital n'est pas le fruit
de recherches délibérées. Le professeur Aslan traitait des personnes
âgées, souffrant de rhumatismes, par des injections de procaïne pour
soulager leurs douleurs et leurs malaises. Sur une période de sept ans, elle
put constater et observer que ses patients connaissaient un regain d'acti-

vité mentale et physique et que beaucoup de leurs problèmes de peau disparaissaient. A la suite de ces découvertes accidentelles, elle mit au point le Gerovital, en ajoutant à la procaïne d'autres ingrédients dont l'acide benzoïque et des sels de potassium, qui modifient l'action de la procaïne en amplifiant et en prolongeant ses effets.

Le professeur Aslan fut nommée directrice d'une clinique gériatrique spécialisée où l'on entreprit des expériences sur une grande échelle. Elle ne savait pas exactement comment ni pourquoi son médicament agissait, mais indéniablement il agissait et elle put fournir des preuves cliniques irréfutables à l'appui de ses allégations. Le premier changement affecte en général les fonctions mentales et les changements physiques suivent de peu. L'un des premiers signes visibles est une amélioration de la peau — elle s'adoucit, les rides s'estompent, la couleur se ravive et la pigmentation redevient plus régulière. On a parfois constaté aussi que les cheveux repoussaient plus fournis. L'effet du Gerovital sur les fonctions psycho-mentales est particulièrement important étant donné que la dépression, si souvent associée au vieillissement, peut déclencher de nombreuses maladies. Une fois que la dépression est atténuée par les effets du traitement, les maladies qui en découlent disparaissent souvent d'elles-mêmes. Le professeur Aslan et les autres tenants du Gerovital assurent qu'il parvient à stimuler le renouvellement cellulaire, à activer le système circulatoire, à renforcer les os et les articulations, à réactiver les glandes endocrines et qu'il a un effet mobilisateur sur le cholestérol.

Au départ, le médicament se heurta aux doutes des autorités médicales, mais il souleva immédiatement un intérêt et une sympathie immenses au sein du grand public. Les patients de la clinique de Bucarest subissent une série de 12 piqûres en l'espace de 10 à 15 jours. Les effets s'estompent peu à peu et il est conseillé de répéter le traitement au moins une fois par an. Certains pays acceptent ce médicament pour lutter contre la dépression, mais le refusent pour combattre la vieillesse.

Les Allemands ont compris le potentiel du Gérovital et il l'ont conditionné sous forme de cachets rapidement baptisés « pilules de jouvence ». Il porte le nom de KH-3 et c'est une combinaison de procaïne et d'hématoporphine, qui agit comme un catalyseur. Il est disponible dans toutes les pharmacies d'Europe et la posologie est d'un cachet par jour pendant cinq mois. Son efficacité reste encore à prouver dans une large mesure. Il est déconseillé aux femmes de moins de trente ans et aux femmes enceintes, non pas qu'on lui connaisse d'effets secondaires, mais par mesure de sécurité. D'une façon générale, disons que le KH-3 fait le même effet qu'une super-vitamine, mais on croit aussi qu'il agit directement sur le métabolisme de la cellule qu'il catalyse. En fait, personne ne sait vraiment à quoi s'en tenir.

LE CORPS

Au cours des années vingt, les femmes faisaient de la voile, nageaient, skiaient et jouaient au tennis — l'impassible Helen Wills et la fantasque Suzanne Lenglen étaient des idoles. Il était chic d'être mince, et pour amincir les jambes et les chevilles et soulager les pieds fatigués les « Cristaux Sculpto » restaient « sans rivaux ». « Un nouvel ami de celles qui souffrent d'un surplus de kilogrammes, voici le Rub Away, excellent appareil à masser fait de cylindres de caoutchouc creux ». « Une transpiration excessive sous les bras » menaçait « le raffinement de chacune d'entre nous » et l'on pouvait se faire envoyer un échantillon d'O-do-ro-no pour trente centimes seulement. Les années trente lancèrent le culte du grand air. Les bains de soleil devinrent la nouvelle folie de ces dames et les adoratrices du Soleil, dénudées et ointes, se pressaient sur les terrasses et les plages, bien décidées à se faire griller sur toutes les faces. « L'établissement thermal idéal » de Kensington, institut de beauté et de santé londonien, offrait « toutes les sortes de bains jamais inventées : eau de Vichy, eau salée, cire, aiguilles de pin, air et soufre ». A la question: « S'il vous plaît, Vogue, mon front est trempé d'une sueur méritoire, et il n'est pas le seul. Que faire pour rester fraîche ? », Vogue répondait : « Personnellement, nous ne jurons que par Perstik et Perstop ». Avec les années quarante, ce fut l'avènement de la santé avant toute chose et du « journal d'une snobinette » : « Nourrissez vos glandes, votre corps réduira de lui-même… et ne comptez pas sur la guerre pour « éliminer » votre embonpoint ». Vogue disait : « La beauté d'aujourd'hui a redressé son épine dorsale et amélioré sa silhouette ». Les psychologues envahirent le domaine de l'esthétique, recommandant aux obèses de moins penser « c'est délicieux » et de se dire plus souvent « combien de centimètres ». Avec les années soixante, on vit arriver la mode diététique : on se mit à faire pousser ses propres légumes et à consommer des aliments naturels et libres de tout additif. Les corps se dénudèrent de plus en plus et en 1966 : « Les bikinis n'ont jamais été aussi réduits et jamais les femmes n'ont eu une si belle occasion d'acquérir un beau bronzage uniforme de la tête aux pieds. » Le confort était sacrifié au culte de la jeunesse et l'idéal était de ressembler à une enfant maigrichonne et tout en jambes d'une quinzaine d'années. Et maintenant, qu'est-ce qui nous attend ? Les gens sont moins complexés, plus naturels, plus détendus. « Aujourd'hui, les gens ne sont plus seulement conscients qu'ils sont trop gros, ils tâchent d'y remédier. Être obèse est un crime contre la société et contre soi-même. »

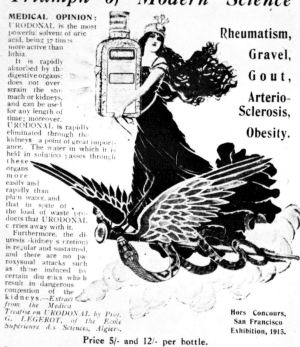

1925

énétrant sous le portail de gauche de l'établissement
rmal à la mode d'Abdomen Allah, nous voyons la
pulente clientèle féminine, en route pour les eaux, les
ns de vapeur, les saunas, les massages et autres formes de
ure ordonnées par le redoutable régime turc. Remarquez
ces dames ressemblent à cinq des ottomanes les plus
nbourrées de l'empire ottoman. Mais attendez…

Incroyable, mais vrai : le quintette de minces silhouettes sorties
en droite ligne de *Vogue* que vous voyez paraître à droite sont
les matrones monumentales qui occupaient à gauche davantage
d'espace vital qu'elles ne l'auraient dû. Les bains turcs en sont
responsables. Elles peuvent désormais affronter leurs
couturières la tête haute et entrer dans des robes minuscules
sans ignominie, sans honte et sans gaine élastique ! »

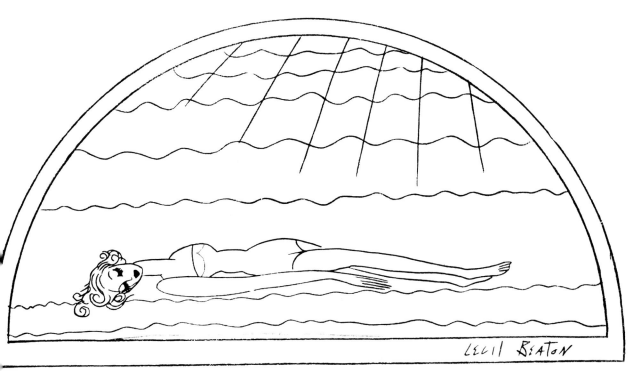

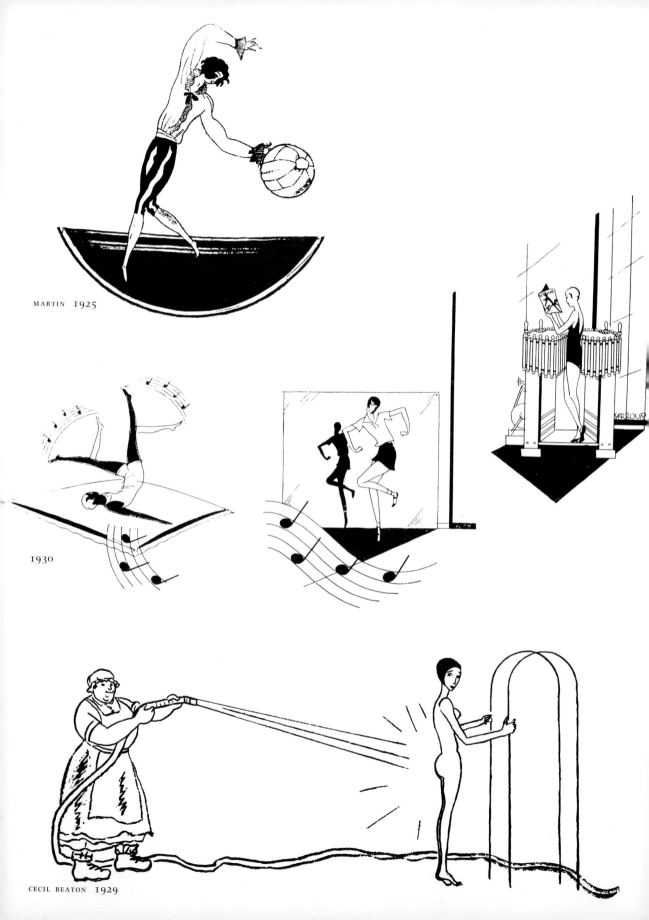

MARTIN 1925

1930

CECIL BEATON 1929

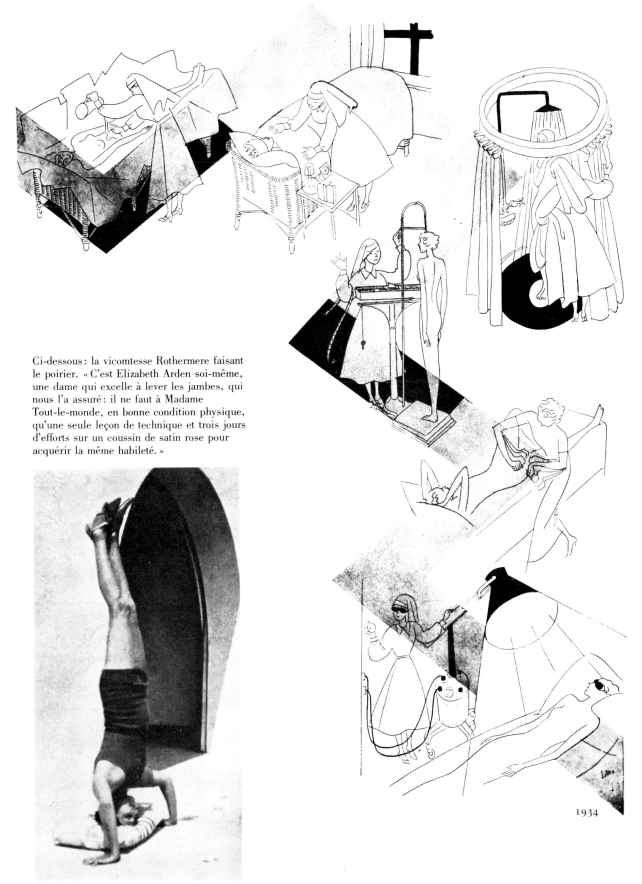

Ci-dessous: la vicomtesse Rothermere faisant le poirier. « C'est Elizabeth Arden soi-même, une dame qui excelle à lever les jambes, qui nous l'a assuré : il ne faut à Madame Tout-le-monde, en bonne condition physique, qu'une seule leçon de technique et trois jours d'efforts sur un coussin de satin rose pour acquérir la même habileté. »

1932

1934

HORST 1940

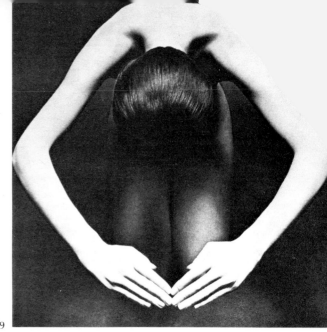

GUY BOURDIN 1969

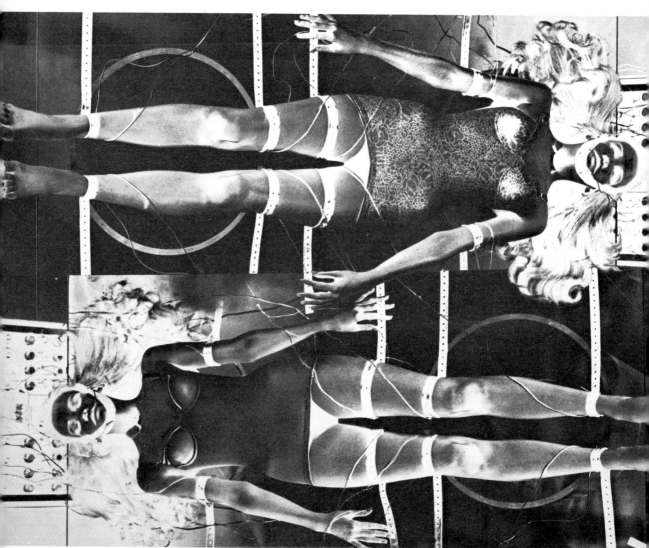

HELMUT NEWTON 1968

IKE REINHARDT 1972   HELMUT NEWTON 1972

INDEX

Acné, 124-125
Activité physique,
        voir gymnastique
Acupuncture, 288-289
Alcoolisme, 299-300
Alimentation,
        voir régimes
Allergies, 300-301
Amaigrisseurs électriques, 67
Aménorrhée, 103
Anémie, 301
Anorexie, 66-67
Anti-transpirants, 248-249
Aromathérapie, 289-291
Aslan Ana, professeur, 339-340
Asthme, 301
Avortement, 109

Bain, 237
        durée, 243
        matériel, 238-239
        mode d'emploi, 241
        mouvements à faire dans le, 250-251
        produits, 239-240
        savon, 246-247
        température, 241
        types, 243-246
Boissons, 39-40
Bouillon de légumes, recette, 41
Bras, 143-144
Bronchite, 301
Bronzage, 122-125

Cancer, sein, 98-101
        col de l'utérus, 101
Caries, 139
Cellulaire, traitement, 337-339
Cellulite, 47, 152-153
Cheveux, brossage et massage, 169
        brushing, 233-234
        chutes, 176
        coiffures, 226-227
        coupes, 227-231
        défrisage, 220-221
        épaisseur, 219

mise en plis, 232-233
nature et entretien, 167-168
notions élémentaires, 165-168
permanente, 220-221
perruques et postiches, 235
problèmes, 173-177
qualité, 220-221
quantité, 219
shampooing, 169-171
teintures, 221-226
traitements nourrissants, 172-173
Chevilles, 153-154
Chiropraxie, 291-293
Chirurgie esthétique, 315
        cou, 318
        fesses et cuisses, 321
        menton, 320
        nez, 319
        oreilles, 320
        poitrine, 319-320
        ventre, 321
        visage, 317-318
        yeux, 316-317
Circulation, 14-15
Constipation, 302
Contraception, 103-106
Cors, 159
Cou, chirurgie esthétique, 318
        gymnastique, 130-131
Crampes, 302
Cystite, 302

Démaquillants, 201-202
Dents, 138
        caries et maladies, 139
        soins esthétiques, 141
        soins d'hygiène, 139
        soins professionnels, 140
Déodorants, 248-249
Dépression, 325-326
Dérèglements glycémiques, 305-306
Dermatite, 125
Dermabrasion, 127
Desserts, recettes, 197
Diabète, 305-306
Diététique, 21
        et peau, 112-113

Digestion, 15-16
Dos, maux de, 308-310
Drogues, 303-304
Durillons, 160
Dysménorrhée, 304

Exercices, *voir* gymnastique

Faux cils, 214-215
Fesses et cuisses,
      chirurgie esthétique, 321
Fibres, alimentation 22-23
Fond de teint, 204-205, 208-209

Gérovital, *voir* traitements
Glandes, 16-17, 47-48
Grains de beauté, 126
Graisses, 24, 49-51
Grippe, 312-313
Grossesse, 106-109
Gymnastique, activité physique et
      exercices
      dans l'eau, 82-83
      bain, 250-251
      bras, 143-144
      canne, 78-79
      classique :
         niveau débutant, 72-73
         niveau moyen, 74-75
         niveau avancé, 76-77
      cou, 130-131
      grossesse, 108
      haltères, 80-81
      isométrique, 88-89
      jambes, 156-157
      lit, 84-85
      maintien, 19
      moderne, 92-93
      pieds et orteils, 161
      poitrine, 97
      sculpture du corps, 86-87
      vieillissement, 334
      visage, 130
      yeux, 134
      yoga, 90-91

Hahnemann Samuel, 294-295
Hépatite, 306
Herpès, 307
Homéopathie, 293-295
Hormones, 16-17, 47-48
      peau et, 113-114, 203
      traitement par le remplacement
         des, 336-337
Hydrates de carbone, 23-24, 49-51
Hypéridrose, 307
Hypoglycémie, 305-306

Insomnie, 307-308

Jambes, 151-157
Joues, 209-210

Kystes, seins 97
      ovaires, 101
Légumes, beauté par les 278-289
Lèvres, 207, 215
Lifting, 317-318
Lotions, 202
Lunettes, 136-137

Mains, 144-146
Maintien, 18-19
Manucure, 148-151
Maquillage, 201
      eye-liners, 206-213
      fond de teint, 204-205, 208-209
      mascara, 206-207, 214
      ombre à paupières, 205-206,
      211-213
      poudre de riz, 210
      rouge à joues, 205
      rouge à lèvres, 215-216
      technique, 207-208, 216-217
Mascaras, 206-207, 214
Massage, 71
Méditation, 327-328
Ménopause, 332, 335-336
Menstruation, 102-103
Menton, chirurgie esthétique, 320
Mononucléose, 311
Morphologie, 17-18
Muesli, recette, 41
Muscles, 12-13

Naturopathie, 295-296
Nerfs et cerveau, 11-12
Niehans Paul, professeur, 337-339

Oignons, 159
Ongles, 146-151
      incarnés, 161
      infections, 160
      pédicurie, 162-163
Oreilles, 137-138
      chirurgie esthétique, 320
      percement, 138
Organes sexuels, 101-102
Ostéopathie, 297

Pain complet, recette, 41
Palmer David, Dr., 292
Parfums, catégories, 256-258
      origines animales, 261-262

origines végétales, 260-261
utilisation, 259-260
Peau, bronzage, 122-125, 204
exfolier, 121-122
hydrater, 118-119, 202
nettoyer, 117-118, 201-202
nourrir, 119-120, 202-203
problèmes de, 124-126
rafraîchir, 118, 202
soins de base, 116-122
stimuler, 120-121
types, 114-116
Pédicurie, 162-163
Peeling, 126-127
Pellicules, cheveux, 174-175
Petits déjeuners, recettes, 190-192
Pieds, 157-163
Pied d'athlète, 160
Plantes, beauté par les, 281-285
médecine par les, 295
Poids, tableau des, 45
Poils superflus, 177-178
Points blancs, 126
Points noirs, 125
Poitrine, 96-101
exercices, 97
Potages, recettes, 192
Poudre de riz, 210
Procaïne, *voir* traitements
Produits hydratants, 202
nourrissants, 202-203
Protéines, 23
voir aussi régimes

Recettes, 41, 189-197
Régimes
accélérés amaigrissants, 59-64
alimentaire grossesse, 107-108
alimentaire vieillissement, 333
contrôle des portions, 57-59
contrôle des proportions, 53-56
cuisson des aliments, 24
d'équilibre, 25-26
GCH, 64
jeûne, 65-66
végétarien, 39

Relaxation, 326-327
Respiration, 13-14
Rétention d'eau, 48-49, 312
Rhumatismes, 312
Rhumes, 312-313

Salades, recettes, 194-195
Sautes d'humeur, 103
Savon, 246-247
Seins, auto-examen, 99
cancer, 98-101
chirurgie esthétique, 319-320
fibromes, 98
kystes, 97
Sels minéraux, 34-38
Shampooings, 169-171
Sommeil, 328-329
Sourcils, entretien, 211
maquillage, 206
Squelette, 10-11
Sucre, 22
Système nerveux, 11-12, 323

Taches brunes, peau avec, 126
Tension artérielle, déréglements,
304-305
Traitements cellulaires, 337-339
à la procaïne, 339-340
Transpiration, 247-249
Transports, mal des, 309

Ulcères, 313

Vaisseaux éclatés, 125, 154
Varices, 154-157
Ventre, chirurgie esthétique, 321
maux de, 311
Verres de contact, 135
Verrues, 126, 160
Vieillissement, 331
Vitamines, 27-33, 52

Yeux 132-137, 210-211
chirurgie esthétique, 316-317
maquillage, 205-206, 210-215
Yoga, 90-91

Photocomposition : Draeger
Achevé d'imprimer à Madrid (Espagne)
N° d'éditeur : 13
Dépôt légal : 4e trimestre 1980